CASA ENCANTADA.
LUGARES DE MEMORIA
EN LA ESPAÑA CONSTITUCIONAL (1978-2004)

Joan Ramon Resina y Ulrich Winter (eds.)

La Casa de la Riqueza
Estudios de cultura de España, 6

LA CASA DE LA RIQUEZA
ESTUDIOS DE CULTURA DE ESPAÑA
6

El historiador y filósofo griego Posidonio (135-51 a.C.) bautizó la península ibérica como «La casa de los dioses de la riqueza», intentando expresar plásticamente la diversidad hispánica, su fecunda y matizada geografía, lo amplio de sus productos, las curiosidades de su historia, la variada conducta de sus sociedades, las peculiaridades de su constitución. Sólo desde esta atención al matiz y al rico catálogo de lo español puede, todavía hoy, entenderse una vida cuya creatividad y cuyas prácticas apenas puede abordar la tradicional clasificación de saberes y disciplinas. Si el postestructuralismo y la deconstrucción cuestionaron la parcialidad de sus enfoques, son los estudios culturales los que quisieron subsanarla, generando espacios de mediación y contribuyendo a consolidar un campo interdisciplinario dentro del cual superar las dicotomías clásicas, mientras se difunden discursos críticos con distintas y más oportunas oposiciones: hegemonía frente a subalternidad; lo global frente a lo local; lo autóctono frente a lo migrante. Desde esta perspectiva podrán someterse a mejor análisis los complejos procesos culturales que derivan de los desafíos impuestos por la globalización y los movimientos de migración que se han dado en todos los órdenes a finales del siglo XX y principios del XXI. La colección «La casa de la riqueza. Estudios de Cultura de España» se inscribe en el debate actual en curso para contribuir a la apertura de nuevos espacios críticos en España a través de la publicación de trabajos que den cuenta de los diversos lugares teóricos y geopolíticos desde los cuales se piensa el pasado y el presente español.

CASA ENCANTADA.
LUGARES DE MEMORIA
EN LA ESPAÑA CONSTITUCIONAL
(1978-2004)

Joan Ramon Resina y Ulrich Winter (eds.)

VERVUERT • IBEROAMERICANA • 2005

Bibliographic information published by Die Deutsche Bibliothek
Die Deutsche Bibliothek lists this publication in the Deutsche Nationalbibliografie;
detailed bibliographic data are available on the Internet at http://dnb.ddb.de

MINISTERIO ESPAÑA
DE CULTURA

Publicación financiada con ayuda del Programa
de Cooperación Cultural «ProSpanien».

Derechos reservados

© Vervuert, 2005
Wielandstr. 40 – D - 60318 Frankfurt am Main
Tel.: +49 69 597 46 17
Fax: +49 69 597 87 43
info@iberoamericanalibros.com
www.ibero-americana.net

© Iberoamericana, 2005
Amor de Dios, 1 – E - 28014 Madrid
Tel.: +34 91 429 35 22
Fax: +34 91 429 53 97
info@iberoamericanalibros.com
www.ibero-americana.net

ISBN: 3-86527-181-2 (Vervuert)
ISBN: 84-8489-190-9 (Iberoamericana)

Depósito legal: B-8.841-2005

Fotografía de la cubierta: *El Fossar de la Pedrera* (Montjuïc, Barcelona),
Francesc Català-Roca

Cubierta: Michael Ackermann

The paper on which this book is printed meets the requirements of ISO 9706

Impreso por Cargraphics

Impreso en España

Todos somos casas encantadas.

(H. D.)

CONTENIDO

PRÓLOGO

Joan Ramon Resina y Ulrich Winter

> La mémoire s'accroche à des lieux
> comme l'histoire à des événements.
>
> Pierre NORA

Cuando, a principios de los años ochenta, Pierre Nora acuñó el término «lieux de mémoire», introdujo en el lenguaje historiográfico de la época un instrumento apto para analizar el imaginario iconográfico y simbólico de las identidades colectivas. Siguiendo las huellas de una memoria antaño «viva» pero ahora absorbida por la «Historia», la historiografía de los lugares de memoria articula los puntos de fuga de identidades precarizadas o directamente cuestionadas una vez desleído el horizonte nacional, que hasta hace poco determinaba conceptos como «tradición» o «memoria histórica»[1].

Nora pretendía inaugurar, más que un método, una perspectiva analítica. Ajena a la moda conmemorativa de aquellos años, esta perspectiva enlazaba con la obra pionera de Maurice Halbwachs sobre la memoria colectiva (Halbwachs 1925) así como con algunos principios de la *nouvelle histoire*. Ésta se había propuesto reintegrar la historia de las mentalidades a la narrativa de la historia político-económica y a los procesos de «larga duración» y del «imaginario colectivo», cuestionando el concepto

---

[1] Véase el artículo introductorio de *Lieux de Mémoire*, «Entre mémoire et histoire. La problematique des lieux» (Nora 1997, I: 23-43).

de «acontecimiento» y rechazando, en la línea del marxismo y el estruc-
turalismo, al sujeto autónomo como agente histórico[2]. En 1992, ocho
años y siete tomos de *lieux de mémoire* más tarde, Nora se veía obligado
a admitir el relativo fracaso del término, ya que éste había evolucionado
de manera afirmativa, contribuyendo a la cultura conmemorativa y lle-
gando a formar parte de ella[3].

Esta autocrítica sorprende tanto más si se tiene en cuenta la aceptación que tuvo y sigue teniendo el concepto de *lieu de mémoire* en Italia
(Isnenghi 1996/1997) o Alemania (François/Schulze 2001) y, por supuesto, también en España[4]. A primera vista, estas obras confirman la permanencia de la «era de la conmemoración» todavía a principios del siglo
XXI. Pero lo que estas y otras obras similares representan y a la vez contribuyen a esclarecer son los modos en que un colectivo se relaciona con
su pasado, asignándole un espacio virtual en la memoria compartida a través de una localización en el espacio social, función que el propio Nora
atribuía a los lugares de memoria (Nora 1993: 9). El presente volumen se
hace eco de estas reflexiones, evitando fomentar la cultura conmemorativa, sin por ello perder de vista el valor crítico de una cultura memorativa.
Como apunta Resina, conmemorar es, en sentido etimológico, intensificar el recuerdo; romper, por tanto, la costra rutinaria que recubre las heri-
das del pasado y anula la experiencia de lo vivido. Esa conciencia del
pasado herido o mutilado constituye, tal vez, la única orientación no
metafísica que nos queda, en cuanto seres sociales, tras las diversas crisis
(de la religión, del humanismo, de la razón, del marxismo, del sujeto, del
subconsciente).

Ante la ambivalente relación entre función y concepto, cabe preguntarse por el alcance y efectos de la con/memoración asociada a los lugares de memoria. ¿Son equivalentes la conmemoración como ejercicio de

---

[2] Véase LeGoff/Nora (1974), LeGoff (1988).

[3] Véase el ensayo «L'ére de la commémoration» (Nora 1997, III: 4687-4719) que cie-
rra el último tomo. Ricœur (2002: 522-535) propone una crítica general al concepto.

[4] Para España véase, entre otros, los estudios de Madalena Calvo (1988), Aguilar
Fernández (1996) o Tranche/Sánchez-Biosca (2001), que hacen uso explícito del término «lugar de memoria». Sería fácil extender la lista con referencias a investigaciones
sobre lugares de memoria en Alemania, Holanda, Cataluña, Estados Unidos, México,
Argentina, o Québec (Den Boer/Frijhoff 1993, Maier 1997, Sturken 1997, Vinyes 1997,
Klengel 2000, François/Schulze 2001, Jelin 2002, Kolboom/Grzonka 2002, Scribner
2003, Seltzer 2003).

poder y la conmemoración como esfuerzo por retener una memoria colectiva bajo borradura? ¿Es legítimo reunir bajo un mismo concepto intencional la celebración del Quinto Centenario del emperador Carlos V, estudiada por José Luis Villacañas, y la accidentada historia del monumento al Dr. Bartomeu Robert, referida por Colleen Culleton, aun cuando ambos emblemas constituyen lugares de memoria en el más preciso sentido del término? Como explica Nora y parafrasea Culleton, «si de veras recordáramos, no sentiríamos el impulso de conmemorar». Si el lugar de memoria es el índice de una desaparición, entonces también puede ser un baluarte contra el olvido. Aun así, ¿qué impide fetichizar los lugares y convertirlos en reducto de una sublimación del acontecimiento? Formalmente, nada se opone a que el lugar de memoria actúe como una resistencia a la historia, convirtiéndose en piedra angular de una identidad ucrónica. Siempre será posible extrapolar un instante del curso de los acontecimientos y convertirlo en marco estático (o estatal) de todo lo pensable y representable en la esfera sublunar de la política propiamente dicha. Como explica Rosi Song, «lo que finalmente comunica el discurso conmemorativo [de la Constitución] es una firme oposición a las propuestas de reforma» y una resistencia frontal a todo futuro «con relación a la organización estatal del país». Los lugares de memoria pueden, por tanto, ser patrimonializados y engrosar la simbología y mitología nacionales desde perspectivas historicistas y evolutivas hasta otras metafísicas, como las recientes indagaciones ontológicas sobre el «ser» de la «nación española» (Real Academia de la Historia 1997). Pero también pueden, como apunta Ulrich Winter, referirnos al futuro tanto como al pasado, y más que restos de una memoria desvanecida, ser la articulación simbólica de la aspiración a superar conflictos históricos heredados.

Si los lugares de memoria colectiva han contribuido históricamente a articular identidades nacionales, ¿cómo abordar críticamente la descripción de estas singularidades simbólicas sin redundar, por un lado, en el construccionismo en boga (Hobsbawm/Ranger 1983) ni por otro alentar el revisionismo? El primero, con el pretexto de una historización a ultranza, deviene antihistórico; mientras que el segundo, so capa de superar situaciones preteridas, ha reemprendido en las décadas aquí consideradas una ofensiva nacionalizadora que, como en el siglo XIX, aspira a domesticar el pasado, subsumir toda simbología bajo un código único, y erradicar las identidades culturales basadas en memorias divergentes. Una ofensiva que representa, en palabras de Agustí Colomines, un ejercicio de deconstrucción de la memoria, y que se manifiesta en hostilidad hacia la misma evidencia física de la historia, como en la sorprendente polémica en torno a los restos arqueológicos del Born, comentada por Resina. Que esta polémica implicara a ciertos historiadores en actitudes negacionistas responde menos a la reticencia de esta disciplina ante la memoria que a un fundado temor a los lugares de memoria como catalizadores de la afectividad. Ésta, sin embargo, supura de un pasado traumático, y si no encuentra salida adecuada en las formas institucionales de conocimiento o en rituales colectivos, lo hace a través de la cultura popular, como indica Jo Labanyi.

El presente libro se hace eco de esta función mnemónica de la cultura popular, tanto en el ámbito de la novela, como en el ámbito del cine, ya que, como observa Paul Julian Smith, el lenguaje empleado por Nora y sus colaboradores se apoya en el hecho visual de una forma metafórica que es, no obstante, susceptible de concretarse en el hecho cinematográfico.

No es sólo el uso político de los iconos y narrativas nacionales lo que pone de manifiesto la disyunción entre historia y memoria. Ni tampoco el hecho de que la historiografía, incluidas sus derivaciones mediática y educativa, sea un acto político (Pérez Garzón 2000, Resina 2000). La memoria prendida a los lugares con la tenacidad de la experiencia vivida es, como dice Zulaika, «sospechosa al historiador cuya misión es demoler el pasado, vaciarlo de legitimidad». Ese pasado en ruinas y deslegitimado no desaparece en virtud de la reescritura del presente, sino que perdura espectralmente en el edificio social. Y físicamente en lugares concretos, porque, como advierte Ángel Castiñeira, «los lugares de memoria son también memoria de lugares». El pasado repudiado persevera en lugares difícilmente accesibles, como la glorieta de la barcelonesa Plaça de Tetuan, en las identidades marginales sometidas a la violencia erradicadora de la globalización, o en barrios de desecho como la Palanca bilbaína. Estos lugares constituyen el contraste imprescindible de lo que Zulaika llama «la fantasmagoría arquitectónica» postmoderna. Es la brillante superficie de la arquitectura y el urbanismo globales lo que genera paradójicamente la topografía de la memoria al producir espacios subordinados y hasta vencidos, pequeños o grandes depósitos de experiencias que se consideran superadas e incluso nocivas a una modernidad que, arrancada de sí misma, se despoja de su sombra para reencontrarla bajo el aspecto del fantasma.

En España el debate en torno a la memoria histórica y la revisión crítica del pasado se lleva a cabo en un contexto político-cultural diferente al de otros países donde también se ha dado este debate. El centro de gravedad polémica no se sitúa a finales del siglo XVIII, como en el caso de Francia, ni en las décadas de los treinta y los cuarenta del pasado siglo, como en Alemania. La ruina de la «casa» ibérica durante la Guerra Civil y el franquismo centra el interés en la llamada «postmodernidad», época de «reencantamiento» en que, como en el hotel eléctrico de Segundo de Chomón, el huésped se ve atendido y dominado por una modernidad de la que no entiende el principio motor y de la que no es sujeto agente: ingreso obligado en la OTAN, aceptación condicionada en el Mercado Común Europeo y en la Unión Europea, acceso cómodo y no traumático a la legitimidad democrática, raudo ascenso del nivel de vida y el consumo, entrada y salida inconsecuentes de la primera guerra del milenio. Una modernidad tardía y en cierto sentido gratuita, atravesada por fuerzas que resultan incomprensibles, por lo mismo que se niega su origen y su precio histórico. Una modernidad más allá de sus propios fundamentos y en deuda con lo arcaico; en suma, una modernidad post.

Doblemente abierto en cuanto concepto historiográfico que «aleja» y «acerca» a la vez (Nora 1997, III: 4717) y también en cuanto soporte de la relación de una comunidad humana con su pasado, el lugar de memoria invita a ensayar nuevas orientaciones y contenidos a la hora de comprobar su alcance en el espacio cultural ibérico. Sobre todo, invita a hacerlo desde distintas perspectivas, atendiendo a lo que de los lugares-soporte puedan decir la sociología, los estudios culturales, los estudios visuales, la iconología, la historia, la literatura, la politología y los estudios urbanos.

***

«Rares sont les livres d'histoire dont l'histoire est assez longue pour inclure leur propre histoire» (Nora 1997, III: 4687). Lo que vale para el vasto proyecto de los *Lieux de Mémoire* franceses no se aplica, por supuesto, a este libro, de muy distintas dimensiones y sin ambición inclusiva. Y sin embargo, el juego entre memoria e historia ha marcado también a este libro, que como todo proyecto humano, tiene un pasado vivo, una «memoria», cuyo «lugar» lo constituyen los mismos ensayos aquí reunidos. Éstos son también un «lugar» en el sentido de que «materializan», sin acotarlo, un trayecto accidentado de reflexión sobre el tema. Un trayecto con altas y bajas, con colaboraciones logradas y otras frustradas, con voces y palabras perdidas y otras póstumamente archivadas. Un trayecto que empezó en Ratisbona en marzo de 2003 en un coloquio que reunió a buena parte de los autores aquí representados. El encuentro concluyó con una mesa redonda en el Instituto Cervantes de Múnich, integrada por Salvador Cardús, Joan Ramon Resina y Manuel Vázquez Montalbán, y moderada por Ulrich Winter. A las complicaciones iniciales de organización vino a sumarse el lamentable accidente que borró la grabación del acto e impidió su difusión posterior. Este accidente vino a recordar a los participantes la precariedad de la memoria y la singularidad de ciertas constelaciones irrepetibles. Posteriormente, Vázquez Montalbán haría referencia a este encuentro en un artículo periodístico, pero la crítica a la política oficial de la memoria en la España del principio del milenio, esbozada en el salón de actos del Instituto el segundo domingo de marzo, quedaría confinada al ámbito de la memoria y se perdería definitivamente para el de la historia.

Ninguno de los que entonces compartimos unas intensas jornadas con él volveríamos a verle con vida. Es, por tanto, una triste e imprevista contingencia que el único ensayo que publicamos en la versión original inmodificada pertenezca al autor cuya memoria, en estos momentos en que se concluye la redacción del libro, es la más vigente y la que más planea sobre el periodo considerado. Como si hubiera presentido su inminente desaparición, Manuel Vázquez Montalbán en su conferencia parecía recomendarse a sí mismo como lugar de memoria de la literatura española democrática, y a su obra como lugar de resistencia a la revisión y al insidioso genio de la desmemoria.

OBRAS CITADAS

AGUILAR FERNÁNDEZ, Paloma (1996): *Memoria y olvido de la Guerra Civil española*. Madrid: Alianza.
DEN BOER, Pim/FRIJHOFF, Willem (eds.) (1993): *Lieux de mémoire et identités nationales*. Amsterdam: Amsterdam University Press.
DOOLITTLE, Hilda (1985): *Tribute to Freud,* edición revisada. Manchester: Carcanet.
FRANÇOIS, Etienne/SCHULZE, Hagen (eds.) (2001): *Deutsche Erinnerungsorte*. 3 Vols. München: Beck.
HALBWACHS, Maurice (1925): *Les cadres sociaux de la mémoire*. Paris: Alcan.
HOBSBAWM, Eric/RANGER, Terence (eds.) (1983): *The Invention of Tradition*. Cambridge: Cambridge University Press.
ISNENGHI, Mario (ed.) (1996/1997): *I luoghi della memoria*. Roma *et al.*: Laterza.
JELIN, Elizabeth (2002): *Los trabajos de la memoria*. Madrid: Siglo XXI.
KLENGEL, Susanne (2000): «Nation, Nationalismus und kulturelle Heterogenität. Überlegungen zur Idee der 'lieux de mémoire' in Mexiko». En: *Quo Vadis, Romania*, 15/16, pp. 38-52.
KOLBOOM, Ingo/GRZONKA, Sabine Alice (eds.) (2002): *Gedächtnisorte im anderen Amerika/Lieux de Mémoire dans l'autre Amérique*. Dresden: CIFRAQS.
LE GOFF, Jacques (dir.) (1988): *La nouvelle histoire*. Paris: Ed. complexe (ed. original de 1978).
—: /NORA, Pierre (eds.) (1974): *Faire de l'histoire*. Paris: Gallimard.
MADALENA CALVO, José *et al.* (1988): «Los lugares de la memoria de la Guerra Civil en un centro de poder: Salamanca 1936-39». En: ARÓSTEGUI, Julio (coord.): *Historia y memoria de la Guerra Civil*. Valladolid: Junta de Castilla y León, T. II, pp. 487-549.
MAIER, Charles S. (1997): *The Unmasterable Past: History, Holocaust, and German National Identity*. 2.ª ed. Cambridge, Massachusetts: Harvard University Press.
NORA, Pierre (1993): «La notion de 'lieu de mémoire' est-elle exportable?». En: DEN BOER, Pim/FRIJHOFF, Willem (eds.): *Lieux de mémoire et identités nationales*. Amsterdam: Amsterdam University Press, pp. 3-10.
—: (ed.) (1997): *Les lieux de mémoire*. Paris: Gallimard (ed. original de 1984-1992).
PÉREZ GARZÓN, Juan Sisinio (ed.) (2000): *La gestión de la memoria. La historia de España al servicio del poder*. Barcelona: Crítica.
REAL ACADEMIA DE LA HISTORIA (1997): *España. Reflexiones sobre el ser de España*. Madrid: Academia de la Historia.
RESINA, Joan Ramon (ed.) (2000): *Disremembering the Dictatorship. The Politics of Memory in the Spanish Transition to Democracy*. Amsterdam/Atlanta: Rodopi.

Ricœur, Paul (2000): *La mémoire, l'histoire, l'oubli*. Paris: Seuil.

Scribner, Charity (2003): *Requiem For Communism*. Cambridge, MA: The MIT Press.

Seltzer, Mark (2003): «Berlin 2000: 'The Image of an Empty Place'». En: Resina, Joan Ramon/Ingenschay, Dieter (eds.): *After-Images of the City*. Ithaca, New York: Cornell University Press, pp. 61-74.

Sturken, Marita (1997): *Tangled memories: The Vietnam War, The AIDS Epidemic, and the Politics of Remembering*. Berkeley/Los Angeles: University of California Press.

Tranche, Rafael R./Sánchez-Biosca, Vicente (2001): *NO-DO: El tiempo y la memoria*. Madrid: Cátedra.

Vinyes, Ricard (1997): «La metàfora de bronze. El procés de monumentalització a J. Verdaguer (1902-1924)». En: *Spagna contemporanea*, 11, pp. 65-86.

«LOCALIZAR A LOS MUERTOS» Y «RECONOCER AL OTRO»: *LUGARES DE MEMORIA(S)* EN LA CULTURA ESPAÑOLA CONTEMPORÁNEA[1]

Ulrich Winter

Y cuando el año pasado se excavó la tierra, llamada por los lugareños la de los muertos, la fosa estaba vacía. De los siete cuerpos que la memoria del pueblo hacía en aquel viejo pozo, sólo aparecieron restos de un cráneo, pequeños fragmentos óseos, minas de lápiz que podían corresponder a dos tenderos fusilados y un dedal. [...] Una semana antes de que el 30 de marzo de 1959, víspera de la inauguración [del monumento del Valle de los Caídos], llegaran para dar lustre al mausoleo los restos de José Antonio Primo de Rivera, fundador de la Falange, una caja con huesos del pozo de Aldeaseca quedó anotada en el registro de entrada. Para que Franco escenificase la mitología, falsa y siniestra, de la reconciliación, el padre de Fausto [Canales] y otros muchos republicanos fueron sacados de sus tumbas desconocidas y apilados en un monumento construido con la mano de obra esclava de miles de presos que habían combatido contra el general. [...] La página correspondiente al día 23 de marzo de 1959 del registro de entradas dice así: «En el día de hoy ha ingresado en la cripta de este monumento, las siguientes cajas con restos de nuestros caídos en la Guerra de Liberación: de Navarra, 16 cajas; de Vitoria, 37; de Palencia, 26; de Alicante, 16; de Ávila, 18». En total, 113 cajas. De la llegada desde Aldeaseca, el pueblo próximo a Pajares de Adaja donde fue asesinado Valerico Canales, se dice que contiene seis cuerpos: una «señora desconocida» (Flora Labajos, la mujer del dedal) y cinco varones igualmente «desconocidos», aunque en realidad eran seis (Celestino Puebla, Víctor Blázquez, Pedro Ángel Sanz, Emilio Caro, Román González y Valerico Canales). El error en el cómputo se debe a que los desenterradores mandados por el Gobierno Civil al pozo de Aldeaseca se dejaron un cráneo en la fosa.

De: Julio VALDEON BLANCO, «¡Rojos enterrados con Franco!»,
El Mundo Sección «Crónica», del 19 de septiembre de 2004

1. «LOCALIZAR A LOS MUERTOS»

Como reconoce Pierre Nora (1997: I, 23-43), la invención de lugares de
memoria responde a la pérdida de realidad, a la indecisión de lo real y, en
un sentido amplio, a lo que en los años ochenta, en plena postmodernidad, se solía llamar la «estetización de la vida» (Welsch 1991: 50); aunque para el historiador lo que está en vías de desaparición es la realidad
del pasado en cuanto memoria histórica. Convirtiéndose en historia, la
memoria sufre una doble transfiguración: historiográfica en primer lugar,
pero también poética, ya que sus lugares pertenecen, al fin y al cabo, al
reino de la «literatura» (Nora 1997: I, 43). En realidad, como han señalado Hayden White (1973) y otros, dichas transfiguraciones son una sola.
No es de maravillar, pues, que la excelente actualización historiográfico-
estética de la memoria que Nora y sus colaboradores proponen en la vas-
ta y fascinante empresa de los *Lieux de Mémoire* lleve al historiador
francés a mezclar en su prólogo el estilo historiográfico con un sugestivo
estilo literario impregnado por el discurso apocalíptico-melancólico
sobre la «aceleración del tiempo» (Paul Virilio) y el «cambio simbólico»
(Jean Baudrillard).

No obstante, es la misma Historia la que cae en la tentación poética y
entonces la «memoria viva» (Nora), en vez de desaparecer, reaparece.
Desde que en 2001 la recién fundada Asociación para la Recuperación

---

[1] Según la acepción original noraesca, el concepto de lugar de memoria reconstruye
figuraciones identitarias memorativas que suponen un imaginario nacional asentado en
una nación políticamente establecida, aunque este imaginario se encuentre en vías de desaparición en cuanto marco cultural —como ocurre en Francia y Alemania— o el Estado-
nación sea cuestionado por otros nacionalismos, como en España. Es en este sentido que
me refiero a lugares de memoria 'españoles' (entre comillas, en este caso, por su status
hipotético), dejando de lado la problemática relación, en la Península Ibérica, entre, por
un lado, un Estado política y territorialmente definido por la Constitución e internacional-
mente reconocido como tal, y, por el otro, naciones sin reconocimiento político y cultural por parte del Estado y la comunidad internacional. A causa de esa diferencia entre
naciones establecidas y no establecidas, para lugares de memoria catalanes, vascos, galle-
gos, etc. valen (de momento) otras leyes, otras funcionalidades, otras legitimidades, y
otra crítica, en parte incluso inversas a las de los lugares españoles. El problema del reconocimiento, desarrollado a lo largo de este ensayo, sin embargo, está inscrito, de una forma u otra, en los dos tipos de lugares de memoria. Los artículos en el presente libro dan
cuenta, en su totalidad, de esta compleja realidad política en España. Este ensayo debe,
por su parte, mucho al pensamiento de Joan Ramon Resina (2000, 2002) y a su disposición a hacerme enriquecer mi perspectiva crítica.

de la Memoria Histórica (ARMH) empezó a comprometerse en la abertura de las fosas comunes que albergaron a un número todavía desconocido de muertos del bando republicano[2], la propia Historia parece que crea una metáfora mnemónica. Las fosas comunes constituyen lugares de memoria por antonomasia y a la vez demasiado testimoniales para subsumirse bajo uno de los tres tipos en que Nora clasifica dichos lugares, o sea, funcionales, materiales y simbólicos (Nora 1997: 37). Al contrario que los símbolos, mitos e iconografías institucionalizados que forman parte del patrimonio nacional, se trata de la irrupción en el presente de un pasado perdido, el cual se rehistoriza y rematerializa en un país donde, hasta hace poco, historia significaba desmemoria. La reaparición de los cadáveres da paso a una política de la memoria, en múltiples sentidos ejemplar. Primero, desde el punto de vista de la arqueología cultural, porque las excavaciones constituyen algo así como una escena primordial *(Urszene)* de la memoria histórica: nos remiten a la raíz más antigua y elemental de toda memoria cultural, esto es, la conmemoración de los muertos (Assmann 2000: 60-63), y se hacen eco de la leyenda etiológica de la tradición mnemotécnica protagonizada por Simónides de Keos[3]. Segundo, en un sentido ético: La «localización de los muertos» (Derrida 1993: 30) es el primer e imprescindible paso de toda «política de la memoria» que, empezando por el duelo, enseña «en el nombre de la justicia» «a vivir con los fantasmas» del pasado (Derrida 1993: 15ss.). Es precisamente este concepto de política de la memoria el que marca también el comienzo de una nueva época de revisión del pasado franquista instigado por el olvido oficial, el duelo y la falta de reconocimiento de las víctimas de la represión[4]. En resumen, las escenas de exhumación frecuentemente presentadas en los medios constituyen una

[2] Véase para la documentación y el debate acerca de las fosas comunes el libro de Armengou/Belis (2004) así como la página web de la ARMH: http://www. memoriahistorica.org.

[3] En la leyenda antigua, Simónides de Keos intenta identificar, recordando su distribución en la mesa, a los invitados muertos a causa del derrumbamiento de la casa en la que tenía lugar la celebración. El propio Simónides figuraba entre los invitados al banquete, pero fue rescatado por intervención divina.

[4] Véase para una crítica de la Transición en este sentido Resina (2000). El volumen colectivo *Víctimas de la guerra civil*, coordinado por Santos Juliá (1999), ofrece una primera síntesis general (aunque no exhaustiva) de las investigaciones llevadas a cabo sobre la violencia y la represión franquistas. Sobre las persecuciones franquistas en Cataluña, véase Benet (1978).

configuración emblemática para el paisaje conmemorativo español de fines del siglo XX y principios del siglo XXI. Al mismo tiempo revelan de forma aguda toda una problemática inscrita en los lugares de memoria españoles y en lo que éstos nos enseñan sobre los lapsos y descuidos en la historiografía (pos-)noraesca de los *lieux de mémoire* (véanse los apartados 2-4 en este ensayo).

2. DEL *LIEU DE MÉMOIRE* AL *LUGAR DE MEMORIA(S)*

El interés por los *lieux de mémoire* en el paisaje historiográfico de los años ochenta no es sorprendente. Al margen de dudas epistemológicas u ontológicas postmodernas, el concepto traduce la inquietud por recomponer, a través de ciertos símbolos, el Estado-nación, ahora en vías de desaparición en cuanto horizonte de las comunidades de memoria. Merece la pena, sin embargo, estudiar con detenimiento las premisas y el enfoque ideológico implicados en la idea de que «los restos de la tradición» (Nora) cristalizan precisamente en *lieux de mémoire*. Al elegir éste término, Nora alude obviamente a la tradición retórica. El *locus communis* se define en cuanto saber retórico entimémico, o sea, como una conclusión válida no por su valor de verdad resultante de la lógica interna del silogismo, sino por su plausibilidad empírica o simplemente por tradición. En cuanto *loci memoriae,* los lugares comunes forman un sistema de interrelaciones, remitiendo, por razones mnemotécnicas, los unos a los otros. Del mismo modo, los *lieux de mémoire* representan la topografía de un saber o imaginario histórico susceptible de asentar identidades colectivas, un saber confirmado más bien por la tradición que por su supuesta veracidad, un saber apto para crear «comunidades imaginarias» (Anderson 1991).

Bajo premisas postradicionales y posmetafísicas, el modelo topográfico de la memoria produjo una revalorización de su paradigma epistemológico. Del mismo modo, el éxito del concepto de *lieu de mémoire* se debe a un proceso de espacialización en marcha desde el siglo XVIII, que culminó en lo que se ha acostumbrado llamar *topographical* o *spatial turn* (Weigel 2002). El paradigma topográfico se caracteriza, entre otras cosas, por su tendencia a establecer un sistema de relaciones en vez de revelar verdades. Lo que cambió con respecto a la tradición mnemotécnica es el alcance epistemológico del nexo entre tiempo y espacio que está inscrito en el modelo topográfico y, por extensión, en los *lieux de mémoire*. Si por un lado el *lieu de mémoire* está moldeado sobre el reconocimiento de una *différance* entre historia, memoria e historiografía, por otro lado contiene una fuerza que lo acredita y dota para la tarea de recomponer la nación —o establecer la doctrina nacionalista—. Esta fuerza reside en la afirmación de que algo de lo que se pretende recomponer fue un día real: un hecho histórico que puede considerarse fundacional, trasfondo conceptual y «memoria viva» de una identidad colectiva. A causa de su arraigo en el modelo topográfico, el *lieu de mémoire* asocia dos elementos aparentemente contradictorios: por un lado el reconocimiento del carácter imaginario y constructivista de la memoria histórica, una vez convertida ésta en *lieu de mémoire;* por otro lado, imputa al saber organizado según el modelo topográfico atributos de lo objetivo y real, como la determinación, relacionalidad y coherencia. Es precisamente aquí donde Nora, eligiendo el término *lieu de mémoire,* echa ancla en el mar de la indecisión de la época post. *Lieu de mémoire,* término que, como señala el propio Nora (1997: III, 4687-4719) aleja y acerca a la vez, asocia lo abierto y lo cerrado, vincula la dilatación y la indeterminación de lo imaginario con la coherencia del orden topográfico y la determinación espacial del territorio. De esta manera, el concepto pudo ser propicio para la «recomposition de la nation» (Nora) una vez desintegrada la comunidad de memoria. Para reconstruir desde sus pedazos el espejo idealizado de la nación, la historiografía de los *lieux de mémoire* se aprovecha de todo un haz de nuevas narrativas que trae consigo la espacialización del tiempo, gestionada por la historia en los últimos dos siglos (Schlögel 2003: 10-12, 38-40).

La homogeneidad histórica impuesta por la cultura francesa explica en parte el atractivo de las narrativas romántica y apocalíptica relacionadas con la pérdida de la memoria y la desaparición del origen de la identidad inscritas en el término *lieu*. Nora pudo apoyarse también en la tradición del paradigma espacial en Francia, todavía intacto en los años 1960-1980[5]. Dado este trasfondo, tampoco sorprende el surgimiento del concepto de *non-lieux*, acuñado por Marc Augé (1992) con otros objetivos. Es un concepto en muchos aspectos complementario del *lieu de mémoire*

---

[5] En aquella época el paradigma espacial fue cuestionado por razones ideológicas, sobre todo desde la izquierda, por implicar estructuras de poder. Especialmente en Alemania el concepto tuvo menos éxito por ser todavía demasiado fuertes las connotaciones biopolíticas provenientes del nazismo (ver Schlögel 2003: 52-64).

y con implicaciones parecidas. Los *non-lieux* son lugares «supermodernos»: aeropuertos, cuartos de hotel y otros espacios de tránsito. No sólo impiden y niegan la memoria, sino que contrarían el arraigo espacio-temporal e identitario del «lugar antropológico» (Augé 1992: 100). La ruptura entre pasado y presente, la transformación de la memoria en historiografía, la desintegración de las comunidades de memoria y las causas socio-históricas y culturales de esta pérdida constituyen un gran riesgo para la memoria en un espacio cultural homogéneo como el francés, que narra la identidad colectiva en singular. No es de extrañar que el *lieu de mémoire,* contra la voluntad de su teorizador, haya acabado formando parte de una cultura oficial conmemorativa.

Si es, pues, verdad que los *lieux de mémoire* son uno de los medios con que una nación o un colectivo se relaciona con su pasado, podemos añadir que la teoría no escapa al paradigma nacional. La noción de lugar de memoria, de haberse originado en España, habría tenido un sentido distinto.

3. ALGUNAS COORDENADAS CULTURALES PARA LOS LUGARES DE MEMORIA(S) EN ESPAÑA

En España ha habido cierta reticencia ante la idea de *lieu de mémoire*. Un estudio sobre la ausencia del concepto de lugares de memoria en México (Klengel 2000) indica que el término tiene valor de catalizador aun cuando no haya cuajado en este país. Pero éste tampoco parece ser exactamente el caso de España. La existencia de lugares de memoria en el discurso conmemorativo de una cultura presupone algún acuerdo sobre cómo narrar la identidad colectiva. Si se acepta la necesidad o por lo menos lo deseable de la reconciliación entre memorias conflictivas y lealtades múltiples, entonces los símbolos y mitos a los que se confiere carácter nacional sin el consentimiento de todos se vuelven potente arma simbólica de una política de la memoria que opera por exclusión, menosprecio o destrucción del Otro. Éste es el caso de los lugares de memoria erigidos por el fascismo, entre los cuales ocupa un lugar prominente el Valle de los Caídos (véase el apartado 4 de este ensayo). En Francia, una tradición cultural posrevolucionaria relativamente homogénea ha podido justificar un discurso sobre lugares de memoria, y hasta de su pérdida, ya que dicho discurso, sin cuestionar el acuerdo tácito sobre la identidad nacional, lo ha traducido al registro trágico. En España, realidades históricas, políticas y culturales diversas impiden este discurso monolítico desde dos perspectivas.

(1) Una posible explicación de la ausencia de un discurso sobre lugares de memoria podría ser la falta hasta hace poco de un momento propicio. Durante la transición, las fuerzas sociales optaron por una política de la memoria (y desmemoria) conducente a una reconciliación constitucional forzada, o extorsionada, entre pasado y presente, entre memoria republicana y memoria franquista, y entre distintas identidades nacionales[6]. Por otra parte, como señalan la literatura y el cine del primer decenio democrático, la experiencia franquista planeó sobre aquel momento de manera obsesiva, representándose más como un trauma o un estado de posesión que como un recuerdo (Winter 2005). Ni siquiera fue posible el acuerdo sobre el día de la fiesta nacional (Humlebæk 2004) y menos aún sobre una «mémoire-nation» (Nora 1997). Como apunta Subirats (1993), las conmemoraciones del 92 fueron otra posibilidad desperdiciada para reflexionar sobre los lugares de la memoria.

(2) Al contrario que en Francia, los posibles lugares de memoria españoles están atravesados por las fisuras de diversas memorias colectivas: las memorias de las «dos Españas», por un lado y, por otro, de las múltiples naciones e identidades culturales. Esta pluralidad histórica es un dato relevante para el futuro: la diversidad será irreconciliable mientras perdure la actual incongruencia entre territorio, Estado y nación (Fusi 2000: 273 ss.). Esto significa que los lugares de *memoria(s)* invocados como propios de toda España, suponiendo que fueran deseables, deberían ser narrados por una pluralidad de voces y de idiomas.

La problemática memorativa española invita a un cambio de perspectivas respecto al modelo de Nora. Probablemente habría que sustituir la narrativa apocalíptica y melancólica de una memoria desintegrada, aunque topográficamente restituible, por la visión de lugares españoles en principio escabrosos y dislocados, pero que posibilitan un proceso social de reconocimiento entre memorias conflictivas. Es más, la construcción

---

[6] Para una crítica general de la política de la memoria durante la transición, véase Resina (2000: 83-125); Santos Juliá (2003), en cambio, defiende el olvido de amnistía como *conditio sine qua non* de la «reconciliación» postfranquista.

de una 'identidad española colectiva' unánime a base de lugares monolíticos puede resultar sospechosa, en la medida en que recuerde precisamente la política identitaria del franquismo. No es casualidad que varias de las aplicaciones de lugar de memoria en España en los años ochenta y noventa se refieran precisamente al franquismo[7].

La distinción de dos tipos de lugares de memoria, el lugar de reconocimiento y el totalitario, supone la inclusión de aspectos hasta ahora ignorados por la historiografía de los *lieux de mémoire*. Se desplaza el acento del patrimonio nacional o la memoria cultural, institucionalizada, a la memoria comunicativa, interactiva y viva[8]. El hiato entre pasado y presente, constitutivo para los *lieux de mémoire* franceses, se ve contrariado por un enlace estrecho entre presente y pasado a causa de la fuerte politización de los lugares de memoria(s) españoles. A continuación discutiré dos tipos de lugares de memoria —un díptico español sobre la conmemoración de los muertos— contrapuestos. Por un lado, las fosas comunes de la Guerra Civil, que proporcionan la metáfora y el drama de un lugar que se podría llamar de reconocimiento. Situado en el otro extremo ideológico, el Valle de los Caídos —esa otra tumba—, previsto como lugar de memoria, en realidad una contra-memoria, un lugar de memoria imposible, de exclusión y aniquilación del Otro y del recuerdo mismo.

4. DOS «FOSAS DEL OLVIDO»: LOS MUERTOS DE LA GUERRA CIVIL Y EL VALLE DE LOS CAÍDOS

Al contrario de los lugares de memoria consagrados del patrimonio nacional, los lugares de memoria dislocados y politizados no están condenados a la desaparición, sino a reaparecer —como los muertos republicanos de la Guerra Civil 64 años más tarde—. El retorno de lo olvidado anula el hiato entre pasado y presente, entre Memoria e Historia. Las fosas comunes no son el lugar de un pasado definitivo. Las excavaciones suponen más bien el cruce entre memoria testimonial (en los testigos), memoria comunicativa (en la transmisión de la memoria entre los testigos

---

[7] Así en Madalena Calvo (1988), Aguilar Fernández (1996) o Tranche/Sánchez-Biosca (2001).

[8] Para los conceptos de memoria cultural y memoria comunicativa véase Assmann (1997: 48-56).

y los familiares) y memoria cultural (en la conmemoración de la Guerra
Civil por parte de la comunidad nacional de memoria). Los actantes de la
guerra y los que hoy recuperan los cadáveres tres generaciones más tarde,
no son las mismas personas, pero tampoco están separadas por una frontera infranqueable. En la localización de las fosas y las exhumación de
los cadáveres juegan un papel importante el arraigo en la memoria testimonial, y el entramado de memoria colectiva y comunicativa (y especialmente familiar). El fundador de la Asociación para la Recuperación de la
Memoria Histórica, Emilio Silva, es nieto de uno de los enterrados en la
primera fosa excavada, en Priaranza, en la comarca leonesa del Bierzo.
En los reportajes sobre las excavaciones resalta el hecho de que se trata
de una reanimación del recuerdo suprimido durante mucho tiempo, aunque comunicado más tarde por testigos vivos. Hasta que fue recuperada la
memoria por los testigos, la existencia y situación de las fosas se propagó
en algunos casos por medio de la memoria social, manifestándose en la
Unheimlichkeit o lo siniestro del lugar percibido por los niños. De este
modo, la «geología de la muerte» (así reza un título en la página web del
Foro por la Memoria sobre las fosas), antes de transformarse en una topografía de la memoria debía surgir desde una «geografía del recuerdo»
conocida por los testigos y los que heredaron su conocimiento[9].

Es precisamente la memoria comunicativa y familiar la que suspende
el hiato entre acontecimiento y memoria/conmemoración en que insiste
la historiografía francesa de los *lieux de mémoire*. En consecuencia, se
impone una noción, dejada de lado por Nora y sus discípulos: los *medios*
de la memoria. El valor simbólico del levantamiento de los restos humanos se debe en gran parte al hecho de que los cadáveres transmiten la
memoria de aquel trauma. Como señala Aleida Assmann (1999: 241 ss.,
278 ss.), la memoria inscrita en el cuerpo se considera imborrable desde
Platón. Al contrario que la memoria psíquica, la memoria corporal no
está sujeta a la amnesia subjetiva sino al olvido social. Es más, el cuerpo
es el medio de la inscripción traumática, esto es, de una memoria indeleble e inseparable de la persona que sufrió el trauma. La reaparición de

---

[9] Véanse a este respecto también Armengou/Belis (2004: 167 ss.) así como algunos
de los relatos incluidos en la página web del Foro por la Memoria (www.pce.es/foropor-
lamemoria, patrocinado por el PCE), y de la Asociación para la Recuperación de la
Memoria Histórica (www.memoriahistorica.org) como, por ejemplo en esta última,
«Removiendo las fosas del franquismo», aparecido en *El Mundo* (7 de marzo de 2002) o
«El despertar de la memoria», en *Diario 16* (15 de enero de 2001).

los muertos es, pues, un regreso del hecho traumático mismo, que se expresa a través de la víctima y exige el reconocimiento de ésta. Porque anular el traumatismo y convertir la vivencia en recuerdo por medio de la simbolización, requiere, según Derrida (1993), después de la «localización de los muertos», el «nombramiento», la elocución del nombre propio de la víctima. En este caso podemos hablar —en un sentido que todavía hay que especificar— de un *lugar de reconocimiento* de lo que se ha acostumbrado a llamar la «otra España».

El lugar de memoria totalitario, marcado por el desprecio, la exclusión y el aniquilamiento del Otro es lo opuesto del lugar de reconocimiento. El Valle de los Caídos, mausoleo de los líderes del bando nacional, Francisco Franco y José Antonio Primo de Rivera, puede ser catalogado como el lugar totalitario por antonomasia. Jeroglífico de la ideología fascista y de la negación del Otro, el Valle de los Caídos niega la historicidad de la memoria. Dada la falta de legitimidad del régimen, el simbolismo del sitio había de cumplir una función legitimadora del «Nuevo Estado Español». El caudillo supervisó los distintos tramos de la construcción y decidió sobre cada uno de los elementos arquitectónicos y ornamentales, desde la ubicación cerca de El Escorial hasta los motivos de los frisos[10]. Duraron tanto las obras, que resultó un monumento anacrónico, inspirado todavía por la arquitectura nazi pero pasado de moda al inaugurarse en 1959. Aún más importantes son los procedimientos de interpretación simbólica y presentación mediática del edificio que forman parte de su realidad. Ya que el monumento no era histórico, hacía falta mitificar su origen y el *genius loci*. Según la leyenda, el lugar propicio para construir el mausoleo, un campo cerca de Cuelgamuros, le fue revelado a Franco todavía en plena Guerra Civil, y tuvo que ser el general Moscardó, el héroe del Alcázar, quien lo encontrara finalmente[11]. Del mismo procedimiento mitificador hace uso el arquitecto, Diego Méndez, director de las obras desde 1950. Según cuenta en su glorificante relato de la construcción (Méndez 1982), fue idea suya convertir la gran cruz en símbolo central. La idea le llegó, como una inspiración, en una

---

[10] Para lo que sigue, me apoyo primeramente en el excelente análisis de Tranche/Sánchez-Biosca (2001), y, por otro lado, en el libro de Méndez (1982).

[11] Tranche/Sánchez-Biosca (2001: 499) citan a fray Justo Pérez de Urbel, abad del monasterio del Valle de los Caídos entre 1958 y 1967: «No se trataba de descubrir nada. Me desazonaba de impaciencia por identificar y localizar una imagen que llevaba dentro de mí hacía tiempo. Sabía, ciertamente, que existía, pero no podía precisar dónde».

hora de descanso en el hogar familiar. Acto seguido, el arquitecto realiza la interpretación para sus lectores del significado simbólico de la cruz, y concluye, mediante una contradicción performativa típica de esta clase de discursos, diciendo que lo únicamente no requerido por el monumento son precisamente las aclaraciones, dado que, por voluntad de Franco, se explica a sí mismo, con evidencia y sin palabras[12].

Si en el caso de los muertos exhumados de la Guerra Civil la aparición de los restos actuaba como metáfora del trauma original, el Valle de los Caídos, por el contrario, pretende «desafi[ar] al tiempo y al olvido»[13]. Esta misma diferencia vale para el uso y la función de los medios comunicativos que aseguran la transmisión de la memoria. Mientras que en el caso de las fosas comunes la televisión e Internet se convierten en plataformas para crear un dolor colectivo que contribuye a la superación del miedo que bloqueaba el recuerdo (Armengou/Belis 2004: 223), en el caso de la memoria totalitaria los medios masivos funcionan al revés. Porque el «desafío al tiempo y al olvido» tampoco se impone de por sí. Como todos los dictadores del siglo XX, Franco cuenta con un amplio soporte mediático, entre otros con el No-Do, para Tranche y Sánchez-Biosca un «lugar de memoria» en sí mismo (2001: 450). El No-Do acompaña cada una de las etapas de construcción, aportando una visión cinematográfica a la vez transfiguradora y turística, comentada con citas del Decreto Oficial.

---

[12] Dice Méndez (1982: 12): «Debía ser un Monumento latente, vivo, para que cuando el recuerdo del hecho actual se difumine en la nebulosidad del tiempo, no fuera necesario ir al Valle con un libro abierto con una guía para saber que 'esto' se construyó por 'aquello' [...]. Porque en fin de cuentas la idea del Fundador era que el Monumento fuese, nada más y nada menos, que el altar de la Patria, el altar de la España heroica, de la España mística y de la España eterna».

[13] Dice el texto del Decreto correspondiente, publicado en el BOE 93, del 2 de abril de 1940 (citado por Tranche/Sánchez-Biosca 2001: 499): «La dimensión de nuestra Cruzada, los heroicos sacrificios que la victoria encierra y la trascendencia que ha tenido para el futuro de España esta epopeya, no pueden quedar perpetuados por los sencillos monumentos con los que suele conmemorarse en villas y ciudades los hechos salientes de nuestra Historia y los episodios gloriosos de sus hijos. Es necesario que las piedras que se levanten tengan la grandeza de los monumentos antiguos, que desafíen al tiempo y al olvido, y que constituyan lugar de meditación y de reposo en que las generaciones futuras rindan tributo de admiración a los que les legaron una España mejor. A estos objetivos responde la elección de un lugar retirado donde se levante el templo grandioso de nuestros muertos que, por los siglos, se ruegue por los que cayeron en el camino de Dios y de la Patria. Lugar perenne de peregrinación, en que lo grandioso de la naturaleza ponga un digno marco al campo en que reposan los héroes y mártires de la Cruzada».

La condición mediática —aspecto descuidado por Nora— del Valle de los Caídos forma parte de su construcción como lugar de memoria. Según analizan Tranche y Sánchez-Biosca (2001: 505), la realización de un discurso mnemónico se logra por medio de cuadros y enfoques desde perspectivas sobrehumanas, insólitas y casi imposibles que enfatizan lo espectacular, lo que corresponde a la arquitectura misma.

Este símbolo erigido para servir a la memoria fascista escenifica un fascismo de la memoria, al construirse ésta a costa de la muerte y olvido de los prisioneros republicanos. El Valle de los Caídos, en cuanto parte del Patrimonio Nacional español, lo sería como lugar del no-reconocimiento, de la memoria de la escisión[14]. El Valle de los Caídos es pues una contraimagen del *lieu de mémoire* en sentido republicano. Por lo mismo, la duración y profundidad de la experiencia franquista en España lleva a cuestionar la facticidad de la unanimidad de la memoria a la vez que fomenta valores republicanos y cívicos en un horizonte a-tópico, por tanto sin lugares de memoria monolíticos.

5. LUGARES DE MEMORIA BAJO EL SIGNO DE LA NEGOCIACIÓN Y DEL RECONOCIMIENTO

Lo que en España cuenta como lugares de memoria se revela en los casos más determinantes como referentes dislocados debido al conflicto inscrito en ellos entre varias memorias colectivas. Acontecimientos, monumentos, símbolos o interpretaciones de éstos que niegan esta dislocación —bien sea por la reconciliación coactiva entre pasado y presente, como se dio en la transición, o por la exclusión del Otro y de la memoria misma, como en el caso del Valle de los Caídos— difícilmente podrían convertirse en referentes de los múltiples colectivos de un Estado como España. Dentro del marco de una política del reconocimiento, el conflicto entre memorias, lejos de ser un defecto, es constitutivo de las identidades culturales. En la medida en que los lugares de memoria ubican el juego entre identidades, sustituyen la narrativa apocalíptica y melancólica por la lógica del reconocimiento.

El reconocimiento —no ya en el sentido hegeliano de una dialéctica cerrada, sino tal como lo conciben Charles Taylor (1993) y otros— es un proceso dialógico abierto, que explica la génesis de las identidades, de

---

[14] Ver p. ej. el artículo de Mercado (1983) publicado en *El País*.

los conflictos entre ellas, de su estabilización y su desestabilización. Las connotaciones espaciales de la idea de lugar se sustituyen por el reconocimiento de la historicidad y la plasticidad de las identidades culturales y sus símbolos. En contextos de reconocimiento crece la sensibilidad hacia el «otro significante» (G. H. Mead) —el Otro internalizado— como constitutivo de cualquier identidad social[15].

La importancia del Otro en la conciencia identitaria española es enorme. Hasta en los partidarios de un «sentimiento nacional español»: para Javier Tusell (2001), por ejemplo, el «sentimiento nacional español se aloja sobre todo en la confrontación con otros nacionalismos»; «lo plural» debería, por tanto, estructurar los lugares de memoria en España[16]. Al antagonismo entre poder y contrapoder, memoria del antifranquismo y del franquismo y al conflicto entre identidades nacionales, se suman, en el siglo xx, las identidades híbridas[17]. La lógica del reconocimiento, de sus negaciones, paradojas y deconstrucciones, está arraigada en el inconsciente del imaginario cultural. Precisamente por eso parece un marco comunicativo adecuado para la historiografía de lugares de memoria en España. Desde este punto de vista, la figura, ya esbozada, de un pasado enlazado estrechamente con el presente cobra mayor significación que la de un pasado y un presente categóricamente diferenciados. En los procesos sociales presididos por el reconocimiento cambia, además, el valor del olvido, y la desaparición de la memoria se sustituye por la repetición

[15] Véase para éste concepto del Otro Honneth (1996: 114-147).

[16] Dice Tusell (2001): «[En España], 'lugares de memoria' [...] corresponden sólo a esa voluntad de identificación. [...] [E]l sentimiento nacional español se aloja sobre todo en la confrontación con otros nacionalismos [...] [L]o plural, incluidos los otros nacionalismos, no debe ser visto como un defecto a eliminar, sino como una realidad evidente [...] [N]uestra Historia y nuestra cultura han sido el producto de cruces entre experiencias colectivas [...]. Nuestra realidad no se entiende sino a partir de esta forma de entrecruzarse miradas y descubrir que este tipo de relación tiene como resultado empezar a entenderse». —Queda la cuestión de si «lo plural» se entiende como pluralidad radical, es decir, en el sentido de un multiculturalismo de diferencia («los otros nacionalismos»), o más bien en el sentido de un multiculturalismo liberal, que cuenta con la pluralidad dentro de la unidad («el sentimiento nacional español»); véase para esta distinción fundamental el ensayo de Taylor (1993)—. Para la importancia del Otro en la historia de la cultura —desde la convivencia de las tres culturas en la España premoderna hasta Europa como el Otro de España—, véase, entre otras, la Historia de la literatura española de Gumbrecht (1990).

[17] Para una interesante aplicación de la teoría del multiculturalismo en el País Vasco, véase Silver (2000); sobre identidades híbridas véase Smith (2000: 162 ss.).

de conflictos a otros niveles más manejables. Por otra parte, los lugares
de memoria españoles resaltan otro aspecto no exclusivo de este espacio
cultural: los procesos de reconocimiento pueden dejar insatisfechos los
deseos de contar con lugares de memoria fijos, fiables e indiscutibles. Por
eso, en la medida en que se articulan lugares de memoria resultantes del
juego entre conflicto y reconocimiento, se impone la necesidad de encontrar una síntesis dialéctica que cierre provisionalmente el proceso.

Lo demuestra el debate sobre los mitos e iconos más decisivos de la
historia española del siglo XX. La Guerra Civil es un lugar de memoria
privilegiado, ya que da pie a las dos características definidoras de la
reciente historia de España, el totalitarismo y la falta de reconocimiento.
En la memoria histórica y en la cultura popular, la Guerra Civil es sobre
todo un lugar común que simboliza la polarización social y el fracaso del
reconocimiento. La memoria oficial franquista intentó transformar la
contienda en un mito fundacional y en el lugar de una memoria totalitaria. Su narración de origen en el mito sacro-medieval de la cruzada fija
la división social en el ámbito de lo absoluto y fomenta la escisión de las
memorias colectivas. A partir de los años sesenta, el régimen modifica
esta narración, rebautizando la contienda en términos laicos como «Guerra de España», pero sólo en 1985, con motivo de los diez años de la
coronación del rey Juan Carlos, se inaugura un monumento a «todos los
caídos» de la Guerra Civil, que releva al Valle de los Caídos[18]. A guisa de
epílogo de la cuestión —uno de los posibles epílogos—, en 1998 se ori-
ginó una disputa entre historiadores españoles sobre la hipótesis, formu-
lada por el diplomático italiano Sergio Romano, de que España se habría
transformado en la primera democracia popular europea de posguerra si
los republicanos hubieran ganado la guerra. Fue Paul Preston quien propagó la fórmula salomónica de que entre los dos bandos de la Guerra
Civil había una «tercera España» que pretendía alcanzar desde siempre
la democracia y no el fascismo ni la democracia popular[19].

El procedimiento para encontrar un término sintético que neutralice el
conflicto inscrito en los lugares de memoria es sintomático para la relación entre lugar de memoria, reconocimiento y paisaje conmemorativo, sobre todo —como veremos— en lo que respecta al discurso mediático. La
democracia, junto a sus figuras e iconos —la transición, la Constitución,

---

[18] Véase para esta historia Aguilar (1996) y, desde otro ángulo, Tranche/Sánchez-
Biosca (2001).

[19] Véase la edición de Ruiz Portella (1999) y Preston (1998).

el rey y el desafío que supuso el 23-F— aparecen, en opinión publicada regularmente, como símbolos de la reconciliación, y, por lo tanto, como «lugares de identidad» moldeados sobre el principio del reconocimiento y en vías de transformarse paulatinamente en lugares históricos, o sea, en auténticos lugares de memoria. Lo que interesa destacar es el hecho de que, aunque todavía no formen parte de la historia, estos símbolos ya asumen la función de lugares de memoria, y por esa misma razón se prestan a la instrumentalización ideológica[20]. Precisamente esta condición de lugares de memoria prematuros confirma la tesis, propuesta más arriba, de que en España los lugares de memoria pertenecen al mismo tiempo a la memoria comunicativa y viva, contemporánea y a la memoria cultural y mítica, asegurando la continuidad entre pasado y presente.

En cuanto al discurso mediático, es interesante observar como ejemplo la política de la memoria seguida en los suplementos conmemorativos del periódico *El País* —órgano fetiche de la transición, no sin cierta razón, en la medida en que fue una plataforma de las fuerzas dominantes del momento—. La política mediática de la memoria ha consistido mayoritariamente en proponer perspectivas, acuerdos, fórmulas discursivas y narrativas bajo la consigna de «enterrar el pasado». Este lema se puso en escena en tres jornadas entre noviembre de 2000 y febrero de 2001: primeramente por medio de un suplemento con motivo de los 25 años de la muerte de Franco, seguido por otro sobre la coronación del rey Don Juan Carlos y, finalmente, un tercero, que recupera la memoria del 23-F, desafío y definitiva confirmación de la democracia[21]. Descontando el ensayo de Manuel Vázquez Montalbán y una entrevista con Jorge Semprún, excepciones que confirman la regla, lo que prevalece en el primero de los suplementos mencionados («25 años después de Franco») es la tendencia, no a olvidar, pero sí a neutralizar y fantasear el pasado. En las contribuciones predomina la afirmación, expresada como un conjuro, de que el franquismo pasó definitivamente a la historia[22]. En otro ensayo, J. Rodríguez confirma a base de estadísticas esta misma tendencia entre los alumnos

[20] Véase para la instrumentalización ideológica de la transición y de la Constitución Resina (2000) y el trabajo de H. R. Song en el presente volumen, respectivamente.

[21] Véase «Aquella remota dictadura. 25 años después de Franco». *El País,* suplemento dominical del 19 de noviembre de 2000; «Un rey para una democracia. 25 años de monarquía», *El País,* suplemento especial sobre Juan Carlos I del 22 de noviembre de 2000; «El 23-F pasa a la Historia», *El País,* suplemento del 23 de febrero de 2001.

[22] Véanse especialmente las contribuciones de Pradera y Espada.

de enseñanza media. Para ellos Franco se ha convertido en un «fantasma», un «ente irreal» de un «pasado lejano». Antonio Muñoz Molina contribuye con una viñeta literaria titulada «La cara que veía en todas partes». Este texto, disfrazado de recuerdo personal en el estilo de la *oral history,* expresa la tendencia virtualizadora. El autor se vale de sus procedimientos literarios habituales para tratar el pasado: la historia parece un ente ficticio, cinematográfico y misterioso circunscrito al reino de lo engañoso. Hay que preguntarse incluso si los recuerdos del franquismo que evoca Muñoz Molina en este ensayo, no se mezclan con conocidas escenas del cine, como en *Demonios en el jardín,* de Manuel Gutiérrez Aragón, o de sus propias novelas. La perspectiva del niño inocente e impotente evoca una atmósfera demoníaca, fantástica e «irreal» del tardofranquismo[23]. Este «arte del olvido» (la fórmula es de Harald Weinrich) se vale sobre todo de la técnica de las «imágenes borrosas». Según Welzer (2004), éstas tienen la función de desdibujar las constelaciones históricas, descafeinar las relaciones de culpa e instrumentalizar la poética de la memoria para preparar y facilitar el perdón y la reconciliación. En el apartado «¿Dónde estaba usted cuando murió Franco?», personas conocidas cuentan el momento en que se enteraron de la muerte del caudillo. En la misma página figura Felipe González al lado de Fraga Iribarne. Así, el periódico mismo se convierte en lugar de reconciliación. En palabras de Reyes Mate, enunciadas acerca de un reportaje en Televisión Española sobre excombatientes de la Guerra Civil, se «yuxtapone el pasado de víctimas y verdugos fundidos en un amable retrato de familia»; «hay que preguntarse», sin embargo, «si este vendaval recordador no acabará mojando la pólvora» (Mate 2002). Tres días más tarde, el 22 de noviembre de 2000, se publica el segundo suplemento, dedicado al rey don Juan Carlos, la figura tipológica contrapuesta a Franco, «símbolo de la concordia entre españoles» (hasta Santiago Carrillo lo sostiene en dicho número), «escudo protector de la transición», que cuenta con un respaldo popular «casi unánime». Sólo falta una última vuelta dramática, otro

---

[23] Por ejemplo: «En la noche del 31 de diciembre Franco daba un discurso en la radio, y su voz era un hilo tembloroso que tenía la misma irrealidad y la misma presencia paradójica de las voces de los locutores y de los cantantes, de los actores que interpretan los folletines de las tardes. ¿Dónde estaba esa gente a la que escuchábamos tan cerca y a la que no veíamos, que nos hablaba desde el interior misteriosamente iluminado de un aparato cuyo funcionamiento era uno de los grandes enigmas sin explicación que rodeaban nuestra vida?» (Muñoz Molina 2000).

lugar de memoria, el 23-F, el intento de golpe militar superado por el rey y conmemorado en febrero de 2001 en el tercer suplemento de *El País*.

Procedimientos mucho más complejos de reconciliación se encuentran en la literatura y el cine posfranquistas. La realidad de las «dos Españas» durante la Guerra Civil y el franquismo se transforma en lugar de memoria con el cambio de generaciones. Como en cualquier otra sociedad salida de un régimen autoritario, la época de transición democrática está marcada por el trauma, por la «imposibilidad de la memoria», como reza el título de un cuento de José María Merino. Las tramas y las técnicas narrativas de algunas novelas históricas de éxito de los años noventa se leen como una política poética de reconocimiento. Ejemplo de esta poética es la voz narradora en Manuel Rivas (*El lápiz del carpintero*, 1998), que sintetiza distintas memorias, o la irónica novela de Javier Cercas, *Soldados de Salamina* (2001). En Rafael Chirbes, el narrador es además de cronista de las disposiciones afectivas, éticas y mentales —esto es, de lo que la Nouvelle Histoire llama «mentalidades colectivas» (Le Goff 1988)— instancia pedagógica que explica a los que ya no vivieron el franquismo a través de definiciones entre paréntesis la jerga de la izquierda, como por ejemplo las expresiones «gris» y «el partido» (Chirbes 1996: 247, 350). En cambio, la transformación del drama de las dos Españas en historia de amor, tal como lo presenta Muñoz Molina en *El jinete polaco* (1991) es lo que podría llamarse, utilizando una expresión de Adorno, una «reconciliación extorsionada», que recuerda los «amables retratos de familia» arriba mencionados.

Otra forma de reconocimiento y reconciliación con el pasado es la nostalgia irónica en el reciclaje minucioso de los mitos de la vida cotidiana del tardofranquismo en la serie *Cuéntame cómo pasó*, estrenada en 2001, y sus suplementos electrónicos, que se presentan como museos de lugares de memoria[24]. El éxito de esta serie indica un cambio de rumbo que se explica, socio-históricamente, por el hecho de que el vínculo, y hasta la coincidencia, entre víctima del franquismo, por un lado, e historiador o narrador, por el otro, esté anulándose paulatinamente, sin que el enlace generacional se haya roto del todo. Aún más interesante es, sin embargo, destacar que esta situación social altera la función de los lugares de memoria: las fórmulas de reconocimiento propuestas por los productos culturales de éxito responden a la exigencia de nuevas finalidades. El pasado, cristalizado en lugares de memoria emblemáticos, se vuelve

---

[24] Véase p. ej. la página: http://www.teacuerdas.com.

«bajo mano» un recurso para dotar de sentido el presente y el futuro. Los lugares de memoria, por ser lugares de reconocimiento y de negociación, facilitan el perdón, modificando la relación entre pasado y presente en este caso por medio de una individualización de las referencias al pasado. A veces, esta individualización del legado traumático —e incluso el papel fundamental de la memoria familiar— se manifiesta a través de la herencia. Esto ocurre, por ejemplo, en *El jinete polaco,* donde un baúl de fotos individualiza los recuerdos; o bien en *Corazón tan blanco* (1991), de Javier Marías, donde una disposición familiar cumple el mismo cometido. En ambas novelas, los protagonistas han de resolver esta herencia para poder vivir sus propias vidas. Coronan la tarea al construir su propia versión del pasado, en parte por medio de «imágenes borrosas», o sea, por una premeditada revisión del pasado que libera el futuro.

6. LUGARES DE MEMORIA(S) ENTRE PASADO Y FUTURO, NACIONALIDAD E INTERNACIONALIDAD: CUESTIONES ABIERTAS

Más que restos de una memoria desvanecida, los actuales lugares de memoria nos refieren tanto al pasado como al futuro. Remover la memoria del pasado para transformarla en arma «cargada de futuro», como reclamaba para la poesía Gabriel Celaya: tal vez sea ésta una respuesta a la pregunta ¿qué significa para los lugares de memoria el hecho de que a principios del siglo XXI el pasado no sea ya la «llave para el futuro» de España (Álvarez Junco 2002: 36)? Pero hay otras respuestas: una vez desintegrada la comunidad de memoria nacional, orientarse al futuro significa también enriquecer o relativizar el marco nacional por un imaginario multinacional. De hecho, la participación en la Guerra Civil de soldados alemanes e italianos, de mercenarios moros, de oficiales soviéticos y de brigadas de voluntarios reclutadas por el Comintern, convierte este escenario bélico en un lugar de memoria *internacional*. No es casualidad, que la tardía excavación de los muertos republicanos cuente con la misma internacionalidad de voluntarios (Armengou/Belis 2004: 169). Apelar a organizaciones supranacionales como la ONU para que participen en la investigación de los hechos parece el procedimiento adecuado[25].

---

[25] Sobre todo cuando el Estado vacila en o se niega a hacerlo. Ésta fue la razón por la que en agosto de 2002 la ARMH presentó algunos casos de desaparecidos a la ONU para que ésta inste al Estado español a investigarlos.

En cambio, apostar, como propone el editorial de *El País* con motivo de la aprobación en el Congreso de los Diputados de la exhumación de las fosas comunes, por una «adecuada política democrática de la memoria colectiva», que se embarque en una «plena recuperación de los lugares de memoria, mediante la elaboración de guías para el viajero, para el lector, para el video-oyente», en la «recuperación, una vez por todas», de «la memoria histórica» con el fin de contribuir a «un auténtico proceso de identidad nacional» (Reig Tapia 2003) —como si eso fuera, por fin, posible sin ideologías— no sólo ignora esta realidad sino que corre además el riesgo de banalizar el pasado y trivializar el dolor. Sean cuales fueren las respuestas a la pregunta sobre la nueva orientación de las identidades colectivas y los lugares de memoria —entre la justicia y la herencia, la reconciliación extorsionada y aquel «difícil perdón» que analiza Paul Ricœur (2000) en su obra fundamental sobre la memoria—, la historiografía de los lugares de memoria(s) queda precaria si no sigue la brecha ya abierta de reconocer a las víctimas sus lugares de memoria (Mate 2004). Mientras quede un solo muerto en una fosa común sin identificar, la deuda primordial seguirá siendo su localización y el reconocimiento de lo que pueda constituir un lugar de memoria adecuado. Entonces se plantea el problema de cómo manejar los lugares mismos. En el caso de las fosas comunes que en este ensayo sirven de caso ejemplar de lugares de memoria en España la cuestión es espinosa: ¿es más adecuado convertir la fosa en monumento de memoria de las víctimas —monumento no sin cierto poder mediático— o enterrar a los muertos en sus lugares debidos, «desnaturalizando» así el carácter memorativo del lugar? Aunque este problema no es específicamente español, la solución sí puede serlo[26]. Y el

[26] Armengou/Belis (2004: 221-222) resumen el debate en estas palabras: «Aquesta opció de poder donar una sepultura digna a l'ésser estimat —religiosa o civil, segons les creences— enllaça amb la necessitat ritual de la nostra cultura de tenir un espai físic on honorar la memòria dels morts. Desconèixer el lloc on va ser enterrat l'ésser estimat, no poder-hi anar a posar flors són maneres de no poder acomiadar-se'n, de no poder elaborar ni tancar el dol. I, a més, ha estat una manera d'esborrar la memòria, la trajectòria d'aquella persona. Si la pèrdua ja és dolorosa en si, l'absència imposada de memòria física i de record encara l'ha fet més dura. Una mena de càstig *postmortem* afegit, perpetuat en el temps. Però contra els qui volen recuperar els ossos i traslladar-los, altres tesis [...] proposen dignificar, acotar i assenyalar el lloc però no desenterrar els cossos perquè aquest fet s'entén com una manera de desnaturalitzar la fossa comuna. Per als qui pensen d'aquesta manera, la fossa és en si mateixa un monument permanent a la memòria de les víctimes i dispersar-ne els ossos destrueix aquest símbol, torna les víctimes a l'oblit després del moment més o menys mediàtic de l'exhumació.»

verdadero «debate entre historiadores» *(Historikerstreit)* sobre si es más
adecuado hablar de «depuración» o de «holocausto» está todavía abierto[27]. En España, los lugares de memoria enseñan que, más allá de ofrecer
una síntesis identitaria, también pueden abrir procesos de reconocimiento y trascender el horizonte nacional. Si es cierto lo que escribió Salvador Espriu, que sólo al «final del laberinto» se «ve identidad», entonces
establecer la identidad en el laberinto del mundo histórico o en los lugares privilegiados de la memoria, puede ser legítimo e incluso necesario
si el reconocimiento está todavía por hacer, como es el caso en algunas
Comunidades Históricas. Pero fijarla es, en el mejor de los casos, correr
el riesgo de salirse del mundo por la vía mística, olvidando «los muertos», «los recuerdos» del pasado y «las esperanzas» del futuro[28].

[27] Santos Juliá es partidario de llamar a la represión «depuración», mientras que otros
como Paul Preston y Montse Armengou (Belis/Armengou 2004: 21-23) defienden la
denominación de «holocausto», apoyándose, en primer lugar, en la definición bastante
ancha del concepto enunciada en los juicios de Nuremberg y acercando así la represión
franquista a la *Shoah.*

[28] Espriu 1986: 170.

OBRAS CITADAS

AGUILAR FERNÁNDEZ, Paloma (1996): *Memoria y olvido de la Guerra Civil española*. Madrid: Alianza.

ÁLVAREZ JUNCO, José (2002): «The Formation of Spanish Identity and its Adaptation to the Age of Nations». En: *History & Memory* 14.1/2, pp.13-36.

ANDERSON, Benedict (1991): *Imagined Comunities. Reflections on the Origins and Spread of Nationalism*. 2d. ed. London: Verso.

ARMENGOU, Montse/BELIS, Ricard (2004): *Les fosses del silenci. Hi ha un Holocaust espanyol?* Pròleg de Santiago Carrillo. Barcelona: Televisió de Catalunya/Rosa dels vents.

ASSMANN, Aleida (1999): *Erinnerungsräume*. München: Beck.

ASSMANN, Jan (2000) (¹1997): *Das kulturelle Gedächtnis. Schrift, Erinnerung und politische Identität in frühen Hochkulturen*. München: Beck.

AUGÉ, Marc (1992): *Non-Lieux. Introduction à une anthropologie de la surmodernité*. Paris: Seuil.

BENET, Josep (1978): *Catalunya sota el règim franquista. Informe sobre la persecució de la llengua i la cultura de Catalunya pel règim del general Franco*. Barcelona: Blume.

CARDÚS, Salvador (2000): «Politics and the Invention of Memory. For a Sociology of the Transition to Democracy in Spain». En: RESINA, J. R. (ed.): *Disremembering the Dictatorship. The Politics of Memory in the Spanish Transition to Democracy*. Amsterdam/Atlanta: Rodopi, pp. 17-28.

CHIRBES, Rafael (1996): *La larga marcha*. Barcelona: Anagrama.

DERRIDA, Jacques (1993): *Spectres de Marx. L'État de la dette, le travail du deuil et la nouvelle Internationale*, Paris: Galilée.

EMCKE, Carolin (2000): *Kollektive Identitäten. Sozialphilosophische Grundlagen*. Frankfurt am Main/New York: Campus.

ESPRIU, Salvador (1986): *Ende des Labyrinths. Final del laberint*. Trad. F. Vogelsang. Frankfurt am Main: Vervuert.

FUSI, Juan Pablo (2000): *España: la evolución de la identidad nacional*. Madrid: Temas de Hoy.

GUMBRECHT, Hans Ulrich (1990): *Eine Geschichte der spanischen Literatur*. Frankfurt am Main: Suhrkamp.

HONNETH, Axel (1996): *The struggle for recognition: the moral grammar of social conflicts*. Cambridge: Cambridge University Press.

HUMLEBÆK, Carsten (2004): «La nación española conmemorada. La fiesta nacional en España después de Franco». En: WINTER, Ulrich (coord.): «Posdictadura/posmodernismo. La renegociación de identidades colectivas en la España democrática: entre memoria histórica, cultura popular y cultura». En: *Iberoamericana*, 13 (Nueva época), pp. 87-99.

JULIÁ, Santos (coord.) (1999): *Víctimas de la Guerra Civil.* Madrid: Temas de Hoy.

—: (2003): «Echar al olvido. Memoria y amnistía en la transición». En: *Claves de razón práctica,* 129, pp. 14-25.

KLENGEL, Susanne (2000): «Nation, Nationalismus und kulturelle Heterogenität. Überlegungen zur Idee der 'lieux de mémoire' in Mexiko». En: *Quo Vadis, Romania,* 15/16, pp. 38-52.

LE GOFF, Jacques (dir.) (1988): *La nouvelle histoire.* Bruxelles: Éd. Complexe.

MADALENA CALVO, José *et al.* (1988): «Los lugares de la memoria de la Guerra Civil en un centro de poder: Salamanca 1936-39». En: ARÓSTEGUI, Julio (coord.): *Historia y memoria de la Guerra Civil.* Valladolid: Junta de Castilla y León, T. II, pp. 487-549.

MATE, Reyes (2002): «Políticas de la memoria». En: *El País,* 13 de noviembre.

—: (2004): «Lugares de la memoria». En: *El País,* 12 de abril.

MÉNDEZ, Diego (1982): *El Valle de los Caídos. Idea, proyecto y construcción.* Madrid: Fundación de la Santa Cruz del Valle de los Caídos.

MERCADO, Francisco (1983): «El Valle de los Caídos, un complejo de difícil despolitización y costoso mantenimiento». En: *El País,* 26 de julio.

MUÑOZ MOLINA, Antonio (2000): «La cara que veía en todas partes». En: *El País,* suplemento dominical, 19 de noviembre, p. 17.

NORA, Pierre (1993): «La notion de 'lieu de mémoire' est-elle exportable?». En: DEN BOER, P./WILLEM FRIJHOFF, W. (eds.): *Lieux de mémoire et identités nationales.* Amsterdam: Amsterdam University Press, pp.3-10.

—: (ed.) (1997): *Les lieux de mémoire.* Paris: Gallimard.

PRESTON, Paul (1998): *Las tres Españas del 36.* Barcelona: Plaza Janés.

REIG TAPIA, Alberto (2003): «La memoria democrática y la Constitución». En: *El País,* 4 de enero.

RESINA, Joan Ramon (ed.) (2000): *Disrembering the Dictatorship. The Politics of Memory in the Spanish Transition to Democracy.* Amsterdam/Atlanta: Rodopi.

—: (2002): «Post-national Spain? Post-Spanish Spain?». En: *Nations and Nationalism* 8, pp. 377-396.

RICŒUR, Paul (2000): *La mémoire, l'histoire, l'oublie.* Paris: Seuil.

RUIZ PORTELLA, Javier (1999): *La Guerra Civil: ¿dos o tres Españas?* Barcelona: Ed. Áltera.

SCHLÖGEL, Karl (2003): *Im Raume lesen wir die Zeit. Über Zivilisationsgeschichte und Geopolitik.* München/Wien: Hanser.

SILVER, Philip W. (2000): «'¡Malditos pueblos!': Apuntes sobre los vascos al final del siglo XX», En: RESINA, J. R. (ed.): *Disremembering the Dictatorship. The Politics of Memory in the Spanish Transition to Democracy.* Amsterdam/Atlanta: Rodopi, pp. 43-64.

SMITH, Paul Julian (2000): *The Moderns. Time, Space and Subjectivity in Contemporary Spanish Culture.* Oxford: Oxford University Press.

SUBIRATS, Eduardo (1993): *Después de la lluvia. Sobre la ambigua modernidad española*. Madrid: Temas de Hoy.

TAYLOR, Charles (ed.) (1993): *Multiculturalism. Examining the Politics of Recognition*. Princeton: Princeton University Press.

TRANCHE, Rafael R./SÁNCHEZ-BIOSCA, Vicente (2001): *NO-DO: El tiempo y la memoria*. Madrid: Cátedra.

TUSSELL, Javier (2001): «El nuevo nacionalismo español». En: *El País*, 29 de enero.

WEIGEL, Sigrid (2002): «Zum 'topographical turn'. Kartographie, Topographie und Raumkonzepte in den Kulturwissenschaften». En: *KulturPoetik*, 2.2, pp. 151-165.

WELSCH, Wolfgang (1991): «Topoi der Postmoderne». En: FISCHER, H. R./RETZER, A./SCHWEITZER, J. (eds.): *Das Ende der großen Entwürfe*. Frankfurt am Main: Suhrkamp, pp. 35-54.

WELZER, Harald (2004): «Schön unscharf. Über die Konjunktur der Familien- und Generationenromane». En: *Mittelweg 36*, 1, pp. 53-64.

WHITE, Hayden (1973): *Metahistory: the historical imagination in nineteenth-century Europe*. Baltimore: The Johns Hopkins University Press.

WINTER, Ulrich (2005): «From Post-Francoism to Post-Franco Postmodernism. The 'Powers of the Past' in Contemporary Spanish Narrative Discourse (1976-1992)». En: MERINO, Eloy/SONG, H. Rosi (eds.): *Traces of Contamination. Unearthing the Francoist Legacy in Contemporary Spanish Discourse*. Lewisburg: Bucknell University Press (en prensa).

NACIONES IMAGINADAS.
IDENTIDAD PERSONAL, IDENTIDAD NACIONAL Y LUGARES DE MEMORIA

Ángel Castiñeira

A. LA EMERGENCIA DE LAS IDENTIDADES

El fenómeno de las (nuevas) reclamaciones identitarias ha obligado a la filosofía y las ciencias sociales en general a plantearse de nuevo —quizás porque no se lo habían planteado lo suficientemente a fondo— la cuestión de la identidad personal y de las identidades colectivas. ¿Por qué los seres humanos decimos que tenemos una identidad? ¿Por qué también atribuimos una identidad a determinados colectivos, como empresas, pueblos o naciones?

La mayor parte de estudios sobre filosofía de la mente llegan a la conclusión que la identidad personal es una dimensión interactiva que depende, por una parte, de factores o disposiciones psicológicos y neurofisiológicos y, de la otra, de factores sociales y culturales. La identidad personal es, al fin y al cabo, una construcción individual y comunitaria, un estado de conciencia dinámico fruto de una larga cadena de transformaciones. No somos, sino que llegamos a ser el que somos. No tenemos una identidad previamente fijada sino que vamos elaborando un *sentimiento* de identidad.

La *identidad personal* es aquella estructura subjetiva, relativamente estable, caracterizada por una representación compleja, integrada y coherente del yo, que un agente humano tiene que poder elaborar en interacción con los otros dentro de un contexto cultural particular en el transcurso de su conversión en adulto y que irá redefiniendo a lo largo de su vida en un proceso dinámico de recomposiciones y rupturas.

1. CONTINUIDAD, CONECTIVIDAD Y PERMANENCIA ESPACIOTEMPORAL

Para poder hablar de identidad personal tiene que haber, en primer lugar, un sentido de continuidad (psicológica y corporal), de perduración en el tiempo, de conexión intertemporal coherente, vertical, de los sucesivos momentos de la trayectoria personal; y un sentido de permanencia espacio-temporal que nos permite hablar del yo como un ser situado. Esta conexión vertical intertemporal asegurada por la memoria y la intención, añadida a la percepción de similitud con uno mismo, es la que determina el eje de la identidad y el proceso discursivo de identificación/des-identificación de los sujetos.

La *identificación* es un proceso evolutivo de toda una vida y en buena parte inconsciente por el que el individuo, en interacción con los demás, va forjando sucesivamente y de manera original un ideal del yo a partir de la apropiación o asimilación total o parcial de cualidades o atributos obtenidos de la diversidad de modelos que los diferentes grupos de su sociedad ofrecen. Desde este punto de vista, identidad e identificación son nociones complementarias. Como dice Villoro, la identidad no se constituye por un movimiento de diferenciación de los demás, sino por un proceso complejo de identificación con el otro y de separación de él, un proceso dinámico de singularización frente al otro y al mismo tiempo de identificación con él (Villoro 1998). La identidad es un estado o disposición del yo. La identificación es el proceso que nos conduce a este estado. La identidad representa una foto-fija, la definición estable de un sujeto en un aquí y un ahora concretos. La identificación, en cambio, nos deja ver la dinámica interior de «crisis» del sujeto, llena de las contradicciones, vulnerabilidades y potencialidades típicas de su fuerza autocreadora. Identidad e identificación revelan la constante tensión entre permanencia y cambio que se da en nuestras vidas y que, afortunadamente, conseguimos resolver gracias al sentido de continuidad. Eso es lo que experimentamos cuando miramos una fotografía nuestra antigua. *«El yo de ahora y el yo de hace veinte años* no son iguales, pero son el mismo». No hay igualdad, pero hay continuidad. Por eso, «la identidad de cada uno es el resultado de la confluencia y divergencia de sus identificaciones» (Terricabras 2001: 60-61).

Dentro de los estados de conciencia del sujeto, los hechos o acontecimientos que lo afectan tienen, como diría Bergson (1959), *«durée»* en el
espacio-tiempo, aparecen como encadenados, de manera parecida a una
sucesión pulsátil cinematográfica (los fotogramas) donde se superponen
impulsos continuados. Cada una de estas superposiciones son como fila-
mentos vitales que por torsión y adhesividad lateral van formando la
cuerda de nuestra identidad personal. Entender el eje de la identidad personal como el resultado de un proceso dinámico de identificación (y desidentificación) nos permite 1) distinguir etapas o períodos de la vida
humana de intensidades o importancia diferentes y nos permite al mismo
tiempo 2) aproximarnos a una comprensión más compleja del mismo eje
de la identidad.

1) La periodización del sentimiento de identidad es especialmente interesante para explicar cómo en la infancia y la adolescencia la sucesión de nodos identitarios es más grande y más intensa: el número
de impactos de socialización inducidos que recibe el niño y los procesos constantes de apropiación, rechazo y reapropiación (aprendi-
zaje y desaprendizaje de modelos) que éste experimenta ilustran
gráficamente qué somos ante la etapa crucial de construcción del yo.
En cambio, en la etapa adulta, donde presuponemos una identidad
fuertemente situada (es decir, un ideal del yo sobradamente con-
formado), la sucesión de los ciclos que cierran cada nuevo nodo
identitario, es decir, que justifican una nueva sedimentación, una
nueva apropiación sobre las estratificaciones anteriores, es menor
y más distanciada en el tiempo.

2) Por otra parte, hay el eje lineal *vertical* de la identidad, que acen-
túa la continuidad y conectividad temporales del yo así como su
permanencia. Este eje, en realidad, se constituye a través de un
complejo recorrido de puntos en espiral que es, justamente, el proceso de identificación.
La fragilidad e inestabilidad del proceso de adquisición de la identidad y sobre todo la dificultad para conseguir un cierto grado de
integración y coherencia derivado de las sucesivas «crisis» reor-
ganizadoras del yo, explica o justifica al menos la existencia de
ciertas patologías de la identidad como las inadaptaciones, los problemas de (auto)aceptación de las diferencias, a veces incluso las
expresiones de odio para con los demás o de auto-odio (derivadas
del hecho de querer desertar de una identidad que es imposible
abandonar o de ser incapaz de alcanzar una identidad deseada).

El psicólogo Erik H. Erikson (1968) caracteriza la identidad «normal» como aquella sensación subjetiva de una similitud y de una continuidad estimulantes. La *id-entitas* latina hace referencia a la «*entitas toda*» del yo. No es de extrañar, pues, que la identifiquemos con términos como consciencia de sí, sentimiento del yo *(ego feeling)*, representación de sí, imagen de sí, percepción de sí, continuidad del yo, persistencia del yo, o «ipseidad»; expresiones la mayoría de las cuales acentúan este elemento de continuidad.

Por contra, las patologías de la identidad han sido vinculadas tradicionalmente a expresiones como desintegración del yo, confusión de identidad, dispersión de identidad, desdoblamiento, desviación, pérdida de identidad, desidentificación. La fragmentación, desconexión o atomización radicales del sujeto indicarían la presencia de una o diversas causas que dificultarían o imposibilitarían dar continuidad (y coherencia) a la sucesión de instantes de que está formada su vida. Esta dificultad para gestionar continuidad, cambio y fragmentación de la identidad fue advertida por Emmanuel Mounier cuando recordaba, en su *Traité du caractère,* que la constancia del yo no consiste en *mantener* una identidad, sino en *sostener* una tensión dialéctica y en dominar las crisis periódicas (Mounier 1988).

La visión dinámica de las identidades implica, pues, asumir que la nuestra será siempre una identidad problematizada, que tendremos que aprender a gestionar cierta permanencia dentro del cambio o, al revés, cierto cambio dentro de la sensación de permanencia. Este dominio de las tensiones del yo requiere, por tanto, una segunda condición: la capacidad de integración.

2. INTEGRACIÓN/UNIFICACIÓN INTERNA Y DIFERENCIACIÓN O EXCLUSIÓN

Además de la sensación de continuidad, el sujeto requiere, para llegar a ser una unidad significativa, una capacidad de integración/unificación interna de la variedad de sus experiencias, de sus atributos idiosincráticos o caracterológicos e, inversamente y al mismo tiempo, una capacidad de diferenciación o exclusión de los demás o de aquello que no es o no quiere ser. Es aquí donde aparece el segundo elemento fundamental de la constitución de la identidad personal. El yo es, por fuerza, un agente, alguien que desarrolla acciones. La acción —y, como veremos, inmediatamente, la acción inteligible— es la condición de posibilidad de la existencia de identidad. El yo entendido como un todo tiene que ser una unidad de acción que disfrute de conciencia refleja: es una instancia reflexiva capaz de organizar las versiones de sí mismo. Eso quiere decir que entramos en el análisis de la acción desarrollando un esquema de interpretación que nos permite acercarnos a ella y dotarla de sentido. El agente disfruta de identidad porque tiene capacidad autointerpretativa en un marco procedimental y dinámico: un ámbito de sentido donde el sujeto interioriza y construye su identidad. Por eso el yo es diferente a la suma de la colección de sus rasgos distintivos. El yo es una unidad entendida reflexivamente.

3. NARRATIVIDAD

No hay integración sin narración. Por eso, toda identidad humana es una identidad narrada. Todo yo existe o se autoconstituye como tal gracias a un acto narrativo. La identidad es una construcción narrativa que pretende dar sentido a una historia vivida, por eso Bourdieu hablaba de «ilusión biográfica», porque nos construimos como personaje de nuestro propio relato (Bourdieu 1989). Al constituirnos como actor, a través de los relatos, construimos un sentido para nuestra acción. La continuidad histórica de nuestra totalidad temporal (1) y la capacidad de dar unidad significativa, coherencia y orientación intencional (2) a los sucesivos momentos o acciones de nuestra vida incluyen necesariamente un conjunto de secuencias narrativas encadenadas (3) con las que cada individuo da cuenta de él mismo (de sus acciones, actitudes y creencias) y se convierte en el constructor/creador del guión de su propio personaje (*self-narration*: algo parecido a la novela o la película de nuestra vida) hasta alcanzar una biografía incambiable.

Los actos narrativos del sujeto, evidentemente, están inmersos en los dispositivos simbólicos de una determinada cultura y es ésta la que nos proporciona patrones canónicos de comportamiento. «No somos como la araña que va tejiendo su telaraña a partir de su propia sustancia» (Rodríguez González 2003: 159). Estos patrones (o matrices) de comportamiento son también patrones narrativos, peculiares gramáticas locales cuyas reglas y convenciones modelan nuestras prácticas intencionales y permiten que nuestras acciones lleguen a alcanzar un sentido[1]. La estructura narrativa que organiza nuestras historias es la condición de posibilidad para la construcción de este sentido. Por este motivo, actuar quiere

---

[1] Hemos desarrollado este punto en nuestro estudio sobre la transmisión de valores (Castiñeira 2004).

decir siempre activar una tarea interpretativa, es decir, situar mi acción en un determinado contexto cultural de posibilidad que hace o no permisible mis acciones. Dicho de otra manera, ambas cosas —vivir y comprender la vida— lo hacemos en términos narrativos, a través de la vehiculación de relatos explicativos que aspiran a dar coherencia a la trama de las historias de que formamos parte. La identidad personal no es nada más que eso, una historia vital dinámica, un relato que vamos construyendo, desplegando, revisando y transformando a partir de los diversos procesos de identificación y desidentificación vividos y que vamos conectando con los relatos de nuestro contexto sociocultural.

La narratividad nos permite disponer de una *memoria biográfica*. Utilizamos relatos (historias, juicios, episodios) para entender los itinerarios, los trayectos y las experiencias de nuestra vida y para presentarla a los demás. En expresión de Alberto Melucci, «nos relatamos a los demás» significativos (Melucci 2001: 97). Las narraciones son autopresentaciones hechas a los demás. La autoconciencia, pues, no es el punto de partida sino el punto de llegada de las historias que (nos) contamos. Los relatos son la clave privilegiada de mediación para interpretarnos, para construir nuestro propio mapa mental de lo que somos y donde estamos, de lo que hacemos y del sentido que damos a nuestra acción. Por eso en la filosofía de la acción de MacIntyre (1987) se expresa que *tan sólo puedo contestar a la pregunta de qué haré si puedo contestar la cuestión previa: ¿de qué historia o historias me encuentro formando parte?* La originalidad de la identidad de una vida humana reside en el acto fundacional de la selección de aquellas estructuras narrativas que le darán sentido. Eso requiere del sujeto una importante actividad reflexiva, una vida examinada, un esfuerzo continuo de autocomprensión. El acceso al yo reclama un auténtico combate de conquista (una *Struggle for Self*) porque la identidad personal no nos viene dada sino que es el resultado de saber integrar las diversas voces (internas y externas), las redes de interlocución de que se compone el sujeto. Somos, pues, un yo conversacional (un *speech self*); llegar a ser alguien es un logro retórico que reclama la tarea de incluir nuestro género discursivo en el contexto argumentativo de nuestra comunidad.

El combate narrativo por la identidad tiene que evitar, por lo tanto, tres peligros: 1) el peligro de la *fragmentación* (unificar o integrar las diversas voces del yo en una historia coherente, en una unidad significante, porque la unidad del personaje depende de la unidad del relato); 2) el peligro de la *marginación* o el rechazo (saber incorporar nuestro relato en nuestra comunidad de lenguaje); y 3) el peligro de la *dilución* o *dispersión* (el compromiso para mantener, dentro del cambio, el esfuerzo de continuar siendo uno mismo).

4. RECONOCIMIENTO INTRASUBJETIVO E INTERSUBJETIVO
   (AUTORRECONOCIMIENTO Y HETERORRECONOCIMIENTO)

La subjectivización o expresión narrativa de la propia idiosincrasia («me caracterizo por, me diferencio de, me identifico con...»), requiere una conexión horizontal interpersonal, es decir, una dimensión relacional mediada por un entorno cultural particular estable (o contexto cultural histórico) y por una red de pertenencias sociales que se convierte en el marco de inteligibilidad ineludible (Taylor la denomina el horizonte de sentido de la comunidad constitutiva [Taylor 1,994]). La construcción narrativa del yo es una construcción participada en el seno de comunidades humanas. Son éstas las que le permitirán hacer sus elecciones y las que regularán deliberada y negociadamente la aceptación de su diferencia. La identidad es tanto hablar de uno mismo mirando a los demás, cómo hablar de los demás mirándose a uno mismo, es pues una autopercepción en relación con los demás. La inteligibilidad de nuestras narraciones vitales depende de contextos históricos y culturales. El estadio del reconocimiento implica, por tanto, una intersubjetividad lingüística, el momento de encuentro de dos historias narrativas, la del agente y la del contexto sociocultural de la colectividad que lo acoge (que no es otra cosa que el producto de las historias de vida de los otros próximos). Los demás también forman parte y contribuyen a escribir mi propia narración. Por eso el yo siempre es un yo implicado en un horizonte de valores colectivo (Castiñeira 2004). La autoidentificación y la autodiferenciación van inseparablemente unidas a una relación circular de reconocimiento por parte de los demás y de constitución recíproca. La percepción del hecho que los otros reconocen esta similitud y esta continuidad hace que una persona sea significativa para las demás, ellas mismas significativas en la comunidad inmediata. El individuo, pues, se ve moldeado por contextos comunitarios, pero al mismo tiempo contribuye a la constitución del sistema social.

B. DE LA IDENTIDAD PERSONAL A LA IDENTIDAD NACIONAL

La identidad personal, pues, es una construcción narrativa dinámica y múltiple que necesita la conexión intertemporal (continuidad), la capacidad de integración del conjunto de vivencias y el reconocimiento dialógico de los demás.

De manera análoga, creo que es factible atribuir al ámbito colectivo de las identidades nacionales un proceso de construcción identitaria semejante al que acabamos de explicar para el ámbito personal. El «quién soy yo», y el «quiénes somos nosotros» hacen referencia a un actor o unos sujetos sociales que se comportan como si existiera en ellos (o entre ellos) una cierta unidad de continuidad y acción y que otorgan un sentido a lo que hacen. En todo caso, para las ciencias sociales, las *naciones*[2] no dejan de ser realidades conceptuales no más artificiosas, abstractas y construidas que la propia realidad de los individuos (Pérez Agote 1986). Personas y naciones se parecen por el hecho de ser, hasta cierto punto, más artefactos que cosas cuya naturaleza nos venga dada (Glover 2003). Las naciones, así como otras determinadas colectividades, representan el papel de verdaderos actores en el espacio público y —tal como ha argumentado C. Ulises Moulines— el predicado «*x* es una nación» lo aplicamos a entidades que tienen una existencia real pero no observable directamente; es pues un predicado de cariz teórico y, por lo tanto, no reducible a predicados observacionales o «fenoménicos» (Moulines 2002). A este género de realidad (válido para las naciones y para todas las construcciones de la identidad social) J. Searle y N. MacCormick lo llaman *hechos institucionales:* realidades sociales y simbólicas que surgen de la asignación de status a fenómenos por medio de la intencionalidad colectiva (Bastida 2002); es decir, son realidades cuya existencia no depende de su condición «física» o «extensa», sino que son «comunidades imaginadas» (Anderson 1993) que dependen de las actitudes proposicionales o de las creencias de las personas (Miller 1997).

Las naciones, al igual que decíamos de la identidad personal, necesitan también continuidad (temporal, demográfica, territorial, cultural,

---

[2] Smith define la *nación* como «una población humana con nombre propio, que ocupa un territorio de origen histórico, y que comparte unos mitos y unas memorias, una cultura pública común, una única economía y derechos jurídicos y deberes iguales para el conjunto de los miembros» (Smith 1999: 131). Por su parte, Guibernau hace la siguiente definición: «grupo humano consciente de formar una comunidad que comparte una cultura común, está ligado a un territorio claramente delimitado, tiene un pasado común y un proyecto colectivo para el futuro y reivindica el derecho a la autodeterminación» (Guibernau 1996: 58). De la síntesis de ambas definiciones de nación querríamos destacar el hecho de tratarse de una comunidad territorial con un sentimiento de identidad colectiva que se proyecta en una aspiración de autogobierno.

política), reconocimiento interno y externo, dar coherencia y diferencialidad a las vivencias compartidas de sus miembros y —como veremos más detalladamente— construir e interpretar su identidad narrativa a través de su propia memoria biográfica: la *memoria colectiva*.

Para Luis Villoro las *identidades colectivas* son representaciones intersubjetivas compartidas por los individuos de una misma colectividad y constituidas por creencias, actitudes y comportamientos específicos que son comunicados a cada miembro por su pertenencia a este mismo colectivo (Villoro 1998)[3]. Esta forma de sentir, comprender y actuar, en el mundo y en formas de vida compartidas requiere expresarse en un marco normativo y cognitivo estable: en instituciones, en comportamientos regulados, y en el abigarrado mundo simbólico de la cultura (artefactos, objetos artísticos, conocimiento, etc.), porque la cultura es la condición que crea y preserva el vocabulario de nuestra autocomprensión. Las identidades colectivas generan, de rebote, un sentimiento positivo específico de dignidad, autoestima y orgullo de pertenencia que las convierte, en muchos casos, en necesarias para la autorrealización personal.

Charles Taylor formula tres características fundamentales que hacen posible las identidades colectivas: a) que haya un horizonte moral o un conjunto de valores sobradamente compartidos por sus miembros; b) que haya la voluntad de unión de la mayoría para formar un actor común; y c) que alcancen el reconocimiento por parte de otros colectivos significativos (Castiñeira 1999).

A continuación intentaremos explicar cómo algunas identidades colectivas se convierten en identidades nacionales.

1. LA CULTURA NACIONAL

La cultura nacional es un sistema simbólico compartido por un grupo de personas que, desde el punto de vista temporal, hace de mediador entre el pasado y el futuro a la vez que les proporciona sentido y moviliza sen-

---

[3] Seguimos la noción de *colectividad* de Robert K. Merton, según el cual se trata de un conjunto de individuos que, a pesar de la ausencia de toda interacción y contacto próximo, experimentan un cierto sentimiento de solidaridad (o identificación por proyección) porque comparten ciertos valores y porque un sentimiento de obligación moral los impulsa a responder como es debido a las expectativas ligadas a ciertos roles sociales (Giménez 2000: 53).

timientos (como el de solidaridad, pertenencia o lealtad) que los une para vivir juntos el presente. Entendemos los *símbolos* como expresiones visuales o físicas que hacen referencia o nos remiten a, ayudan a estructurar, refuerzan o intensifican, la identificación con determinados ideales, creencias, valores o sentimientos compartidos por un colectivo humano. Cuando hablamos de una cultura nacional nos referimos, pues, a un sistema simbólico transhistórico que permite que la nación llegue a ser «un laboratorio de experiencias, de comparaciones interespaciales e intertemporales, capaces de volver a colocarnos en la perspectiva de continuidades» (Braudel 1993: 19).

La cultura nacional ayuda a alcanzar la autoconciencia de grupo, define los modelos de socialización básicos, prescribe determinados comportamientos, refuerza un conjunto de valores compartidos y da una cierta organización formal del espacio público. La cultura nacional es una forma de vida colectiva, con un repertorio compartido de creencias, estilos de vida, valores y símbolos y que, por lo tanto, da forma a la manera de pensar, percibir y sentir, de cada uno de sus miembros (Llobera 2003a).

2. LA IDENTIDAD NACIONAL

La autoconciencia de grupo derivada de la cultura nacional es uno de los elementos que nos permite hablar de la *identidad nacional*. La identidad nacional es aquel proceso por el cual un conjunto de ideales y valores heredados del pasado —que incluye recuerdos históricos, mitos, valores, tradiciones y símbolos— conforman una *identidad colectiva* que los miembros de una nación comparten como patrimonio distintivo o con el que se identifican (Smith 1999). Según Smith, el modelo estándar occidental de identidad nacional incluye los siguientes componentes: un territorio histórico o patrio, una comunidad política, la igualdad político-legal de sus integrantes, una cultura cívica colectiva formada por recuerdos históricos y mitos colectivos y una economía unificada que permite la movilidad territorial de sus miembros (Smith 1997). De la misma manera que en la identidad personal el proceso de identificación del sujeto era continuo y dinámico, también en las identidades nacionales cada nueva generación reconstituye y transforma los componentes o recursos etnosimbólicos que forman parte de su etnopatrimonio distintivo. Aunque algunos, como la lengua, pueden ser fundamentales, ninguno puede ser considerado necesariamente perpetuo y definitivo.

3. Cultura nacional y memoria colectiva

Algunos elementos del sistema simbólico de las culturas nacionales son la música, la poesía, la lengua, la geografía o el territorio, la historia, las banderas, los mapas, los mitos, la vida y las gestas de los héroes y de las figuras ilustres, los libros de texto, los lugares monumentales, los espacios públicos, los emblemas, las ceremonias conmemorativas...

Hablamos de mecanismos sociales, de objetos materiales o inmateriales presentes en el imaginario social que realizan una función simbólica y rememoradora: la de hacer presente lo ausente, la de permitir que los grupos sociales o nacionales recuerden de forma conjunta, tengan una identidad común y consigan pasar de la multiplicidad de experiencias y recuerdos representados individualmente a la unicidad de una *memoria colectiva*. Paul Ricœur define la *memoria* (o fenómeno mnemónico) como la presencia en la mente de una cosa ausente que, además, ya no es, pero que fue. El recuerdo, ya sea evocado simplemente como presencia, y por esta razón como *pathos,* o buscado activamente en la operación de la rememoración —conclusión final de la experiencia del reconocimiento— es representación. Por otra parte, define la *memoria colectiva* como una selección de huellas dejadas por los acontecimientos que afectaron el curso de la historia de un grupo humano y a la que se le reconoce el poder de escenificar estos recuerdos comunes o compartidos con ocasión de fiestas, de rituales o de celebraciones públicas (Ricœur 2003)[4].

Avishai Margalit (Margalit 2002), al hablar de una ética del recuerdo colectivo, hará precisamente la distinción entre *recuerdo en común* (acumulación de recuerdos individuales sobre un mismo episodio vivido) y *recuerdo compartido* (o recuerdo que integra en una versión única las diversas perspectivas individuales vividas de un mismo acontecimiento). La memoria colectiva tiene que ver claramente con lo que Margalit denomina recuerdos compartidos y que él vincula a una comunidad de memoria o comunidad de recuerdo. La virtud del recuerdo compartido es que permite incluir tanto un sentido sincrónico como diacrónico del

---

[4] Maurice Halbwachs, en *Les cadres sociaux de la mémoire,* define y diferencia la *memoria colectiva* (o memoria interna, formada por los recuerdos de un grupo) de *la memoria histórica* (o memoria externa, que recoge o suma las memorias en circulación hasta unificarlas; este tipo de memoria acostumbra a aparecer cuando la tradición viva de la memoria colectiva empieza a disminuir) (Halbwachs 1925).

recuerdo. El miembro de una comunidad de recuerdo está en relación con los recuerdos de su generación y de las anteriores y futuras generaciones en una sucesión de transiciones generacionales que se proyecta en el tiempo: como herencia (pasado), como compromiso (presente) y como proyecto (futuro). Eso permite atribuir al recuerdo compartido cinco características:

1. Cualquier recuerdo compartido (cultural, político o espiritual) va vinculado a una tradición; es un recuerdo *cerrado,* la única versión del pasado que la comunidad autoriza como canónica (eso lo diferencia del trabajo crítico de las ciencias históricas).

2. El recuerdo compartido de un acontecimiento histórico que se remonta más allá de la experiencia de todos los que están vivos es *recuerdo de recuerdo.*

3. Cuando pasa eso con un recuerdo compartido remoto no se acostumbra a llegar al acontecimiento histórico real, sino al *relato* de un acontecimiento.

4. Por eso el recuerdo colectivo está más cerca del *«creer»* que del «saber».

5. El recuerdo compartido tiene el sentido de un *recuerdo de vida* (o «mito viviente»). La alta significación del relato de un recuerdo compartido empuja a la comunidad a revivir su esencia, a convertirlo de nuevo en una experiencia de vida, en un elemento revivificador. La revivificación (y en menor medida la conmemoración) —dirá Margalit— «no es tan sólo un acto de identificación sino de real identidad» (Margalit 2002: 59). Damos vida al recuerdo y, en un sentido espiritual, a nuestros antepasados. Es, pues, el recuerdo lo que da supervivencia (y proyección) a la comunidad.

Hay por tanto, bastante coincidencia en las reflexiones de Margalit y la posición de Renan cuando éste afirma que en toda nación hay «la posesión de un rico legado común de memorias» (Renan 2001: 129). Son, al fin y al cabo, unidades de sentido o fragmentos simbólicos que la voluntad de los individuos o el tiempo ha convertido en elementos constitutivos de una comunidad. Precisamente, porque la fragilidad de las identidades colectivas depende de su existencia continuada, es decir, de su difícil relación con la temporalidad, el deseo de continuidad (expresado en las dimensiones culturales y política del *nacionalismo*)[5] se proyecta sobre la movilización de la memoria, la cual —a través de su función narrativa— llega a ser guardiana de la identidad, herramienta justificadora y al mismo tiempo elemento constituyente e integrador de la nación.

4. LOS LUGARES DE MEMORIA

Por este motivo, algunos de los componentes de las culturas nacionales son al mismo tiempo mecanismos de construcción nacional y auténticos lugares para el recuerdo, *lugares de memoria* revestidos de una importante carga de significación simbólica porque ayudan a traer al presente recuerdos específicos del pasado en forma de imágenes e integrarlos en nuestro sistema de valores. La elaboración de la memoria, en el marco de la construcción de las identidades nacionales a que nos estamos refiriendo, incluye un proceso de proyección retrospectiva (hacia el pasado) que sirve para legitimar el presente, para dar pleno sentido al contexto actual donde se encuentra enunciado. En este sentido, la memoria no tiene tanto una función histórica como de instrumentalización política; se trata de convertirla en un proceso de «objetivación» del pasado que permita delimitar o diferenciar simbólicamente la identidad de una comunidad nacional (Nora 1984; Michonneau 2002). En mayor medida, los lugares de memoria son los elementos básicos de la producción simbólica de la diferencia nacional.

Según P. Nora, las historias nacionales están hechas de una multitud de lugares de memoria, episodios ejemplares o edificantes que se han revestido de un significado simbólico emotivo y persistente[6]. Si el pasado, como decía Fernand Dumont, envía sus mareas hasta nosotros, los lugares de memoria son «aquellas conchas que quedan en la orilla cuando se retira el mar de la memoria viva» (Nora 1984: xxiv), islotes de pasado conservados; es decir, son indicios de rememoración *(reminders),* inscripciones, indicadores o marcas exteriores encaminados a protegernos contra el olvido; auténticas huellas materiales donde pervive, se rememora y se transmite el pasado; elementos o prácticas que ordenan la producción de sentido social sobre el pasado y de la identidad colectiva;

---

[5] Seguimos la definición de *nacionalismo* de Smith (1999: 131): «movimiento ideológico para alcanzar y mantener la autonomía, la unidad y la identidad en nombre de una población humana que para algunos de sus miembros constituye una 'nación' real o potencial». Sobre la dimensión cultural y política del nacionalismo *vid.* Castiñeira 1998.

[6] P. Nora (1984) distingue cuatro tipos de lugares de memoria:
   (1) Lugares simbólicos: conmemoraciones, celebraciones, peregrinajes, aniversarios, emblemas...
   (2) Lugares monumentales: edificios, cementerios...
   (3) Lugares topográficos: museos, archivos, bibliotecas...
   (4) Lugares funcionales: manuales, autobiografías, asociaciones...

lugares o espacios donde se encarna y representa la memoria que da sentido y orientación a la trayectoria histórica de una colectividad; relatos colectivos que han conseguido vincular en torno al tiempo determinados acontecimientos y lugares donde se inscriben nuestros recuerdos, reforzados mediante conmemoraciones, monumentos y celebraciones públicos.

Nora otorga hasta tres sentidos simultáneos al mismo término: 1) *un sentido material* (como un depósito de archivos), que fija los lugares de memoria en realidades «dadas», manejables; 2) *un sentido simbólico* (como un minuto de silencio), capaz de atraer el máximo de sentido en el mínimo de signos, y que a través de la imaginación garantiza la cristalización de los recuerdos y su transmisión; y 3) *un sentido funcional* (como un manual escolar, un testamento, una asociación de antiguos combatientes, unas elecciones), capaz de conducir al ritual.

La forja de la tradición consiste, en buena medida, en la gestión del recuerdo, en los itinerarios de memoria escogidos, en la manera de seleccionar, de enmarcar, de interpretar y de valorar los enlaces de los recuerdos y en la manera de dramatizar los relatos (los mitos o las leyendas fundacionales) o de disponer los centros «sagrados» de peregrinaje histórico.

Además de la tarea memorialista de *datación* del tiempo hay la tarea de *localización* de los espacios singulares. Tanto el tiempo como el espacio se construyen socialmente; porque los lugares de memoria son también memoria de lugares. Lo recordado a menudo va intrínsecamente asociado a lugares *(topoi, loci),* a aquel espacio o emplazamiento concreto —el territorio nacional *(homeland, Heimat),* el paisaje— cargado de significado o donde el acontecimiento «tuvo lugar»[7]. Se construye de esta manera una historia y una geografía *(Heimatkunde)* patrióticas.

En el estudio de la topografía legendaria del cristianismo, por ejemplo, fijada en los lugares de culto (el Lago de Tiberiades, la colina de Sión, el Monte de los Olivos, el Gólgota, el Santo Sepulcro, etc.), Maurice Halbwachs encontró un elemento clave donde apoyar la creencia

[7] J. Nogué hace las siguientes definiciones de lugar, territorio y paisaje. *Lugar:* «porción del espacio concreto cargada de simbología que actúa como centro transmisor de mensajes culturales». *Territorio:* «Espacio delimitado (por límites o por fronteras) con el que se identifica un determinado grupo humano, que lo posee o lo codicia y aspira a controlarlo en su totalidad». *Paisaje:* «Aspecto visible y perceptivo del espacio [...] Proyección cultural de una sociedad en un espacio determinado. En este sentido, el paisaje está lleno de lugares que encarnan la experiencia y las aspiraciones de la gente. Son lugares que se convierten en centros de significado; símbolos que expresan pensamientos, ideas y emociones varias» (Nogué 1998: 60 y 68).

colectiva (Halbwachs 1941)[8]. Establecemos así consciente o inconscientemente un parentesco entre nuestros recuerdos y los lugares considerados notables, dignos de veneración o peregrinaje[9]. Algo parecido pasa con el proceso de construcción nacional del espacio.

El territorio —afirma James Anderson— es *un receptáculo del pasado en el presente*. La excepcional historia de la nación se materializa en la excepcional porción del territorio ocupado por la nación. Es la tierra-madre, la primitiva tierra de los antepasados, más antigua que cualquier Estado; la misma tierra que fue testigo de las grandes gestas, los orígenes míticos. El tiempo ha pasado, pero el espacio todavía queda aquí (citado por Nogué [1998]; las cursivas son nuestras).

De esta manera, en la construcción nacional hay al mismo tiempo un proceso de territorialización de la historia y de historicidad del territorio que se plasma visual y simbólicamente en el paisaje. La cartografía de la memoria, en definitiva, se proyecta también sobre el espacio. En la topografía nacional catalana, por ejemplo, —que incluye lugares emblemáticos como Montserrat, el Canigó, Poblet, Ripoll, etc.—, también ha habido «lugares de vergüenza», de muerte, de humillación y de aflicción, reconquistados después simbólicamente como monumentos a la vida. Es el caso de la Ciutadella de Barcelona[10] (fortaleza defensiva construida por

[8] Un comentario interesante sobre la reconstrucción múltiple y simultánea de la topografía de Jerusalén de acuerdo con las tradiciones hebrea, musulmana y cristiana puede ser leído en Bettini (2001).

[9] Estamos subrayando, en definitiva, el paralelismo entre las estrategias para forjar las creencias religiosas y las creencias nacionales. Nora, por ejemplo, vincula los principios fundadores de la República Francesa a una verdadera religión civil dotada de sus dioses y con los elementos propios de una epopeya necromántica: el Panteón, el martirologio, la hagiografía (Nora 1984).

[10] La Guerra de Sucesión española (1705-1714) provoca la pérdida de los derechos e instituciones catalanas, arrebatadas a la fuerza por el poder central y el sometimiento de la ciudad de Barcelona por las tropas borbónicas. El rey Felipe V de Borbón firma en 1716 el Decreto de Nueva Planta que supondrá la supresión de las Corts Catalanes, la Generalitat y el Consell de Cent. Ese mismo año ordenó levantar en Barcelona la ciudadela más grande de Europa con el objetivo de poder vigilar la ciudad. También desaparecerá la universidad, que se traslada a Cervera. Para construir la Ciutadella se hizo derruir el barrio de la Ribera. El año 1716 se comenzaron a construir las grandes fortificaciones que fueron pagadas por la ciudad. A mediados del siglo XIX, durante la llamada Revolució de Setembre, el general catalán Joan Prim decretó la donación de la Ciutadella a la ciudad, y entre los años 1869 y 1888 la hizo derruir definitivamente. Se conservaron el Palacio del Gobernador, la capilla y el arsenal. En 1888, con motivo de la Exposición Universal promovida por el alcalde Rius i Taulet, se construyó un parque en los terrenos de la derruida Ciutadella.

las tropas borbónicas castellanas después de 1714 para evitar la revuelta de los catalanes), convertida a finales del XIX por los barceloneses en parque cívico y poblada de estatuas y de bustos de personalidades y catalanes ilustres. O el del castillo de Montjuïc (donde el 15 de octubre de 1940 fue fusilado por las tropas franquistas el presidente de la Generalitat, Lluís Companys) que acabará acogiendo el 27 de octubre de 1985 el Fossar de la Pedrera como recordatorio de todos aquellos catalanes que murieron ejecutados durante el franquismo. O el del Fossar de les Moreres, antiguo cementerio parroquial donde están enterrados los que defendieron la ciudad de Barcelona en 1714 y hoy convertido en símbolo de la lucha por la independencia de Cataluña. O, todavía más recientemente, el del antiguo mercado del Born (construido entre 1873 y 1876), bajo cuyos cimientos se acaban de descubrir 8.000 metros cuadrados de restos arqueológicos de esa zona de la ciudad arrasada en el siglo XVIII por las tropas de Felipe V. Algunos de estos lugares, conjuntamente con la actual ubicación de la estatua dedicada a Rafael Casanova[11], conforman verdaderos itinerarios de procesión cívica dentro del espacio urbano barcelonés con una alta concentración simbólica.

Por eso es importante conocer los complejos mecanismos y la dinámica de la memoria colectiva:

1) los mecanismos de selección y memorización de los recuerdos y el perfil de los responsables de esta selección;

2) los mecanismos de recepción, mantenimiento, educación y transmisión de la memoria (rememoración[12], conmemoración[13], repetición[14], ordenación, estilización, asociación o encadenamiento cronológico de acontecimientos o episodios singulares o fundacionales);

3) los mecanismos de actualización y reinterpretación de los recuerdos; del adormecimiento y despertar de la memoria; y también

[11] Conseller en Cap de la ciudad de Barcelona y héroe de su defensa durante el asedio de las tropas borbónicas en 1714.

[12] *Rememoración:* búsqueda o esfuerzo activo de recordar, acción de recuerdo continuado.

[13] *Conmemoración:* tipo de rememoración de acontecimientos o episodios del pasado considerados fundacionales o especialmente importantes, basada en la celebración solemne (y patriótica) de ceremonias apropiadas que responden a una economía simbólica basada en el deber de memoria y que, mediante la movilización emocional, refuerzan el sentimiento de pertenencia a una comunidad.

[14] *Repetición:* retorno organizado de fechas históricas en el calendario de las conmemoraciones.

4) los mecanismos y usos del olvido[15].

Todos estos elementos contribuyen a la construcción de la memoria colectiva, a reescribir el relato que a) da *continuidad* a los recuerdos compartidos por la nación; b) crea *vínculos sentimentales* de identificación, filiación, lealtad e inclusión; y c) delimita sus *líneas de diferenciación* cultural frente a otras naciones.

En buena parte, la *memoria colectiva* es el componente central de, y la que da continuidad a, la identidad nacional y la que permite la (re)construcción nacional, sobre todo porque favorece la familiarización progresiva con el pasado a través de un verdadero recorrido iniciático de aculturación que pasa por los relatos recibidos a través de un vínculo transgeneracional formado por el núcleo familiar, las redes de parentesco, los grupos primarios y sociales, etc. hasta acceder a la memoria de los antepasados, la memoria ancestral. Estos grupos influyen, mediante un proceso de interiorización, en la constitución de la conciencia colectiva hasta el punto de aportar memorias afectivamente marcadas. Se está construyendo, en definitiva, —gracias a la dimensión declarativa de la memoria— el puente que permite transitar de la *memoria vivida* por nosotros a la *memoria histórica* mantenida y transmitida por las generaciones anteriores hasta alcanzar una *memoria integral* que reúne la memoria individual, la memoria colectiva y la memoria histórica. Se unen de esta manera pasado y presente, espacio de experiencia y horizonte de expectativas. Éste es un de los elementos que favorecerá, a la vez, en el plano simbólico el sentimiento de vínculo de filiación nacional[16]. Cuando eso

---

[15] Desde una perspectiva más concreta, que él aplica a la ciudad de Barcelona de finales del siglo XIX, Michonneau formula cuatro preguntas que estructuran el estudio de las sociedades conmemorativas: 1) ¿Quiénes son los empresarios de la memoria? ¿Quiénes son los promotores de memoria que definen de manera legítima aquello que vale la pena recordar y aquello que hace falta olvidar? ¿Cuáles son sus respectivas posiciones sociales?; 2) ¿Cuál es el valor social de la conmemoración? ¿Qué significa esta obligación de recuerdo desde el punto de vista político y social?; 3) ¿Qué valor operativo tiene la conmemoración como rito social?; 4) ¿Cuáles son las relaciones entre memoria y espacio? ¿Puede hacerse la cartografía de la memoria proyectada en el espacio urbano? (Michonneau 2002).

[16] Por este motivo, Durkheim (1975; Llobera 2003b), como Renan, vinculaba más la nación a una *comunidad de memorias históricas* que no a una *comunidad de cultura* (Suiza, por ejemplo, puede ser considerada una nación sin la necesidad de compartir una comunidad de cultura). A nuestro entender, Durkheim identificaba excesivamente a la comunidad de cultura con la lengua. En nuestra acepción no restringida, la memoria histórica —en tanto que sistema simbólico— también forma parte de la cultura nacional.

pase, la identidad nacional se convertirá en un proyecto revolucionario capaz de convertir a una *población* en un *pueblo* y de hacer de este pueblo un sujeto colectivo autónomo.

5. LA DIMENSIÓN *IMAGINADA* DE LA MEMORIA COLECTIVA

Los sistemas simbólicos de que hablamos son, pues, formaciones discursivas o mecanismos narrativos dinámicos de construcción nacional. Como ya hemos dicho, toda narrativa nacional incluye una cierta interpretación, selección, adaptación y manipulación de la *memoria histórica* y una cierta integración o asimilación de nuevos rasgos culturales del presente. En el sistema simbólico de toda comunidad nacional siempre hay, por lo tanto, una parte de continuidad histórica y un componente —como dice Anderson— construido o imaginado (Anderson 1993). Según Bernard Lewis (1979), siempre hay una historia *recordada* (la memoria colectiva de una comunidad), una historia *recuperada* (redescubierta por los historiadores, y que sirve de herramienta de reconstrucción nacional) y, en algunos casos, una historia *inventada* que, a causa de la manipulación y el abuso, puede acabar por imponerse a través de los relatos institucionales o escolares convertidos en historia «autorizada» o a través de las conmemoraciones «oficiales». Como veremos más adelante, no es extraño que la tentación de «cierre identitario o control de la memoria», o los intentos de imponer o patrimonializar un canon memorialístico provoquen batallas culturales o la construcción de nuevas memorias entre los mismos miembros de una nación.

Pero la dimensión *imaginada* o *inventada* de la *memoria colectiva* no tiene que ser forzosamente valorada de manera negativa o falseadora de la experiencia vivida sino también y sobre todo como un componente reflexivo necesario en el acto de la representación del recuerdo. Este problema fue observado en su momento por Cornelius Castoriadis cuando, al definir el concepto *de imaginario colectivo,* encontraba dos acepciones diferentes: 1) la de una historia absolutamente inventada; y 2) la de un desplazamiento de sentido otorgado a unos símbolos disponibles, es decir, la capacidad por parte de un grupo de personas de reinvestir de significación un símbolo aparentemente banal para los demás (Castoriadis 1989). Es este segundo sentido de la imaginación el que queremos ahora destacar, porque el factor esencial que determina la existencia de una nación no son sus características tangibles (siempre susceptibles de transformaciones sustanciales), sino la *imagen* que sus miembros se forman de sí mismos (Connor 1998).

No hay identidad sin memoria y no hay memoria sin inteligencia, es decir, sin trabajo de la conciencia (Halbwachs 1950); memoria y conciencia son una sola y misma cosa. La pertenencia a una cultura nacional implica apropiar, interiorizar y compartir un determinado universo simbólico-cultural, es decir, un conjunto o núcleo básico de representaciones sociales características y, sobre todo, disponer de la clave interpretativa de significación de estas representaciones[17]. No es tan importante retener todos los contenidos de la cultura nacional, sino el sistema de nexos que organiza estos contenidos. Sin la participación en la red simbólica del colectivo, la asignación de sentido a las acciones (pasadas o presentes) del grupo es imposible o incorrecta: no sabríamos leer, comprender ni evaluar los hechos. Recordar, en el sentido que estamos utilizando, también es *imaginar;* es hacer presente en el espíritu, dentro de una determinada trama simbólica compartida, una imagen de lo que ya no existe; es intentar llenar nuestra inteligencia de un sistema complejo de representaciones. La *ausencia* en la realidad (del hecho recordado) la suplimos con la *presencia* en nuestro espíritu. La cadena conceptual del discurso de la memoria pasa, necesariamente, al menos por estos tres eslabones: presencia, ausencia y representación. La memoria, por lo tanto, es siempre memoria reflexiva; tiene que relacionar ausencia y presencia, distancia y actualidad; tiene que conseguir, mediante el esfuerzo intelectual, hacer pasar una representación esquemática a una representación llena de imágenes. Cuando recordamos/imaginamos no presentamos (y todavía menos inventamos) sino que re-presentamos, convertimos la huella mental en relato[18]. Al convertirse la representación en relato, la dimensión declarativa de la memoria se carga de interpretaciones inmanentes al propio relato. En el caso de la memoria colectiva, cada sujeto tiene que ser capaz de vincular el proceso personalizado de representación con la versión o versiones socialmente aceptadas de los recuerdos compartidos (lo

[17] Denise Jodelet define el concepto de *representación social* como una forma de conocimiento socialmente elaborado y compartido, orientado a la práctica y que contribuye a la construcción de una realidad común a un conjunto social. Las representaciones sociales sirven de marco de percepción e interpretación de la realidad y de guía del comportamiento y de situación de los agentes sociales (*vid.* Gilberto Giménez [2000]).

[18] Podría establecerse, siguiendo a Ricœur, una cierta cadena secuencial de la memoria que pasa por la huella-marca, el indicio, el testimonio, el relato evocativo, hasta llegar al documento y el monumento (dos de los elementos que Nora considera lugares de memoria por excelencia).

que Margalit [2002] llamaba «versión canónica»). Lejos, pues, de asentarse en una simple «recuperación» del pasado, las identidades son las diferentes maneras en que somos colocados y nos colocan dentro de las narraciones del pasado (Fishman 2001), formas discursivamente construidas con capacidad para configurar un sujeto nacional; por este motivo, la realidad de las identidades nacionales se percibe mejor mediante el análisis de las narrativas y las imágenes de quienes representan la comunidad imaginada a los demás (Smith 1999), es decir, las representaciones que de sí mismos tienen los sujetos.

Por tanto, la comunidad nacional, en la medida en que (re)actualiza y da continuidad al pasado, es una comunidad política *imaginada* (Anderson 1993). Sin embargo, insistimos, imaginar no quiere decir necesariamente inventar naciones allí donde no existen (Gellner 1994), crear ficción o falsificar (Kedourie 1988), o como dirá Hobsbawm, practicar por parte de las clases dirigente y burguesa un ejercicio deliberado de ingeniería social (Hobsbawm 1988). Las comunidades nacionales son *imaginadas* pero no *imaginarias*. Toda forma de identidad cultural (no sólo la nacional) implica una manera concreta de imaginar, una manera de utilizar el recurso intersubjetivo del lenguaje y de representarnos culturalmente. Anderson caracteriza la nación como una comunidad política imaginada porque los miembros de la nación «no conocerán nunca a la mayoría de sus compatriotas, no los verán ni siquiera oirán hablar de ellos, sin embargo en la mente de cada uno vive la imagen de su comunión» (Anderson 1993: 23)[19]. El colectivo nacional es una abstracción de la cual sus miembros se hacen un concepto (o una imagen) y con la cual se identifican. Desde esta perspectiva, la nacionalidad no es nada más que un mecanismo simbólico y comunicativo en torno al cual los individuos pueden imaginarse como una unidad e identificarse con sus vecinos (Barker 2003). Lo que hacemos no es otra cosa que construirnos discursivamente a partir de aquellas descripciones de nosotros mismos con las que solemos identificarnos. Somos y nos describimos gracias al lenguaje: en el lenguaje y a través del lenguaje. La identidad (nacional) acaba por ser una representación o autoimagen (o conjunto de represen-

[19] Según Anderson, lo que, en sentido positivo, hizo *imaginables* las nuevas comunidades fue «una interacción medio fortuita pero explosiva entre una forma de producción y las relaciones de producción (capitalismo), una tecnología de las comunicaciones (imprenta) y la fatalidad de la diversidad lingüística humana» que favorecía el monoglotismo (Anderson 1993: 63 ss.).

taciones compartidas) con la que nos identificamos. (Por este motivo, en la actual sociedad de la información los combates políticos por las identidades a menudo acaban siendo combates —narrativos, culturales— para captar las identificaciones, para tener *poder* para producir el nosotros nacional y para conseguir *autoridad* semántica sobre un determinado colectivo).

Cuando se vincula memoria personal, memoria colectiva y memoria histórica lo que se hace es representar narrativamente una cierta hermenéutica de la nación. La conciencia de pertenencia y continuidad nacional da lugar a la necesidad de la narración de la propia identidad, en la selección esmerada de un conjunto de significados del lenguaje susceptibles de evolución. Este esquema dinámico del proceso constitutivo de la identidad nacional se complementa con la idea gadameriana de «fusión de horizontes» en la que, según el filósofo alemán, en toda situación hermenéutica siempre están presentes tres horizontes básicos: 1) *el horizonte histórico y cultural* dentro del cual se sitúan los intérpretes; 2) *el horizonte del fenómeno pasado* que los intérpretes intentan comprender en el presente (interpretación vertical); y 3) *el horizonte extracultural* con el que los intérpretes entran en contacto (interpretación horizontal). El esquema gadameriano ayuda a entender mejor los cambios graduales de significación de la identidad nacional derivados de la constante interacción entre horizontes diversos (Karmis 2003). Por eso, dirá Nora, la memoria está en evolución permanente, abierta a la dialéctica del recuerdo y de la amnesia, inconsciente de sus deformaciones sucesivas, vulnerable a todas las utilizaciones y manipulaciones, susceptible de largas latencias y de constantes revitalizaciones (Nora 1984: xix). Las narraciones son polisémicas y la tarea reinterpretadora es constante porque en ellas se proyectan nuestras expectativas y anticipaciones. La memoria continúa vigente, es memoria viva en la medida en que continúa teniendo capacidad de interpelación, de influir en el presente, de mantener —gracias a sus nuevas relecturas— un grado de significación nacional. La memoria continúa viva en la medida en que no tan sólo la *reproducimos* en su significación textual sino que llega a convertirse en *producción* de los actores políticos del presente.

6. LOS PELIGROS DE LA MEMORIA

El tema de la memoria y el olvido colectivos —referenciados ya en Renan (Renan 2001)— y de sus peligros o «enfermedades» tiene más de una dimensión. Podríamos citar cuatro que han tenido plena vigencia en la contemporaneidad y que han afectado de manera muy diferente a los sujetos. Hay, por una parte,

1) los *«asesinos de la memoria»* (Yosef Haym Yerushalmi *dixit*), aquellos que han pretendido o todavía pretenden negar hoy la existencia del genocidio judío (la Shoah), por ejemplo. Intentar borrar la memoria es inaugurar la entrada en la inhumanidad.

2) hay los *«manipuladores de la memoria»* (colectiva), aquellos que la han querido instrumentalitzar ideológicamente, sobre todo en la fundación de Estados, cuando determinadas agresiones y actos de conquista y violencia originales son legitimados posteriormente por un Estado de derecho precario (Ricœur 2003). Es, al fin y al cabo, la clásica historia escrita por los vencedores.

3) hay, por otra parte, los *«oprimidos por los recuerdos»*, entendiendo esta opresión traumática del recuerdo (o memoria herida) en un triple sentido:

   a) la opresión de aquellos supervivientes del Holocausto, como Yehuda Elkana, que han reclamado *«aprender a olvidar»*, *«erradicar de nuestras vidas la opresión del recuerdo»* (*vid.* Rossi 2001);

   b) una opresión entendida como *«exceso de memoria»*, como abuso de memoria u obsesión por el recuerdo de las humillaciones sufridas que acaba por desembocar desdichadamente en una rememoración autodestructiva (caso de las guerras de los Balcanes o de los conflictos de Irlanda del Norte o del Oriente Próximo) (Ricœur 1995; 2003);

   c) la de aquellos que defienden la fuerza crítica de la memoria y el testimonio interpelador del sufrimiento de las víctimas (*memoria passionis:* memoria de los vencidos, del sufrimiento ajeno) como imperativo moral, como orientación básica o intención práctica para toda acción relacionada con la libertad humana (caso de Walter Benjamin, Johannes Baptist Metz o Reyes Mate). Se convierte la memoria de las víctimas en categoría hermenéutica central de toda teoría y práctica humanas liberadoras: una *memoria moral* que convierte el recuerdo del dolor en nuevo imperativo categórico. Se unen de esta manera pensar y pesar, reflexión y sufrimiento, pasión y compasión.

4) y también hay los *«reprimidos por los recuerdos»*, es decir aquellos que huyen del pasado, que practican *«el exceso de olvido»*,

que han inhibido su historia por miedo a asumir la responsabilidad, aquellos que parecen temer los contenidos subversivos del recuerdo, quienes viven en la prisión mortificante del recuerdo sin ser capaces de explicitar su relato. Avishai Margalit y Paul Ricœur describen, por ejemplo, cómo la población francesa, en su esfuerzo por proteger el prestigio de Francia frente a los penosos recuerdos de Vichy o de la guerra de Argelia, los reprimió con la ayuda de De Gaulle, haciéndolos desaparecer del ámbito público (Margalit 2002; Ricœur 1995)[20].

El estudio profundizado de estos y otros casos nos permitiría desarrollar al menos cuatro maneras generales y diferentes de tratar el pasado: 1) la del recuerdo y la memoria; 2) la del silencio y el olvido; 3) la de la alteración o tergiversación; y 4) la de negarse a tenerlo en cuenta, la voluntad de ignorar el pasado (Defez 2003).

Lo que nos interesa comentar y aclarar ahora es por qué tan a menudo se acusa a la memoria (colectiva) de practicar arbitrariamente la manipulación.

Una de las causas de atribuir, a veces erróneamente, el peligro de ficción o manipulación de la memoria creo que podemos encontrarla en la manera de entender cómo se produce el proceso de percepción de una vivencia significativa para un grupo que derivará después en el mismo

---

[20] En su último libro, W. G. Sebald plantea un caso parcialmente parecido sobre el pueblo alemán: ¿cómo es posible justificar —dice— que los alemanes hayan tendido una red de silencio sobre los daños inferidos por las bombas aliadas (que provocaron la destrucción masiva de ciudades como Hamburgo, Colonia o Berlín) como si, aferrados a la divisa de superar el pasado, «fuéramos un pueblo sorprendentemente ciego a la historia»? (Sebald 2003: 8). La Truth and Reconciliation Commission de Sudáfrica, liderada por el obispo Desmond Tutu, intentó, precisamente, esclarecer y hacer conscientes estos recuerdos traumáticos y reprimidos con la esperanza que el desvelamiento de la verdad sobre el pasado llevaría a la reconciliación. Margalit propone que la comunidad japonesa haga algo parecido con las *comfort women:* las coreanas obligadas a prostituirse durante la Segunda Guerra Mundial. «Incorporar también estas mujeres al recuerdo compartido del Japón significaría "darles vida" reconociendo su padecimiento, dar un primer paso para el arrepentimiento» (Margalit 2002: 70).

A nadie se le escapará que esta concepción narrativista de la memoria colectiva está influida por el psicoanálisis de Freud, que afirma la necesidad humana de relatar y dar coherencia y aceptabilidad a nuestras historias todavía no expresadas, de poner voz a aquello que había sido dolorosamente enmudecido (*vid.* al respecto, Ricœur 1985 y Rodríguez González 2003). Para Freud, el dolor del relato contenido, del recuerdo reprimido, desaparecería con el acceso a la palabra.

acto selectivo de los recuerdos. Aquí conviene tener presente que, tal como veíamos en el caso de la identidad personal, en los procesos de *identificación* no realizamos nunca una recepción pasiva o aséptica de los impactos recibidos o de los hechos ocurridos (es decir, no tenemos en cuenta sólo la producción de la afección), sino que siempre hay una recepción activa y adaptada a nuestros contextos de vida particulares (lo que podríamos llamar las condiciones subjetivas de recepción). Seleccionamos (es decir, retenemos unos cuantos e ignoramos otros) y al mismo tiempo interpretamos los elementos que son relevantes (positiva o negativamente) *para nosotros* y, en la medida en que determinan hitos en nuestra trayectoria, persistimos en la voluntad de preservarlos y de recordarlos. No se niega que determinados hechos pasaron, sin embargo algunos quedan excluidos porque no forman parte relevante de la historia que la nación se cuenta a sí misma (Miller 1997). Ésta es la razón por la cual algunos (como los norirlandeses o los catalanes) nunca han dejado de recordar determinados hechos[21] y otros (como los ingleses o los españoles, por ejemplo) nunca han hecho nada para recordarlos o para interpretarlos de la misma manera. Se atribuye al obispo norteamericano Fulton Sheen la siguiente frase: «los ingleses no lo recuerdan, los irlandeses no lo olvidan»[22]. El olvido social y sobre todo institucional de la violencia primitiva fundadora está presente en la creación de la mayoría de los Estados-nación. Por eso, si la nación es una comunidad de memoria, también puede decirse que es en parte una *comunidad de*

[21] «En el Ulster, particularmente, buena parte de las tensiones datan del siglo XVII. Después de una nueva ronda de enfrentamientos contra los católicos irlandeses, los británicos alentaron a ingleses y escoceses a establecerse en Irlanda del Norte para domesticar a los naturales. La población originaria católica ha odiado desde entonces a los invasores protestantes, no tan sólo porque sean protestantes, sino porque son forasteros con costumbres diferentes y más privilegios. Entonces como ahora, las fricciones eran tanto sociales como religiosas» (Connor 1998: 48). En relación con la celebración de la Festividad Nacional de Cataluña, el día 11 de septiembre, el historiador J. M. Ainaud de Lasarte ha escrito que esta fecha «ha sido conmemorada a lo largo de los tiempos no como celebración de una derrota —la caída de la ciudad de Barcelona en manos de los ejércitos franceses y castellanos de Felipe V— sino como la de un pueblo que tenía unas libertades y unas instituciones a las que nunca ha renunciado y que siempre ha reivindicado» (Busquets/Bastons 2003).

[22] Los desfiles orangistas en Irlanda del Norte, que conmemoran la derrota de los católicos por Guillermo de Orange, son una provocativa prueba que confirma que las identidades nacionales se mantienen por las narrativas de derrota (Québec, Irlanda del Norte, Cataluña) pero también, evidentemente, por las narrativas de victoria.

olvido (Palti 2003); más todavía, es una comunidad que necesita olvidar el olvido[23].

El lema de la matrícula de los coches de la provincia canadiense del Québec, *«Je me souviens»*, juega con el *deber de memoria* de unos hechos —la derrota en las Llanuras de Abraham, en 1759— que el resto del Canadá anglófono acostumbra a no querer tener presente[24]. Tzvetan Todorov recogía también, hace poco, el caso de un estudio de 1995 del historiador norteamericano John Dower[25] sobre las diferentes maneras en que los Estados Unidos y el Japón recuerdan los hechos de la bomba atómica de Hiroshima. Dower demostró cómo la memoria no es moralmente neutra. Los mismos hechos y una selección y combinación de los mismos datos daban lugar a dos versiones totalmente diferentes: «Hiroshima como una victimización» (Japón) e «Hiroshima como triunfo» (Estados Unidos). Ambos países, además, habían escogido lugares de memoria diferentes y los habían destacado en sus museos respectivos. El Smithsonian National Museum of Air and Space de Washington había escogido el *Enola Gay*, el avión que tiró la bomba atómica sobre Hiroshima y que puso fin a la Segunda Guerra Mundial. El Museo de Hiroshima, en cambio, había escogido la fiambrera de un niño de 12 años que murió

---

[23] «Para que exista una comunidad no sólo es necesario que se olviden las antinomias del pasado sino que también, (al contrario de lo que afirma Anderson) es necesario olvidar este olvido. El olvido (el «deber olvidar») implica una decisión colectiva de formar uno de muchos; el olvido del olvido (el «haber olvidado») es, en cambio, el mecanismo espontáneo por el cual se constituye un sentido de identidad. Es en este segundo olvido que se hace manifiesta la existencia de un auténtico sujeto nacional« (Palti 2003: 77-78). En esta misma línea, Stéphane Michonneau afirma que el «trabajo social de memoria implica necesariamente el trabajo social del olvido: el olvido no es una ausencia de memoria, no es una no-memoria, sino «una memoria al revés», una deconstrucción de la memoria inseparable del recuerdo, como el anverso y el reverso de una misma cuestión» (Michonneau 2002: 104).

[24] «Quebec es un país de sueño para una historiador de la memoria. En esta provincia cuyo lema mismo está fundado sobre el culto del recuerdo, volvemos a encontrar toda la panoplia de las determinaciones históricas que condenan una comunidad amenazada a lo que el poeta Paul Éluard llamaba el «duro deseo de durar». Reencontramos una prioridad atribuida obligatoriamente a la historia como voluntad de arraigo, como continuidad de lo mismo, como fidelidad al pasado [...] Para vosotros la memoria es la expresión de una conquista». Alocución de Pierre Nora el 23 de junio de 1999 en la Universidad de Laval con motivo de su doctorado honoris causa (Nora 1999; Maclure 2003).

[25] Toda la información y reacciones derivadas de este estudio de J. Dower pueden ser consultadas en: http://www.lclark.edu/~history/HIROSHIMA/dirc-hist.html.

durante el bombardeo, conservada por casualidad, con el arroz y los frijo-
les chamuscados por la explosión atómica. El Smithsonian tuvo que can-
celar una exposición sobre el tema donde se incluía la fiambrera japonesa
porque los antiguos héroes norteamericanos lo consideraron una «ofensa
a la memoria» (Todorov 2003).

Este proceso de percepción y selección va más allá de la tentación real
y a menudo abusiva de falsificar o manipular la memoria histórica. Aquí
hay, pues, una cierta confusión entre el papel que juega la memoria en la
formación de las naciones y de la identificación nacional y la pretensión
científica del historiador. «Olvidar, y me aventuraría a decir, malinter-
pretar la propia historia, son factores esenciales en la formación de una
nación», dirá Renan (2001: 121). La frase puede ser válida siempre y
cuando no confundamos la tarea interpretativa y valorativa de las vivencias significativas *para nosotros* (en tanto que miembros de una misma
nación) con la aspiración omnicomprensiva, analítica y crítica de los historiadores. *Nuestra* vivencia y *nuestra* percepción y valoración de la
vivencia, posteriormente convertida en memoria compartida, creencia y
tradición, tiene poco que ver con el intento científico, abstracto, externo
y supuestamente neutro de reconstrucción histórica de los hechos[26]. Lo
importante en la memoria nacional del pasado no es su verdad, sino su
significación. No es la historia rigurosamente descrita sino la percepción
subjetiva de los episodios vividos o emotivamente transmitidos lo que
acaba siendo relevante en la formación y continuación de las naciones[27].
En este sentido, para la memoria colectiva la autenticidad histórica de la

[26] Podríamos hacer extensivo el comentario a los geógrafos y a la topografía de las
memorias. Los geógrafos estudian el espacio vital (el territorio), las personas lo viven.
Un comentario brillante sobre el tema puede leerse en Gifreu (2001).

[27] Eso no quita que una de las tareas más importantes de los historiadores y de los
medios de comunicación actuales sea precisamente la de la recuperación de hechos o episodios nacionalmente relevantes del pasado. En Cataluña, por ejemplo, se han realizado
recientemente diversas series documentales o dramatizadas con gran éxito de audiencia,
como *La memòria dels Cargols* (escrita por Lluís Arcarazo y Francesc Orteu, entre otros, e
interpretada por Dagoll Dagom); o *Historias de Cataluña* (dirigido por Joan Gallifa y Antoni Tortajada); o *Tiempo de silencio* (con guión de Enric Gomà y dirección y realización de
Xavier Borrell); o los documentales históricos dirigidos por Maria Dolors Genovès, como
Sumarísimo 477 o *Cambó. Vid.* al respecto el dossier sobre «Las narraciones de la historia»
publicado en *L'Avenç* (DDAA 2003). Son también destacables la serie documental de 16
capítulos *Dies de transició* (del tardofranquismo a la recuperación de la democracia) dirigida
por Francesc Escribano, que emite actualmente Televisió de Catalunya S. A.; y el conjunto

conmemoración de las creencias es irrelevante y secundaria, por no decir totalmente inútil. No es la mayor objetividad o subjetividad del referente identitario lo que determina su importancia como elemento constitutivo de la identidad colectiva, sino su auto y heteroapropiación simbólica (Valenzuela 2000). De las creencias que componen una identidad colectiva podemos decir si son más o menos eficaces, pero no tiene ningún sentido evaluar su verdad o falsedad científicas. En todo caso, «el discurso descalificador de una identidad colectiva realizado desde la ciencia es un discurso más entre los que están jugando a (luchando por) dominar socialmente» (Pérez Agote 1986). Me atrevería a decir que el poder de la tradición, de cada tradición, puede llegar a ser tan fuerte que incluso obligaría a plantearnos si verdaderamente los historiadores o científicos sociales pueden situarse en el exterior y por encima de los grupos; sobre todo porque también ellos han sido formados por la memoria y el registro de su mirada está «situado», es decir, comparten habitualmente las representaciones sociales de su colectivo de pertenencia o referencia[28].

de documentales de Televisió de Catalunya S.A. incluidos en la colección *La nostra memòria* y divulgados por *El Periódico de Catalunya* (a partir del 9 de mayo de 2004). La colección incluye los siguientes títulos: «Els nens perduts del franquisme» (I y II); «El convoi dels 927», «Operació Nikolai»; «Els últims morts de Franco»; «L'or de Moscou»; «El Born, un vincle amb el passat»; «Cuba, sempre fidelíssima»; «Les fosses del silenci» (I y II).

[28] Un ejemplo de lo que estamos diciendo puede ser comprobado en algunos de los artículos incluidos en el dossier publicado por la *Revista de Occidente* titulado precisamente «La Cataluña real» (DDAA 2001). Los autores, después de decir que todo nacionalismo inventa la nación (Miquel Porta Perales) o presenta una visión arbitraria (Antoni Puigverd), y que en Cataluña los intelectuales de la Renaixença y sus herederos construyeron una Cataluña ideal, a continuación, pretenden presentar la auténtica «Cataluña real», es decir, la no inventada. Más todavía, poco después de hacer estas afirmaciones, Porta Perales llegará a escribir que España no es una realidad política *artificial* (Porta Perales 2003). Como afirma F. Sàez, «deconstruir acostumbra a ser un acto conceptualmente higiénico. Deconstruir a la carta, *ad hoc*, es una muestra de frivolidad intelectual y de falta de honradez» (Sàez 2003: 180). Es decir, no habría nada más arbitrario desde el punto de vista conceptual que considerar las identidades nacionales ficticias y a continuación considerar las estatales no ficticias. Al fin y al cabo, parece que el carácter *inventado* de *toda* adscripción colectiva sólo sea válido para *algunas*. Este tipo de situación también ha sido explicado por el fenómeno que algunos han denominado «*la naturaleza transparente del nacionalismo cumplido*» (Defez 2003: 296), según el cual los miembros que pertenecen a un nacionalismo hegemónico o instituido (de Estado) sólo identifican (o descalifican) como nacionalistas a los que pertenecen a un nacionalismo emergente, pero ellos mismos no se consideran. Ver, por ejemplo, las declaraciones de José M. Aznar, «Yo no soy un nacionalista español. ¡Sólo soy un español convencido!» (*Le Monde*, 10-3-1999).

Otra causa de denuncia de manipulación, distorsión o invención reside habitualmente en la violación de los márgenes razonables de reinterpretación de la memoria. Lo que Halbwachs llamaba *marcos sociales de la memoria* no son otra cosa que los instrumentos de los que se sirven los individuos conscientes para recomponer una imagen o conjuntos de imágenes del pasado para que se adecue a sus necesidades del presente[29]. Por eso, estas redefiniciones de la tradición y de la memoria «no tendrían que ser consideradas simplemente una invención o constructo de los intelectuales, sino que son intentos de aunar la comprensión de los procesos occidentales de formación de naciones» con el redescubrimiento o la reinterpretación del pasado (Smith 1997). A partir de los retos del presente, la memoria colectiva asegura al mismo tiempo la (voluntad y el deber de) perennidad del recuerdo y su transformación. Esta es la prueba fehaciente del carácter abierto de las identidades nacionales, es decir, que se van transformando a medida que se relacionan con el conjunto de mediaciones con que van interviniendo históricamente. En la dimensión o pretensión *veritativa* de la memoria se da, inevitablemente, una cierta dialéctica entre la exigencia de fidelidad a los hechos, a la valoración de la vivencia del pasado, y de la acomodación al presente. Los lugares de memoria, para continuar con la expresión de P. Nora, pueden aumentar o disminuir en importancia o significación según las necesidades presentes de los grupos nacionales.

Para las naciones, pues, la memoria se convierte en una afirmación de su identidad, una expresión más o menos lograda de su voluntad de durar en el tiempo y de combatir los intentos de borrar el recuerdo (la memoria impedida, la memoria obligada, la memoria manipulada). Eso es, al fin y al cabo, lo que puede transformar la memoria en proyecto (Castiñeira 2001).

7. ALGUNAS SITUACIONES DE CRISIS: CONFLICTO DE IDENTIDADES E IDENTIDADES EN CONFLICTO

Querríamos comentar, por último, tres situaciones que ponen en crisis el mantenimiento de las actuales identidades nacionales.

---

[29] En su estudio sobre la memoria colectiva en el cristianismo Halbwachs muestra como en periodos históricos diferentes la apariencia atribuida a los lugares sagrados fue cambiando según las esperanzas y las necesidades de los grupos cristianos que describían estos lugares (Halbwachs 1941).

a) La percepción negativa de la propia identidad colectiva:

Por diversas razones históricas, políticas y culturales, algunas identidades nacionales entran en crisis proyectando sobre sí mismas un sentimiento contradictorio de desidentificación y pérdida de autoestima. Se trata de una percepción generadora de frustración, desmoralización, complejo de inferioridad o auto-odio.

Cataluña y Québec, por ejemplo, han sufrido un proceso parecido y paralelo de aquello que Jocelyn Maclure llamaba «nacionalismo melancólico», fruto de una memoria traumática acostumbrada a tener que luchar entre el largo purgatorio resistencial de la *«survivance»* y la constante amenaza de asimilación y colonización mental (Maclure 2003).

Este proceso de minorización derivado de la derrota que se extiende a lo largo de los últimos siglos (desde 1714 en Cataluña; desde 1759 en Québec) habría favorecido el desarrollo de un conjunto de rasgos patológicos propios de la neurosis identitaria o de una profunda herida en la capacidad de autorrepresentación —como la autopunición, el masoquismo, el desprecio autorreferencial, la depresión, la falta de entusiasmo o la fatiga cultural— que redundarían, como decíamos, en la pérdida de la autoestima, en el complejo de inferioridad crónica y en una progresiva alienación nacional que se manifestará en una ambigüedad identitaria y política, característica tanto en Cataluña como en Québec.

Maclure, siguiendo las reflexiones de Fernand Dumont, hablará, en relación a Québec, de una identidad problemática y confusa que toma, desde su nacimiento,

> la forma de un aborto, de una conquista, de una subordinación multidimensional, de la lenta pero progresiva asimilación de la mirada degradante del otro, de la constitución de una conciencia de sí fundada sobre los sedimentos del desprecio y de la vergüenza, y de una ambigüedad, es decir, de una pusilanimidad política legendaria (Maclure 2003: 52).

Haciendo un mal juego de palabras, podríamos decir que también en parte la alie-nación catalana es el resultado de una desesperante hibernación.

Conviene puntualizar, sin embargo, que la percepción negativa de la propia identidad colectiva no desemboca necesariamente en el auto-odio o la apatía de la memoria. Aleida Assmann (Assmann 1994), en un estudio genealógico sobre la construcción de la memoria nacional y cultural alemana (la *Bildung*), afirma que los dolorosos recuerdos compartidos

de Auschwitz fueron la catástrofe nacional que hizo volar en pedazos la
memoria cultural de los alemanes. Eso, lejos de convertir la memoria de
los alemanes en apática ha estimulado un interés agudo y crítico por la
función compleja de la memoria en la historia de su país. Si, como dice
Assmann, «después de una destrucción tan fanática como sistemática del
espíritu comunitario, Alemania se encuentra, después de su Apocalipsis,
en el cero absoluto de la memoria cultural» (Assmann 1994: 84), la
cuestión que los alemanes tienen que plantearse es de qué tradiciones
pueden sentirse todavía herederos:

> La idea de progreso y de continuidad asociada a la Bildung ha sido des-
> truida de manera todavía más radical por la experiencia del genocidio de los
> judíos organizado por el Estado hitleriano alemán. Ante esta irrupción del
> horror en la historia alemana, la Bildung queda muda. No puede ser hereda-
> da como una tradición, pero tiene que permanecer como un recuerdo de la
> historia alemana (Assmann 1994: 104).

La identidad nacional española ha vivido también una situación parecida como consecuencia en parte de una larga cadena de fracasos, de una
excepcionalidad histórica que la había alejado de los movimientos burgueses, industriales e ilustrados europeos, y sobre todo de la herencia del
franquismo y del peso de la memoria reciente. En este último caso, el
intento de imponer una idea excluyente e intolerante de España que, además, identificaba la lengua española con la ideología propia del régimen
autoritario franquista, ha provocado que la nueva democracia española
se hubiera construido desde un débil, acomplejado y a menudo avergon-
zado sentimiento nacional y desde la aparente renuncia del mensaje
nacionalista. La identificación del nacionalismo español contemporáneo
con el franquismo y con sus caracterizaciones y connotaciones negativas
—el nacional-catolicismo y sus axiomas (España «martillo de herejes,
luz de Trento, espada de Roma, cuna de San Ignacio»), el esencialismo,
el integrismo, el tradicionalismo, la ultraderecha, el castellanismo, el
militarismo institucional, el antieuropeísmo, y el centralismo uniformis-
ta— ha sido la razón clave de su deslegitimación y negación al menos
hasta la década de los noventa.

Es a partir de esta fecha —que coincidirá con la proyección pública
de la imagen de una España «normalizada, homologada, reconciliada,
democratizada, destradicionalizada, europeizada y moderna», que parece haber pasado en poco más de dos décadas «de la retaguardia a la van-

guardia», en palabras de Emilio Lamo de Espinosa (2001: 178 ss.)—[30] cuando diversos analistas detectan un intento de recuperación del patriotismo español y de renovación del discurso nacionalista procedente tanto de la derecha como de la izquierda españolas (Núñez Seixas 1999; Pérez Garzón 2000).

Como decimos, este nuevo escenario, que algunos historiadores españoles (como Santos Juliá, David Ringrose o Isabel Burdiel) denominan «el fin del mito del fracaso» y que proyecta una autopercepción complaciente y optimista por parte de la población española, tiene mucho que ver con la renovación del nacionalismo español. Según Xosé Manoel Núñez, la derecha liberal conservadora intenta alimentarse y apela a la herencia histórica del nacionalismo liberal democrático de preguerra redescubriendo las figuras de Azaña, Madariaga y Ortega y Gasset; mientras que la izquierda apela al regeneracionismo, al europeísmo y a la recuperación de una nacionalismo republicanista (Núñez 1999).

b) La falta de cohesión interna o de capacidad de actualización de la identidad nacional:

La crisis de la memoria colectiva puede derivar también de una suma de factores nuevos:

1) El fin de los campesinos (fin de la ruralidad), la pérdida de lugares de memoria, el envejecimiento o insignificación de determinados lugares de memoria, la degradación o limitación de la duración de vida de los símbolos. Los monumentos, concebidos inicialmente para durar, se convierten irremediablemente en testigos de lo efímero.

---

[30] «1998, a los 20 años de la Constitución, fue la fecha en que los españoles nos dimos cuenta que habíamos consumado un gran proyecto político nacional, el proyecto de modernización y europeización de España [...] Para una generación como la mía, que se educó acomplejada siempre por la singularidad histórica de España, que no había hecho la revolución burguesa, que no había llevado a cabo la revolución industrial, que no se había incorporado a la ciencia moderna, que carecía de empresariado, que no había sido capaz de asentar una economía capitalista ni una democracia... es un verdadero alivio comprobar que todo eso se ha desvanecido, los Pirineos no son frontera de nada, no tenemos de qué avergonzarnos y somos normales» (Lamo de Espinosa 2001: 177 y 184). *Vid.* un balance parecido en Guibernau (2000). Para Lamo el genuino representante de este proyecto nacional coincide con la victoria del PSOE en 1982, liderado por «una joven generación de españoles que pronto serían calificados como jóvenes nacionalistas, como portadores de un proyecto de transformación nacional basado en tres ideas simples: cambiar (frente a conservar), modernizar (frente a tradicionalizar) y europeizar (frente a españolizar)» (Lamo de Espinosa 2001: 178).

2) El desarrollo de batallas culturales internas (la existencia en un mismo territorio de memorias históricas colectivas que pugnan por interpretar de manera diferente los acontecimientos y personas que toman como referencia (*vid.* nota 24) o de luchas simbólicas entre identidades colectivas en concurrencia: procesos competitivos de *identity-building*.

3) La reacción a una sacralización o patrimonialización abusiva de la memoria (oficial).

c) *La inestabilización de la memoria como consecuencia de los procesos de modernización cultural.*

La otra causa que, a mi entender, pone en crisis las identidades nacionales tiene que ver con algunas consecuencias derivadas de la constitución del yo moderno basado en la «asunción *voluntaria* de una determinada identidad».

Para el uso moderno de la razón crítica siempre ha resultado difícil aceptar, como resultado de una elección relativamente libre, una identidad jamás cuestionada. El sujeto moderno se construye, en parte, desde la contraposición con la identidad basada en o impuesta por la tradición. Eso ha contribuido a acentuar el individualismo. Pero, como decimos, no es tanto la modernidad en sí, sino algunas de sus consecuencias o desviaciones las que reforzarán una determinada tendencia individualista. Taylor la llamará «the malaise of Modernity», una de las cuales —el individualismo— descansa sobre la ideología de las formas más egocéntricas de autorrealización (Taylor 1994)[31], formas que desembocan inevitablemente en el atomismo social. El abandono de las tres virtudes inherentes a la constitución del yo moderno (que Taylor llamará la degradación del ideal moral de la autenticidad: la voluntad, la libertad y la responsabilidad) acabará por contribuir al cultivo de una identidad narcisista, egocéntrica y mistificada, es decir, en algunas de las peores formas de subjetivismo: la identidad banal-trivial, la identidad simulada.

Ferran Sàez describe la contemporaneidad a partir de un doble fenómeno aparentemente contradictorio, la inflamación del yo y la disolu-

---

[31] En eso sigue la línea de autores como D. Bell que hablará de hedonismo; de Ch. Lasch que hablará de narcisismo; de Allan Bloom que hablará de egocentrismo; de M. Foucault que hablará de estetización del yo; o del mismo Gilles Lipovetsky que intentará describir las formas actuales del individualismo postmoderno.

ción del sujeto; la simultánea exaltación y erosión del yo (Sàez 2003). La consecuencia, en lo que concierne a nuestro hilo argumental, es el resquebrajamiento de las pertenencias colectivas. La multiplicación de voces del Yo en la modernidad avanzada hace más difícil seguir siendo un Yo y también hace más difícil la continuidad de un nosotros. La *struggle for Self* es también ahora una *struggle for Us*. La exaltación banal del yo contribuye a la disolución del nosotros. Una pseudoliberación del yo paga el precio de la desinserción social.

El resultado, según Taylor, es la fragmentación: «un pueblo cada vez más incapaz de proponerse objetivos comunes y llevarlos a cabo». «Una sociedad fragmentada es aquella cuyos miembros encuentran cada vez más difícil identificarse con su sociedad política como comunidad» (Taylor 1994: 138).

En definitiva, los procesos de modernización cultural inestabilizan de manera acelerada la continuidad de las memorias históricas flexibilizando y reestructurando aún más sus núcleos semánticos. El tiempo supuestamente homogéneo de la narrativa nacional se desarticularía. Autores como Raymond Williams y Néstor García Canclini se han referido en ocasiones a la posibilidad de que se produzca una fractura entre lo que ellos llaman una *identidad (nacional) residual* —mantenida por aquellos miembros de una nación que *imaginan* a partir del pasado, sueñan todavía con la posibilidad de restablecer esta unidad imaginada y en los que persiste una herencia histórica de tradiciones— y una *identidad emergente* postmoderna cuyos defensores ya no temen pasar de la comunidad imaginada a la comunidad *imaginaria*, proyectada en un futuro posible. Para estos últimos, actualmente la identidad no puede darse más que de manera contingente, parcial y fragmentada, lo que implicaría también que la comunidad principal de identificación (imaginada o imaginaria) ya no es la nación sino la minoría, los sujetos marginales, el grupo juvenil, la tribu urbana, el barrio o incluso otras formas de comunidad desterritorializadas que vehiculan micro-contra-narrativas capaces de articular nuevas construcciones discursivas forjadoras de identidades antiesencialistas, contingentes.

La complejidad y multiplicación de repertorios de ámbitos identitarios, la ampliación de los círculos de pertenencia, la pluralización de los mundos de la vida y la nueva aparición, gracias a los *media*, de formas de adscripción identitaria inéditas (cabe decir de paso que Internet y los *media* todavía refuerzan más la idea de que toda identidad colectiva es una identidad imaginada): reterritorialización, hibridación, interculturalidad, cosmopolitización de experiencias. Elementos que, en la visión más pesimista, dificultan la constitución de una base coherente y unitaria de arraigo para los sujetos; y, en la visión más optimista (a lo Habermas) propugnan un sujeto con capacidad relativa de discriminación, selección y adscripción identitaria. Lo que se define con el concepto de identidad postradicional.

OBRAS CITADAS

ANDERSON, Benedict (1993): *Comunidades imaginadas. Reflexiones sobre el origen y ladifusión del nacionalismo*. México: FCE.

ASSMANN, Aleida (1994): *Construction de la mémoire nationale. Une brève histoire de l'idée allemande de Bildung*. Paris: Éd. de la Maison des sciences de l'homme.

BARKER, Chris (2003): *Televisión, globalización e identidades culturales*. Barcelona: Paidós.

BASTIDA FREIXEDO, Xacobe (2002): «La identidad nacional y los derechos humanos». En: CALVO GARCÍA, Manuel (coord.): *Identidades culturales y derechos humanos*. Madrid: Dykinson, pp. 109-159.

BERGSON, Henri, (1959): *La perception du changement*. Paris: P.U.F.

BETTINI, Maurizio (2001): «Contra las raíces. Tradición, identidad, memoria». En: *Revista de Occidente*, 243, pp.79-97.

BOURDIEU, Pierre (1989) «La ilusión biográfica». En: *Historia y Fuente Oral*, núm. 2, Barcelona, pp. 29-35.

BRAUDEL, Fernand (1993): *La identidad de Francia*. Barcelona: Gedisa.

BUSQUETS, Lluís/BASTONS, Carles (2003): *Castilla y Catalunya frente a frente*. Barcelona: Ediciones B.

CASTIÑEIRA, Ángel (1998): «Nacionalismos». En: CORTINA, Adela (dir.): *10 palabras clave en filosofía política*. Estella: Verbo Divino.

—: (1999): «Identitat, reconeixement i liberalismes. Un debat al voltant de Ch. Taylor». En: REQUEJO, Ferran (ed.): *Pluralisme nacional i legitimitat democràtica*. Barcelona: Proa, pp.105-128.

—: (2001): *Catalunya com a projecte*. Barcelona: Pòrtic.

—: (2004): *Ens fans o ens fem? La transmissió de valors avui*. Barcelona: Proa.

CASTORIADIS, Cornelius (1989): *La institución imaginaria de la sociedad*. Vol. II. *El imaginario social y la sociedad*. Barcelona: Tusquets Editores.

CONNOR, Walker (1998): *Etnonacionalismo*. Madrid: Trama Ed.

CHEBEL, Malek (1998): *La formation de l'identité politique*. Paris: Payot.

DDAA (2003): «Les narracions de la història». En: *L'Avenç*, 281 (junio).

—: (2001): «La Cataluña real». En: *Revista de Occidente*, 244 (septiembre).

DEFEZ, Antoni (2003): «Memoria, identidad y nación». En: FAERNA, A. M./TORREVEJANO, M. (eds.): *Identidad, individuo e historia*. València: Pre-Textos, pp. 287-300.

ERIKSON, E. (1968): *Identidad, juventud y crisis*. Buenos Aires: Ed. Paidós.

FISHMAN, Joshua A. (2001): *Llengua i identitat*. Alzira: Bromera.

GELLNER, Ernest (1994): *Naciones y nacionalismo*. Madrid: Alianza Ed.

GIFREU, Josep (2001): *El meu país. Narratives i combats per la identitat*. Lleida: Pagès Editor.

GIMÉNEZ, Gilberto (2000): «Materiales para una teoría de las identidades sociales» En: VALENZUELA ARCE, J. M. (coord.): *Decadencia y auge de las identidades. Cultura nacional, identidad cultural y modernización.* México: Plaza y Valdés Ed., pp. 45-78.

GLOVER, Jonathan (2003): «Naciones, identidad y conflicto». En: MCKIM, Robert/MCMAHAN, Jeff (comp.): *La moral del nacionalismo.* Vol. 1. Barcelona: Gedisa, pp. 27-52.

GROSSER, Alfred (1999): *Las identidades difíciles.* Barcelona: Edicions Bellaterra.

GUIBERNAU, Montserrat (1996): *Los nacionalismos.* Barcelona: Ariel.

—: (2000): «Catalunya: comunitat política en l'era global». En: *IDEES,* 6 (abril-junio), pp. 97-103.

HALBWACHS, Maurice (1925): *Les cadres sociaux de la mémoire.* Paris: Librairie Félix Alcan.

—: (1941): *La topographie légendaire des Évangiles en Terre Sainte.* Paris: PUF.

—: (1950): *La mémoire collective.* Paris: PUF.

HOBSBAWM, Eric J./RANGER, Terence (1988): *La invenció de la tradició.* Vic: Eumo.

KARMIS, Dimitrios (2003): «Pluralisme et identité(s) nationale(s) dans le Québec contemporain: clarifications conceptuelles, typologie et analyse du discours». En: GAGNON, Alain-G. (eds): *Québec: État et société.* Montréal: Québec Amérique, pp. 85-116.

KEDOURIE, E. (1988): *Nacionalismo.* Madrid: Centro de Estudios Constitucionales.

LAMO DE ESPINOSA, Emilio (2001): «La normalización de España». En: MORALES MOYA, A. (coord.): *Nacionalismo e imagen de España.* Madrid: Sociedad Estatal España Nuevo Milenio, pp. 155-186.

LEWIS, Bernard (1979): *La historia recordada, rescatada, inventada.* México: FCE.

LLOBERA, Josep R. (2003a): *De Catalunya a Europa. Fonaments de la identitat nacional.* Barcelona: Anagrama-Empúries.

—: (2003b): *La teoria del nacionalisme a França.* València: Afers.

MACINTYRE, Alasdair (1987): *Tras la Virtud.* Crítica: Barcelona.

MACLURE, Jocelyn (2003): «Récits et contre-récits identitaires au Québec». En: GAGNON, Alain-G. (dir.): *Québec: État et sociéte.* Montréal: Québec Amérique, pp. 45-64.

MARGALIT, Avishai (2002): *Ética del recuerdo.* Barcelona: Herder.

MELUCCI, Alberto (2001): *Vivencia y convivencia.* Madrid: Ed. Trotta.

MICHONNEAU, Stéphane (2002): «Políticas de memoria en Barcelona al final del siglo XIX». En: GARCIA ROVIRA, Anna Maria (ed.): *España, ¿nación de naciones?* Madrid: Marcial Pons, pp. 101-120.

MILLER, David (1997): *Sobre la nacionalidad. Autodeterminación y pluralismo cultural.* Barcelona: Paidós.

MOULINES, C. Ulises (2002): *Manifiest nacionalista (o fins i tot separatista, si volen)*. Barcelona: La Campana.
MOUNIER, Emmanuel (1988): *Obras completas II*. Salamanca: Ediciones Sígueme.
NOGUÉ, Joan (1998): *Nacionalismo y territorio*. Lérida: Ed. Milenio.
NORA, Pierre (dir.) (1984): *Les lieux de mémoire*. Vol. 1. Paris: Gallimard.
—: (1999): «La perte et la conquête». En: http://www.ulaval.ca/scom/Au.fil.des. evenements/1999/06.23/nora.html (última consulta: 19 de mayo 2004).
NUÑEZ SEIXAS, Xosé Manoel (1999): *Los nacionalismos en la España contemporánea (siglos XIX y XX)*. Barcelona: Hipótesis.
PALTI, Elías (2003): *La nación como problema. Los historiadores y la «cuestión nacional»*. México: FCE.
PÉREZ AGOTE, Alfonso (1986): «La identidad colectiva: una reflexión abierta desde la sociología». En: *Revista de Occidente*, 56 (enero), pp. 76-90.
PÉREZ GARZÓN, Juan Sisinio *et al.* (2000): *La gestión de la memoria. La historia de España al servicio del poder*. Barcelona: Crítica.
PORTA PERALES, Miquel (2003): «De la identidad a la ciudadanía». En: *ABC*, 22 de agosto.
RENAN, Ernest (2001): «Què és una nació». En: *L'Espill*, 7, pp. 119-130.
RICŒUR, Paul (1985): *Tiempo y narración I*. México: Siglo XXI.
—: (1995): «Le pardon peut-il guérir?». En: *Esprit*, marzo, 210, pp. 77-82.
—: (2003): *La memoria, la historia, el olvido*. Madrid: Ed. Trotta.
RODRÍGUEZ GONZÁLEZ, Mariano (2003): *El problema de la identidad personal*. Madrid: Biblioteca Nueva.
ROSSI, Paolo (2001): *El pasado, la memoria, el olvido*. Buenos Aires: Ed. Nueva Visión.
SÀEZ, Ferran (2003): *Què (ens) passa? Subjecte, identitat i cultura en l'era de la simulació*. Barcelona: Proa.
SEBALD, W. G. (2003): *Sobre la historia natural de la destrucción*. Barcelona: Anagrama.
SMITH, Anthony D. (1997): *La identidad nacional*. Madrid: Trama Editorial.
—: (1999): «Interpretacions de la identitat nacional». En: GUIBERNAU, Montserrat (ed): *Nacionalisme. Debats i dilemes per a un nou mil·leni*. Barcelona: Proa, pp.119-142.
TAYLOR, Charles (1994): *La ética de la autenticidad*. Barcelona: Paidós.
TERRICABRAS, Josep María (2001): *Raons i tòpics. Catalanisme i anticatalanisme*. Barcelona: La Campana.
TODOROV, Tzvetan (2003): «La fiambrera y la bomba». En: *La Vanguardia*, 6 de agosto.
VALENZUELA ARCE, José Manuel (coord.) (2000): *Decadencia y auge de las identidades. Cultura nacional, identidad cultural y modernización*. México: Plaza y Valdés Ed.
VILLORO, Luis (1998): *Estado plural, pluralidad de culturas*. México: Paidós.

EL VIENTRE DE BARCELONA: ARQUEOLOGÍA DE LA MEMORIA

Joan Ramon Resina

> Tal vez el mejor modo de encapsular el sentido de una época no sea fijarse en los rasgos que definen sus edificios sociales e ideológicos sino en los fantasmas negados que la inquietan, morando en una región misteriosa de entidades inexistentes que no obstante persisten y siguen ejerciendo su eficacia.
>
> Slavoj ZIZEK

Aunque el historiador francés Stéphane Michonneau opine que en su política de memoria Cataluña se aproximó más a la Europa democratizadora que al contexto español (Michonneau 2002: 428), lo cierto es que, de todas las grandes ciudades europeas, Barcelona es la que mejor oculta su historia. Ésta hay que buscarla en los recovecos de la ciudad antigua: en pedazos de muralla romana incrustados en el interior de algunos comercios, en un tramo del muro alzado durante la guerra de els Segadors (1640-1659), ahora en el sótano de un local porno, en la iglesia románica de Sant Pau del Camp invaginada en el Raval, en las estrecheces de la dramáticamente desaparecida judería, en palacetes renacentistas enclavados en los intestinos del antiguo barrio de Ribera, o en los monumentos del gótico catalán ocultos tras la fachada-telón de la catedral. El resto lo constituyen la ciudad de los ensanches, del modernismo (historicista, pero ya fuertemente idealizador) y del funcionalismo sin raíces de la segunda mitad del siglo XX. En lo que hace a la tradición monumentalista, el propio Michonneau reconoce que el espacio conmemorativo de

Barcelona se limita a un breve territorio muy recorrido, mientras que una gran parte de la ciudad está entregada al olvido (Michonneau 2002: 427). Esta concentración de la memoria en el espacio otorga un alto valor simbólico a un perímetro muy reducido, a cambio de entregar el resto a una modernidad liberada de la dominación simbólica de los lugares, pero descentrada y empobrecida por la falta de sentimiento de pertenencia, pues éste sólo surge cuando el ser humano toma conciencia de la relación entre espacio e historia.

No contradice lo anterior el urbanismo practicado por el Ayuntamiento barcelonés durante el ultimo cuarto de siglo, con una política orientada a la refuncionalización y resemantización del espacio urbano. Si bien es cierto que esta política supone una conciencia de la importancia de los lugares de la memoria para la vertebración de una conciencia pública (Delgado 1998: 110), también lo es que la prioridad formalista y el énfasis en la firma —esculturas de Miró, Tàpies, Lichtenstein, Chillida, Botero, etc.— convierten estas instalaciones en «lugares retóricos» (Delgado 1998: 112) de carácter sustitutorio. Se trata de auténticas citas de un texto ausente, que se ha vaciado previamente en la forma vanguardista, a la que la memoria aporta mínimas y cada vez más remotas referencias convertidas en mero soporte del collage urbano.

El epítome de esta modernidad abstracta es la ciudad dormitorio, avatar postmoderno de los barrios periféricos de la segunda mitad del siglo xx. Si la historia es sustancialmente una lucha por la definición y usos del territorio, el funcionalismo y la zonificación sustituyen la idea de territorio por la de espacio y la relación secular con el suelo por la especulación. El funcionalismo es lo que queda tras la evaporación de las ficciones políticas, del mismo modo que el dinero sobrevive al colapso de la moneda.

Según esto, podemos apuntar una primera razón para la pobreza de lugares de memoria en Barcelona y para el carácter residual de los que aún perviven en los pliegues de la metrópolis. El primado de la especulación urbana arroja un saldo negativo para el conservacionismo, que se ve afectado también por una gran indiferencia hacia el legado histórico. No se trata de insistir mecánicamente en el carácter burgués de Barcelona. A excepción de las pocas ciudades hechas por y para la realeza o la aristocracia, la mayor parte de las grandes ciudades modernas son obra de la burguesía, de las distintas burguesías. Pero a diferencia de otras, la burguesía catalana es una clase derrotada, o más exactamente, es la clase hegemónica de un país derrotado. Una clase que ha fracasado en todos sus proyectos políticos y a cambio se ha autorrecompensado con el crecimiento económico.

Para esta clase lo real, en cuanto *realizable,* es el dinero. Ahora bien, el dinero no es nada en sí mismo. En la era electrónica, el metal se ha revelado como una mera referencia, un lugar de memoria del dinero. Útil por su universal intercambiabilidad, éste no puede tener una identidad. Antifenómeno por excelencia, el dinero no sólo es aséptico *(pecunia non olet)* sino también asemántico. En su capacidad para significarlo todo, el dinero es un significante, tal vez el único, que se extiende a todo el código, y por ello flota sobre los naufragios históricos como una mancha de aceite sobre el océano. Esta capacidad para subsistir a todas las destrucciones lo convierte en medio y objeto de la especulación, es decir, en medio para absorber la historia transformándola en dinero. La capitalización de la tierra es directamente proporcional a la rapidez con que las sociedades entierran a sus muertos.

Pero la razón principal de la carencia de espacios públicos de la memoria, o de espacio para una memoria pública en Barcelona, es su condición de ciudad vencida. Barcelona no puede articular plenamente su historia porque aún no la ha superado. Me refiero, claro está, a su historia moderna. Si Barcelona dispone de escasísimos «lugares de memoria», para utilizar el término con que Pierre Nora designa monumentos que, al hablarnos del pasado, constituyen ese pasado como pasado, es porque la ciudad perdura como lugar de la historia. Por «historia» entiendo, con Walter Benjamin, aquello que permite la duración de un fenómeno (Breithaupt 2002: 191); así pues, en sentido opuesto al que le da Nora, para quien la historia no es ya «una continuidad retrospectiva, sino la manifestación de la discontinuidad» (Nora 1984: xxxi).

Tras esta oposición en las respectivas concepciones de la historia, pueden reconocerse las distintas y aun antagónicas tradiciones culturales de que proceden ambos pensadores. La idea benjaminiana de la historia como desarrollo de un núcleo imprecisable que se manifiesta en el fenómeno —no tan distinta, en el fondo, de la idea hegeliana de la historia— se enfrenta deliberadamente a la concepción francesa de la historia como articulación retórica de un fenómeno exhausto. Para Nora la memoria, una facultad pre-intelectual, se aproxima al concepto de historia en Benjamin. Siguiendo a Maurice Halbwachs, Nora concibe la memoria como continuidad del pasado en el presente y la historia propiamente dicha como sustituto de esa continuidad. «La historia general», dice Halbwachs, «sólo empieza cuando la tradición acaba y la memoria social se difumina o se quiebra. En tanto que el recuerdo siga existiendo, no sirve para nada ponerlo por escrito o fijarlo en la memoria» (Halbwachs 1980: 78).

El lugar de memoria es, por tanto, un refugio del sentimiento de continuidad y, en este sentido, un híbrido de memoria e historia (Nora 1984: xvii). Según esto, la memoria sería el hábito inconsciente de la reiteración, no tanto de unas representaciones cuanto de unos actos o disposiciones, mientras que la historia es el ámbito de la huella, de la distancia y la reflexividad (Nora 1984: xix). Existen lugares de memoria porque ésta ha sido borrada por la historia.

Dicho de otra manera: si el lugar de memoria nos refiere a un pasado agotado y fuera de nuestro alcance, la casi inexistencia de tales lugares sugiere un ciclo histórico no concluido. En términos de Benjamin, la ciudad, hablando históricamente, es un fenómeno alimentado por algo oculto en su interior. Al persistir en el presente, el pasado impide la aparición del intervalo reflexivo del que emergen los lugares de memoria. La continuidad acorta la distancia entre el presente historiante y el pasado historizable, haciendo inútiles las alusiones a experiencias que, a grandes rasgos, todavía modelan la vida cotidiana. No es por falta de memoria sino por abundancia de ella que, hasta décadas muy próximas, los únicos monumentos que ha erigido esta ciudad al duelo colectivo se redujeran a unas pocas y apenas conocidas referencias a la represión francesa. Las circunstancias no permiten aún erigir lugares de memoria a las víctimas de las represiones españolas. En cambio, en la principal avenida de Barcelona, la Diagonal, se ha mantenido hasta prácticamente ahora mismo un monumento al sometimiento fascista de esta ciudad, «reconquistada para España» el 26 de enero de 1939 [fig. 1]. Esas mismas circunstancias explican que, dañada esta estatua en 2001 en protesta por la celebración del día de las Fuerzas Armadas, el Ayuntamiento (socialista) se comprometiera a restaurarla y resituarla en otro lugar más amparado de la indignación de algunos ciudadanos.

Si, como afirma Nora, los lugares de memoria equivalen a nuestro momento de la historia nacional (Nora 1984: xli), entonces la escasez de ellos en Barcelona revela una nación incipiente, precaria y vigilada. Descuento de la categoría de lugares de memoria la mayor parte de las dependencias archivísticas y museísticas, por su patente función acumulativa más que conmemorativa, y por tratarse en algunos casos —como el del Museu d'Història de Catalunya— de una operación mediatizada por una voluntad constitutiva en lugar de por una memoria efectiva. En este sentido, es notable que los escasísimos «lugares dominantes» (en la terminología de Nora) correspondan a otra historia nacional, la española, que se inicia —en lo referente a esta ciudad— con el acontecimiento al que remiten los lugares de la memoria catalana de que voy a ocuparme.

Nora describe los lugares dominantes como «imponentes y general-
mente impuestos» desde arriba (Nora 1984: xl). Entre estos lugares se
encuentran el monumento fascista ya indicado y unos pocos más con una
fuerza referencial baja o nula entre la población. La desactivación de la
memoria de estos lugares es síntoma de una resistencia a apropiarse su
sentido. Esta obstrucción se explica por el concurso de otra memoria, que
a su vez tiende a articularse en el espacio. Así, a los lugares dominantes
se oponen los que Nora llama lugares dominados. Éstos son «los lugares
refugio, el santuario de fidelidades espontáneas y de peregrinaciones de
silencio» (Nora 1984: xl). Lugar refugio lo fue durante la dictadura franquista el espacio donde había estado el monumento a Rafael Casanova.
En la actualidad este monumento es un ejemplo de la siempre posible
transformación de los lugares de memoria. El riesgo que suponía acudir
el once de septiembre al lugar donde había estado ubicado ha dado paso
a la conmemoración oficial. Así, este refugio simbólico del catalanismo
furtivo se ha convertido en el paradójico lugar dominante de una memoria dominada.

Estas transformaciones no son excepcionales. Como advierte Nora,
los lugares de memoria están sujetos a la historia, y su materialidad simbólica abre un espacio de significaciones alterables (Nora 1984: xxxv).
Por otra parte, sólo la conmemoración da sentido a los lugares. Conmemorar es recordar con otros, así sea clandestinamente. Sin esa dimensión colectiva del recuerdo, los lugares decaen al nivel de dudosos
objetos estéticos, o peor aún, de obstáculos al tráfico urbano. A diferencia
de los utensilios guardados en las vitrinas de los museos, los lugares de la
memoria no son, en principio, objetos testimoniales (aunque también
pueden serlo) sino signos que, como dice Nora, carecen de referentes en
la realidad (Nora 1984: xli). No es que sean su propio referente, como
sugiere Nora, que escribió esto en plena pujanza de la semiología, sino
que su referente es virtual. Consiste en una memoria, cuyo apoyo objetivo o significante es justamente el lugar. Pero tiene razón Nora al insistir
en la precariedad de los recuerdos a que alude el lugar. Si hay lugares de
memoria es porque ésta se encuentra amenazada, y eso los hace depen-
dientes del celo conmemorativo de la sociedad (Nora 1984: xxiv).

Teniendo en cuenta la supeditación de los lugares al celo o la indiferencia de la sociedad, no es extraño que todas las crisis de crecimiento
de la ciudad hayan comportado destrucciones de los posibles lugares de
la memoria. Habiendo sido escenario reiterado de derrotas, Barcelona ha
acabado imponiendo la huida o el rechazo como estrategias defensivas

frente al pasado. En ocasiones esa evasión la ha canalizado la especulación, que traduce en actividad económica, y por tanto en síntoma, la compulsión a repetir la escena primordial reprimida, añadiendo a la destrucción con que está preñado el vientre de la ciudad. Si el dinero, en tanto significado en potencia, es un incomparable estímulo de la imaginación (aunque nada la agosta tanto como el fetichismo del dinero), la gravidez histórica transforma el imaginario urbano sin cesar. Paradójicamente, son las ciudades históricamente densas las que más se transforman, añadiendo estratos arqueológicos a su trazado, mientras que las de nuevo cuño parecen fijas en su facticidad.

Hace dos años, el periodista Gregorio Morán aludía, quizás sin darse plena cuenta de ello, a la falsa conciencia de la ciudad respecto a su historia. Lo hacía a propósito de uno de los raros lugares de memoria barceloneses, el Fossar de les Moreres [fig. 2]. «Ya tiene que acumular mala conciencia esta sociedad para consentir tal engendro» (Morán 2002). El monumento consiste en un suelo de ladrillo rojo en pendiente hacia un colector de aguas, abierto hacia una plaza y limitado, del lado de la calle, por una barandilla de granito rojo, al cual se le ha añadido, a finales del 2001, un pebetero rojo en semiarco con una llama permanentemente encendida. El monumento está dedicado «Als morts en defensa de les llibertats i constitucions de Catalunya en el setge de Barcelona (1713-1714)». Unas moreras al fondo de la plaza asocian el lugar con los árboles que le dan nombre.

El juicio estético de Morán es, sin duda, legítimo. Más discutible es la intención política. En todo caso, acierta al señalar una contradicción en el propósito del arquitecto (y, por extensión, de los patronos oficiales del proyecto). La autora del diseño, Carme Fiol, ha declarado que el monumento pretende «compaginar l'ús quotidià i la significació conmemorativa» (cit. por Epps 2001: 183). Este suplemento de «usos» cotidianos al proyecto oficial, cuyo referente arquitectónico más conocido es el centro Pompidou de París, haría ingresar la significación del monumento, esto es, la memoria a que alude, en la esfera de lo cotidiano a través de unos usos ambiguos a que no invitan ni el monumento ni su emplazamiento. Ahora bien, la intención de reunir un aspecto cívico (la memoria) con otro civil (las actividades no reglamentadas de los ciudadanos) es una pura inconsecuencia. Ocurre que ambos aspectos son incompatibles, porque el aura de que parecen dotados ciertos lugares se nutre de su exceptuación de las prácticas cotidianas. Una mínima reflexión sobre el significado del monumento y, especialmente, sobre lo que supone el hecho de ser único en su género tendría como resultado suspender la vida cotidiana, que sólo es posible al precio de una enorme inconsciencia. Del mismo modo que los niños son capaces de jugar entre los escombros de un bombardeo, los adultos se desplazan por el espacio urbano en un estado de preconsciencia. Así evitan la memoria cabal de sucesos que, sin embargo, informan su conducta refleja.

El monumento es la punta del iceberg del pasado en constante disolución: un enclave de la historia en la cotidianidad. Conmemorar es, en sentido etimológico, intensificar el recuerdo. La conmemoración es una incisión en lo cotidiano, un tiempo cuya distinta intensidad registra el calendario. Asimismo, el monumento es un lugar «otro», un espacio en un volumen distinto al que ocupa la cotidianidad. Proyectarlo en función de esa cotidianidad equivale a secularizar el espacio sacrificial de la historia. Hasta cierto punto esta inercia resulta visible en la estética inorgánica del Fossar de les Moreres, que adscribe el lugar al repertorio de las plazas duras barcelonesas, espacios multiuso, según la jerga del mediocre urbanismo de los consistorios socialistas de los años ochenta. Adscripción del todo errónea, porque el Fossar es, o pretendía ser, una estilización en espacio abierto de algo que hoy está surgiendo por doquier en la Península Ibérica: fosas comunes de víctimas de la violencia política.

Arquitectura y violencia se conjugan en el monumento para recordar la condición de la ciudad como lugar de un crimen. Con ello Barcelona recoge entre sus pliegues medievales la combinación de espacio público y escena del crimen que Mark Seltzer ha estudiado bajo el concepto de cultura de la herida. La ubicación del Fossar en los repliegues de la zona urbana nuclear, alejado del tráfico y de los «usos cotidianos del espacio urbano», sugiere el apriori traumático que Seltzer identifica con la patología de la cultura contemporánea, y que aquí, a diferencia de la escenificación a gran escala en otros «paisajes de la herida» por él estudiados, hace virtud de su misma discreción para sugerir la dimensión inconsciente del trauma. En su singularidad como «lugar de memoria», el Fossar es también nuclearmente un «lugar de la identidad» por estar asociado a la memoria fundacional de la Barcelona moderna. En efecto, este hasta hace poco sobrio monumento remite al asedio de la ciudad [fig. 3] y a su represión por las tropas castellano-francesas de Felipe V, acontecimiento que abrió el ciclo histórico de la Cataluña moderna y comportó, entre otras medidas de gran alcance, la abolición de las instituciones catalanas por el llamado Decreto de Nueva Planta cinco días después de la toma de la ciudad.

La relación entre derrota y destrucción de la memoria no es contingente. Esta relación siempre la comprendieron muy bien los enemigos de Cataluña. En 1715, el Consejo de Castilla recomendaba para el gobierno del Principado la aplicación de los medios «más robustos y seguros, borrándoles de la memoria a los Cathalanes todo aquello que pueda conformarse con sus antiguas abolidas constituciones, ussáticos, fueros y costumbres». Borrar de la memoria y abolir costumbres es un acto de alcance ontológico. Platón asegura que, en el momento de renacer, las almas olvidan lo que han conocido en el otro mundo. Y el Decreto de Nueva Planta era un proyecto de erradicación que, si no llegó a implementar la voluntad, expresada por consejeros castellanos de Felipe V, de arrasar Barcelona por completo y destruir su industria, sí abolía su pasado político, social y cultural. El Fossar jalona, por consiguiente, la presencia residual de la memoria proscrita en 1714, y es un indicio, aunque no sea un testimonio, del trauma que funda el segmento de la historia moderna de la ciudad.

Borrada la memoria, la identidad desaparece. Esto es cierto cuando menos en lo que se refiere a la memoria consciente, la única que reconoce el siglo ilustrado en que se inicia la historia moderna de Barcelona. En ese siglo Locke define la identidad del sujeto en términos de su capacidad para extender su conciencia retrospectivamente. Esta extensión del sujeto encabalgando diferencias en el tiempo es lo que se entiende ordinariamente por memoria. Pero si, como afirma Hegel, «todas las fases que el espíritu parece haber dejado atrás, todavía las posee en la profundidad de su presente» (Hegel 1878: 82), entonces se abre la posibilidad de una identidad más densa que la que puede abarcar la conciencia. En el orden histórico esto significa que en el presente pervive, junto a su negación, la fase en que Cataluña gozó de efectivo autogobierno. Significa también que esos vestigios espirituales perviven no como nostalgia o como mito, sino como lo que Hegel denomina el principio de negatividad, que podemos traducir como fuerza que actúa para remover y desalojar la falsa eternización del momento actual. Los vestigios de memoria persisten no sólo ni principalmente en los compendios de historia llamada nacionalista sino, lo que es más decisivo, permeando los reflejos y prácticas cotidianas de individuos que jamás han leído tales libros.

Esa persistencia preconsciente hace del pasado algo excavable por procedimientos psicoanalíticos, históricos, filológicos, o incluso estadísticos. Si el psicoanálisis reconstruye una experiencia traumática a partir de las secuelas que ha dejado en la conducta, y la historia aporta el relato causal que une los documentos dispersos del pasado en un cuerpo inteligible, la sociología arroja la evidencia de un alto porcentaje de catalanes que no se consideran españoles, y es inútil atribuir esa desidentificación al capricho o a inclinaciones pasajeras. La hostilidad del resto del Estado, especialmente de su clase política, demuestra que la diferencia nacional también la perciben y practican quienes más empeño ponen en negarla. Por su parte, la arqueología no hace más que confirmar que bajo el edificio de nueva planta de la Cataluña contemporánea se conservan los restos de una realidad que secunda plenamente el relato del drama diferencial. Por cualquier parte que se penetre en el subsuelo del casco antiguo de Barcelona, los cortes del terreno arrojan datos que permiten escrutar las condiciones, no siempre racionales ni eufóricas, del desarrollo de la ciudad moderna. Así, frente a la escasez de lugares de memoria, en los solares en construcción emergen con frecuencia lugares testimonio.

El más espectacular, y también el más reciente de estos hallazgos lo forman los restos aparecidos en la primavera del 2002 al excavar en el Born, el antiguo mercado central de alimentos. Bajo la estructura de hierro y vidrio construida en 1874-1875 por Josep Fontserè [fig. 4], han aparecido a pocos metros del suelo los basamentos de casas, bodegas, talleres y hostales, así como las calles y el Rec Comptal, la acequia que desde la Edad Media abastecía de agua al antiguo centro de la ciudad, que el primer Borbón decidió arrasar [fig. 5]. De los escombros han surgido mudos testigos de la vida cotidiana —vajilla de los siglos XIV al XVIII, monedas, dados de hueso y dedales, utensilios, figuras de barro, pipas de caolín aparecidas en las proximidades de una taberna, escaleras, hornos, bodegas, letrinas. También hay testigos del asedio que puso fin a esa cotidianidad. Se han encontrado balas de cañón disparadas por los asaltantes sobre un barrio de alta densidad en el que vivían 38.000 personas [fig. 6]. Durante poco más de un año de asedio, cayeron unas 3.000 bombas sobre la ciudad. Del catastro de 1716 se desprende que los bombardeos afectaron seriamente uno de cada cuatro edificios. Pero lo que alteró irreversiblemente la vida barcelonesa fueron los derribos posteriores a la rendición. En el barrio de la Ribera, los vecinos fueron conminados a demoler sus propias casas, un total de 896 que, sumadas a las destruidas durante el asedio, arrojan una cifra superior al millar de viviendas asoladas y unas diez mil personas desalojadas en este distrito solamente. La extensión del tejido urbano desaparecido equivalía a la total destrucción de cualquiera de las principales ciudades catalanas de principios del siglo XVIII. Girona contaba entonces con unas novecientas casas; Mataró con un millar.

Aun así, como observa Albert García Espuche, de quien tomo estos datos, el daño no fue sólo cuantitativo. La selección de este barrio para el derribo apuntaba al corazón de la ciudad. Esta zona concentraba gran parte de la actividad industrial y mercantil, los servicios portuarios e infraestructuras esenciales: molinos, el canal de abastecimiento de agua, almacenes, el matadero municipal, el mercado de pescado y la plaza del Born, que era a la vez mercado y centro simbólico de la ciudad. Tras su parcial derribo y la amputación de la zona adyacente, este escenario urbano se convirtió en periferia al quedar situado ante la ciudadela construida sobre el sector derribado «para enteramente sujetar aquellos perversos humanos», como llamaba a los catalanes el duque de Berwick, comandante en jefe de los ejércitos francés y castellano (García Espuche 2002: 38). Se trataba de un castigo sin precedentes en ninguna de las guerras continentales de la época. El único equivalente aproximado de intervención postbélica en el tejido urbano de una ciudad europea sería la construcción del muro de Berlín en agosto de 1961, con la consiguiente periferización de barrios céntricos. Pero aun en este caso no hubo una destrucción comparable de tejido urbano después de la guerra.

Bajo la estructura de Fontserè, puede verse ahora, como en una lente histórica, un corte transversal de la vida de la ciudad del siglo XVII. Y no sólo de la vida cotidiana, sino también de la catástrofe que la alcanzó el 11 de septiembre de 1714, pues fue en las calles que han reaparecido en el interior del mercado donde los defensores de Barcelona libraron su último combate al mando de Antoni de Villarroel. Así, en un espectacular regreso de lo reprimido, emerge en el siglo XXI el escenario de la derrota de Cataluña en el XVIII.

No es extraño que inmediatamente se alzaran voces contra la constitución de estos restos en «un segundo Fossar de les Moreres», expresión elocuente en lo que concierne al carácter y amplitud de la memoria histórica tolerada a los catalanes. Los medios de comunicación iniciaron y alentaron la polémica sobre el destino de los restos, que giró en torno a la alternativa entre la museización o la reconversión del mercado en una biblioteca del Estado. En un primer momento, buen número de periodistas y escritores con acceso a los medios se posicionaron contra la conservación, echando mano de una simplista oposición entre «piedras» y «libros». Entre estas primeras reacciones cuentan también las de periodistas y letrados catalanes con una rudimentaria sensibilidad histórica. Francesc de Carreras llegó a equiparar la destrucción de los restos con el progreso y a hablar del peligro de hacer un museo de 1714, que sería, según él, un «foco de propaganda ideológica permanente de un sector de nuestra sociedad» (Carreras 2002). La existencia de una memoria material irrita profundamente a estas personas, porque pone en evidencia el origen de la Cataluña contemporánea en una conquista militar, que supuso además el primer gran exilio catalán. La ideológicamente lastrada oposición entre piedras y libros, entre lo primitivo y lo moderno, lo grosero y lo espiritual, es en realidad una apología del revisionismo: siempre se podrán escribir libros para modificar, refutar, negar o silenciar el archivo del pasado, pero, como advertía Pep Subirós en otro contexto, «recuperando unas determinadas piedras se recupera y defiende y proyecta de cara al futuro una cierta idea de ciudad» (Subirós 1989: 105). No es tan fácil conculcar la presencia material del mundo, entendiendo por mundo la huella de la acción humana en el tiempo; esto es, la temporalidad regida por la ética (en oposición a la mera biología). Es el concurso de ambas lo que conforma la lógica de los lugares.

En la actualidad se tiende a rechazar las metáforas de origen, así como la determinación del significado del pasado por cualquier sujeto, sean cuales fueren sus títulos para hacerlo. En lugar de una interpretación autorizada, que en otros tiempos aportaba el cemento social a la comunidad, hoy se privilegia una actitud informal y aleatoria hacia el pasado, por el que cada ciudadano se pasea como un *flâneur*, constituyendo sus propios lugares de memoria y alterando el significado según lo exija el itinerario del relato. En este clima hostil a la representación, se comprende la angustia de algunos individuos ante la posibilidad de que la emergencia de un lugar material de la memoria contribuya a definir la imagen histórica de la ciudad, que se prefiere borrosa y descontextualizada. Pero la beligerancia de quienes se han manifestado contra los vestigios no se explica sólo por un temor a la estereotipificación de su significado, o a que las ruinas se ofrezcan como totalidades sintéticas al consumo pasivo de los ciudadanos. Al margen de la cuestión de si es posible todavía asumir colectivamente una historia, aunque sólo sea la historia de los lugares que habitamos, lo que define el deseo de los enemigos de la conservación no es una ciudad de formas y espacios heterogéneos y memorias fragmentarias, que de hecho ya existe, sino la desaparición de las imágenes que legitiman los relatos de lo que Carreras llama «un sector de nuestra sociedad» (Carreras 2002).

En una digresión en apariencia incongruente, Carreras esgrime criterios estéticos contra la conservación: «¿debe iniciarse otro museo de historia cuando nuestro patrimonio artístico está dividido, mal ubicado y destartalado?» (Carreras 2002). Podría asombrar que se arguya el mal estado del patrimonio para desprenderse definitivamente de una parte importante de él, pero en realidad no hay contradicción. Carreras estaría perfectamente de acuerdo en conservar los restos de 1714 si éstos pudieran apreciarse con criterios exclusivamente estéticos. Como esto no es posible de momento, opta por encarnizarse contra ellos.

A su vez, el historiador Josep M. Fradera afirmaba en un confuso artículo que la memoria histórica en cuestión era una memoria impostada, costosa al erario y ajena al sentir popular, y añadía con retórica pasmosamente sincera que «la preservación de las ruinas del Born, sobre cuyo valor real no discuto ni tengo elementos de juicio suficientes, será por necesidad un fracaso de la razón crítica» (Fradera 2002). Frente a los procedimientos críticos, que hacen de todo conocimiento histórico un referente provisional sujeto a correcciones futuras en función de la aportación de nuevos datos, Fradera se inclina por la destrucción de un espacio privilegiado de elaboración de la conciencia histórica, llamando «razón crítica» a la destrucción de evidencia. La irritación que causa la objetividad material de las ruinas es una admisión involuntaria de la fuerza evidencial de los restos y el escaso margen de ambigüedad que éstos toleran.

Fradera, sin embargo, afirma que la derrota de Cataluña en 1714 fue un progreso histórico que se afianza con el liberalismo del siglo XIX. Tanto él como Carreras ven el pasado (y el presente) a través del prisma del nacionalismo estatal, cuya distorsión del significado del liberalismo del siglo XIX ha sido denunciada no sólo por historiadores catalanes sino, más recientemente, por historiadores del ámbito castellano como José Álvarez Junco y, sobre todo, Juan Sisinio Pérez Garzón. Frente a las tesis de Fradera, Josep Fontana, la mayor autoridad en historia económica del Estado español, afirmaba en una conferencia reciente que el triunfo de Felipe V sobre Cataluña no sólo puso fin a un modelo de Estado representativo, de tradición catalana, sino que hizo peligrar un modelo global de crecimiento económico que se mantendría en Cataluña hasta mediados del siglo XIX y que beneficiaba al resto del Estado. La victoria del absolutismo en 1714, según este historiador, «va frenar el procés modernitzador d'Espanya per més d'un segle» (Fontana 2002). Corrigiendo la opinión de quienes atribuyen al absolutismo borbónico el despegue industrial de Cataluña en el siglo XVIII, Fontana recuerda que este ascenso «no es va deure pas als estímuls de la nova i errada política econòmica dels Borbons, sinó sobre tot a l'esforç dels seus homes i dones: de

pagesos, rabassaires, paraires, teixidors, traginers, botiguers o mariners»
(Fontana 2002).

No sólo no fue un progreso la sustitución del pactismo por el absolutismo, sino que la supuesta eliminación de privilegios feudales en que se
fundamentan los argumentos centralistas significaba en realidad el fin
del constitucionalismo de corte federal, que en Cataluña sustentaba un
régimen de libertades avanzadas. Ya durante la Guerra de Sucesión, el
Despertador de Catalunya, publicado en 1713 con el propósito de ani-
mar a la resistencia contra el ataque borbónico, rechazaba el argumento
de que las Constituciones catalanas sólo favorecieran a los nobles y
recordaba no sólo la exención general de graves tributos sino también
las importantes garantías políticas de corte democrático, que desaparece-
rían con la derrota. Entre estas prerrogativas estaba la que impedía al rey
legislar sin la aprobación de los catalanes, y a sus ministros administrar
justicia sin escuchar a las partes implicadas. Además, las causas debían
resolverse en Cataluña y, sobre todo, no se podía movilizar a los catalanes para la guerra excepto si ésta tenía lugar en su territorio (Albareda
2002: 171). Por el contrario, la absorción al llamado régimen común
puso fin a la representación estamental en los municipios, sustituida por
la nominación de miembros de la nobleza y de las familias más acomo-
dadas (Albareda 2002: 187). Asimismo, se reemplazó el sistema de elección por la venta de cargos municipales según el modelo castellano
(Albareda 2002: 207).

Invita a la reflexión el hecho de que quienes denuncian la supuesta
falsificación «nacionalista» de la historia catalana sean, en general, los
menos respetuosos con los procedimientos demostrativos asociados al
pensamiento crítico. Pero aun en el supuesto de que los lugares de
memoria en general y los que prefiero llamar lugares testimonio en particular puedan ser absorbidos por una tradición nacional, no habría en
ello razón alguna para el escándalo. Ése es el destino del pasado en la
medida en que una sociedad quiera y sepa apropiárselo. «El pasado, en
cuanto fuerza viva, se rehace continuamente. [...] Sólo una herencia histórica continuamente reanimada conserva su relevancia» (Lowenthal
1998: 19). Continuidad refractada por las necesidades del presente: ésa
es la fórmula del pasado recibido como una tradición. Pero para que los
ciudadanos puedan decidir el sentido de esa continuidad, es imprescindible que reciban la herencia histórica. Ante los intentos de escamoteárse-
la, se impone la conclusión de que los datos empíricos tienen desventajas
palpables para quienes reducen a una pura instrumentalización el intento

de fijar la imagen material de un orden de cosas antes de que sucumba al olvido. Disgusta comprobar la persistencia subcutánea de una memoria material, insoluble por el escepticismo o la negación, bajo un orden de nueva planta.

El País, el órgano de opinión en que Carreras y Fradera publicaron sus apologías de la desmemoria, complementaba el artículo de este último con una viñeta de las ruinas en forma de caballo de Troya con corazón cuatribarrado en la boca. Pero fue *La Vanguardia* el periódico que más se implicó en la polémica, desatando una verdadera campaña anticonservacionista, en la que desvirtuó las declaraciones oficiales, marginó a los colectivos profesionales implicados en el patrimonio y deslegitimó a historiadores solventes, incluidos los directores de los museos de Historia y de Arte. En cambio, potenció la postura del Colegio de Bibliotecarios, que exigía la construcción sin dilaciones de la biblioteca sin plantearse la permutabilidad de la ubicación o la idoneidad del Born para este fin. No fue en *La Vanguardia* donde los ciudadanos pudieron leer la opinión de profesionales como la arquitecta Beth Galí (2002: 2) y Salvador Tarragó (2002: 11), presidente de SOS Monuments, quienes recordaban serenamente que el proyecto de biblioteca nunca fue apto al objetivo inicial de preservar óptimamente la arquitectura del Born. Mientras *La Vanguardia* daba resonancia a las demandas de un colectivo de vecinos partidarios del proyecto de biblioteca, olvidaba a los que se movilizaron para salvar los restos arqueológicos. Sin esperar el dictamen de los técnicos, este periódico llegó a afirmar la existencia de un pacto entre las administraciones para llevar a cabo el proyecto de biblioteca (Vivanco 2002b: 1). Tres meses después de resolverse la pugna a favor de la conservación, aún publicaba un artículo de Rafael Cáceres, uno de los arquitectos del desestimado proyecto de biblioteca, con el título de «Biblioteca o espectáculo».

Cáceres opinaba que en ninguna de las ciudades europeas bombardeadas durante las dos guerras mundiales «se ha sacralizado la destrucción perpetuando sus efectos» (Cáceres 2003: 1). El arquitecto pasaba por alto la conservación de edificios y monumentos dañados por las bombas, como la Kaiser Wilhelm Gedächtniskirche, salvada por voluntad popular de los berlineses contra el deseo «racionalizador» de eliminar un escollo para el tráfico. Y sobre todo, olvidaba la dedicación de espacios incomparablemente mayores que el Born a la memoria de las víctimas de la violencia en otras grandes ciudades. Ejemplos europeos son el monumento al Holocausto, al que se reserva un inmenso espacio en pleno centro de Berlín, o el ingente *Völkerschlachtdenkmal* de Bruno Schmidt en Leipzig, por no hablar de la conservación de los campos de exterminio que muchos hubieran preferido enterrar. Sobre todo, Cáceres confundía recordar con consagrar. Oponer a la memoria la funcionalidad de un dudoso servicio público a escala de barrio o la «revitalización» de un espacio suturado a la cotidianidad urbana equivale a invocar una idea unívoca de progreso, según esquemas de pensamiento propios del siglo XIX. Ya entonces John Ruskin se preguntaba si, una vez eliminados todos los monumentos del pasado y liberada la humanidad de la servidumbre de la memoria, los pueblos, llenos de orgullo, agradecerían a los padres del progreso que «ninguna sombra luctuosa ofusque ya el disfrute del futuro; que ningún momento de reflexión retrase sus actividades; y que la nueva humanidad, sin documentos ni ruinas y en la plenitud de una felicidad efímera, se disponga a comer, beber y morir» (cit. por Boyer 1994: 227).

Considerar los 8.000 metros cuadrados de subsuelo bajo la cubierta del mercado como una zona destruida a revitalizar es, como mínimo, una confusión de categorías, porque de lo que se trataba, desde un principio, era de conservar, refuncionalizándolo, un edificio considerado valioso por razones históricas. Es, además, obviar el valor semántico de la destrucción en el contexto que nos concierne, así como el carácter de muestra de los restos, indicio de una realidad subterránea mucho más extensa que la expuesta en el recinto del mercado. Pero el argumento más barroco consiste en sugerir que la dedicación del espacio a la memoria perpetúa los efectos de la destrucción, como si fuera la visibilidad de ésta y no la inconsciencia de aquellos hechos, de sus dimensiones e implicaciones, lo que mantiene los efectos en forma de síntomas en el cuerpo social.

El desprecio a los testimonios materiales de la historia manifestado durante la polémica fue recogido por el dibujante Farreras en una viñeta publicada en *El Periódico* [fig. 7]. La actitud revisionista de ciertos profesionales queda plasmada en el cartel de las obras del recinto, donde la Nueva Planta alzada sobre las ruinas de la ciudad resistente se asimila a la política reformista del actual Ayuntamiento. Un obrero comenta irónicamente: «sembla que aquestes pedres produeixen urticàries a més d'un», mientras otro, jugando con la rima temporal del 11 de septiembre, responde: «n'hi ha que tan sols s'emocionen davant la zona zero de Nova York».

Tras un plazo prudente, durante el cual se dejó que decayera la polémica y que los restos sufrieran los efectos de la incuria y la erosión climática, la decisión oficial ha acabado favoreciendo la conservación en términos que halagan a los detractores del proyecto. En un clima político transformado por la hegemonía socialista, el Ayuntamiento de Barcelona decidió, sin concurso público, adjudicar la rehabilitación del Born a los mismos arquitectos que habían combatido la conservación de los restos (Cols 2004: 40). Será Cáceres, por tanto, quien, con la colaboración de Enric Sòria, acabe definiendo el espacio museístico, previamente determinado por la voluntad del Ayuntamiento de construir una zona comercial en el perímetro del área arqueológica.

Una relación detallada de la polémica proseguida a lo largo de muchos meses la ofrecen F. Xavier Menéndez i Pablo e Isidre Pastor i Batalla en un documentado trabajo (Menéndez i Pablo / Pastor i Batalla 2002). La polémica, en realidad, sólo se comprende teniendo en cuenta la actualidad del segmento histórico iniciado en 1714 con la asimilación forzosa de Cataluña a Castilla. En ninguna otra parte del Estado español, y menos aún en su capital, se hubiera producido controversia alguna por la conservación de un conjunto arqueológico de la importancia y envergadura del Born. Los últimos en cuestionarla hubieran sido quienes han alzado sus voces contra las «piedras» de Barcelona. La nitidez del pasado detenido en lo que resultó ser un corte histórico profundo es tal que ha dado pie a comparaciones con Pompeya. En este espacio «otro» o heterotopía, como lo llamaría Foucault (1986: 24), humildes testigos de una vida sorprendida por una catástrofe emergen de la exfoliación del subsuelo. Estos testigos, algunos tan lábiles como la ceniza de un hogar y comida no consumida, han perdurado durante tres siglos como una masa indigesta en el vientre de Barcelona.

La condición presemiológica de los vestigios confirma la opinión de Nora de que «Les lieux de mémoire, ce sont d'abord des restes» (Nora 1984: xxiv). En tanto que formados por desechos, estos lugares están, en principio, excluidos de la historia, no en el sentido de estar sometidos a censura (aunque una tendencia a ésta se transparenta en las intervenciones contrarias a la conservación de los restos del Born) sino en el de no haber sido aún ubicados epistemológicamente. Ahora bien, la reubicación de un pedazo crudo de pasado en el archivo de conocimientos destruye la continuidad que constituye al objeto mnemónico. La extracción, codificación, almacenamiento, restauración, catalogación, y eventual exhibición de los objetos hallados entre las ruinas (360 cajas depositadas en un almacén del Museo de Historia de la Ciudad) son operaciones científicamente necesarias, pero cabe preguntarse si no militan involuntariamente contra la memoria que pretenden asegurar.

Wolfgang Ernst reconoce la ironía de que sea justamente su condición de desechos lo que conserva los objetos del pasado, mientras que la memoria inherente a ellos se destruye al despojarlos de esa condición y reintegrarlos al presente mediante la interpretación. Es verdad que el concepto de memoria de Ernst está poco decantado. No sólo supone una memoria latente en el objeto y ajena a la operación del sujeto sobre él; esta memoria parece ser además una cualidad anterior a los procesos significativos de la conciencia, una especie de *Ding-an-sich* kantiana. Pero el paralelismo entre el deterioro que sufren los objetos arqueológicos extraídos de su envoltorio circunstancial y el de la memoria al entrar en contacto con la significación sugiere a Ernst la idea perspicaz de que el precio de la memoria histórica es la producción de desechos (Ernst 2002: 112). Lejos de preservar, la historia consume sus objetos, y así el ideal de conservación implica inevitablemente un proyecto de uso.

La imaginación histórica absorbe en sus artificios retóricos la concurrencia aleatoria de datos arqueológicos, dándoles una nueva configuración espacial en su medio institucional por excelencia, el museo. Consciente de ello, Jaume Sobrequés, director del Museu d'Història de Catalunya, propuso hacer del Born no un simple museo de exhibición pasiva de los restos sino un «centro de interpretación de historia de la ciudad y de Cataluña» (Sobrequés, cit. por Vivanco 2002a: 3). A su vez, Agustí Colomines propuso tomar las ruinas como punto de partida para mostrar «com es va fer el pas de la ciutat moderna a la contemporània i per què» (Colomines 2003: 31). Dos proyectos distintos, que coincidían, no obstante, en la comprensión de que la memoria es una facultad dinámica, y su empleo un acontecimiento tan histórico como los materiales en que se ejerce. Manejar la memoria no es exactamente destruirla, pero sí erosionarla. Por ello, extraer del vientre de la ciudad el bolo traumático que no ha llegado a digerir en tres siglos implica, contra lo que suponen los detractores del museo de 1714, empezar a aventar esa memoria.

El propio Nora advertía el doble carácter de los lugares de memoria: naturales y artificiales a la vez, es decir, ofrecidos a la inmediatez de los sentidos pero mediatizados por la imaginación histórica (Nora 1984: xxxiv), hasta el punto de que un depósito de materiales históricos, sea una biblioteca o un archivo, no alcanza categoría de lugar de memoria si la imaginación no le confiere un valor simbólico (Nora 1984: xxxiv). Así, en tanto que los detractores del museo histórico del Born abogaban por una biblioteca para vaciar el lugar de su evidente carga simbólica, se da el caso de que uno de los principales lugares de memoria catalanes, el archivo de la Guerra Civil de Salamanca, se encuentra fuera de Cataluña. Ese archivo funciona como lugar de memoria —y como tal es destino de

peregrinaciones y actos públicos— porque, como el Fossar de les Moreres y las ruinas de 1714, es el síntoma espacial de un acontecimiento
traumático en el pasado que sigue produciendo estragos en el presente.
La historia de 1939 y la actual se inscriben en un monumento estatal a la
derrota de Cataluña por el procedimiento de recatalogar documentación
incautada con fines represivos bajo pretexto de centralizar material de
consulta científica. Se afirma, por tanto, la paradójica voluntad de disol-
ver la memoria en historia sin antes agotar el fenómeno cuya totalidad se
pretende documentar en una ideal «unidad de archivo».

Otorgar valor emotivo a un «lugar» puede fetichizar la memoria, con-
fundiéndola con su soporte simbólico, pero por otro lado, la memoria,
que al cabo es un proceso subjetivo, necesita anclarse en objetos a fin de
no perderse en la abstracción o la fantasía. Los objetos —dice Anthony
Vidler— pueden presentarse como pruebas en un juicio, pero los espacios siempre tienen que imaginarse y representarse (Vidler 1997: 132). Y
la representación es una actividad influida por la psicología, o por la ideología, y dependiente de convenciones. Mientras que los objetos excava-
dos son pruebas irrefutables de un crimen en el espacio urbano, la escena
del crimen sólo puede reconstruirse imaginativamente ante el tribunal de
la historia. Por eso mismo los objetos-ancla no pueden ser gratuitos.
Puesto que toda indagación sobre el pasado es el resultado de preguntas
formuladas a la realidad, la memoria necesita trabajar con objetos efectivamente presentes, con «lugares» seleccionados en función de su capacidad para conducir los afectos constitutivos del sujeto.

La memoria, afirma Benjamin, «es el medio de lo vivido, como la Tierra es el medio en el cual hay antiguas ciudades enterradas» (Benjamin
1972: 400). Pero así como las viejas ciudades pueden excavarse y sus restos extraerse de la tierra, el pasado en tanto experiencia no puede separarse de la memoria. La memoria *es* el pasado vivido, y por extensión el
pasado afectivo. Así pues, si la memoria es el medio del pasado, ella a su
vez necesita un medio para precipitarse en el presente. La magdalena de
Proust es semejante catalizador, pero no es un lugar de memoria. Aunque
desencadene un proceso subjetivo en determinadas circunstancias, en
condiciones distintas o para otro sujeto la magdalena no evocaría nada.
Para que la memoria descargue sus imágenes ocultas se requiere una relevancia, esto es, el concurso de unos intereses que puedan satisfacerse o
cuando menos potenciarse recurriendo al pasado. Es la presencia de una
relevancia lo que activa la memoria, y es la profundidad alcanzada por
esa memoria, o si se quiere, la intensidad de lo recordado, lo que confiere

significación a los lugares que jalonan la experiencia. Así, no es el lugar el que produce la memoria sino la memoria la que constituye sus lugares, o incluso, es la memoria la que convierte un espacio en lugar (Curtis 2001: 56).

Si la memoria es lo que distingue el lugar del espacio, entonces la amnesia reintegra el lugar al espacio indiferenciado. En nombre de un urbanismo del futuro y de un proyecto genérico —una biblioteca— concebido como lugar de consumo de una imagen arquitectónica, se ha pretendido borrar una dimensión temporal de la ciudad y la singularidad de una historia contemplada en sus ruinas. En el urbanismo posthistórico no hay lugar para las ruinas, porque, aun siendo capaz de transformar en espectáculo los restos escenificados de los desastres de la historia, ha perdido el sentido del tiempo, lo único que daba sentido a una modernidad siempre utópica pero que ha acabado siendo ubicua y destruyendo así los lugares. Es posible que el futuro ya no produzca ruinas, porque, como observa Marc Augé, ya no tiene tiempo para ello (Augé 2003: 133). Y no dispone de tiempo porque todo lo concibe bajo la óptica del espacio. Se especula siempre con el espacio, nunca con un lugar. La especulación arrasa lugares y memorias, y bajo el eufemismo de la destrucción creativa no deja de generar escombros: memorias, costumbres, tradiciones, relaciones, lenguas, leyes, seres humanos desechados en nombre del progreso y de un futuro siempre mítico.

Henri Lefebvre explica que en el centro de las antiguas ciudades itálicas había un sumidero en el que se volcaban desechos de todo tipo: basura, los condenados a muerte, los recién nacidos indeseados por el padre. Este hoyo, a la vez sagrado y maldito, en que desaparecía todo lo superfluo, lo rechazado, y lo reprimido, era, según Lefebvre, «un pasaje a través del cual las almas de los muertos podían volver a la tierra y resurgir para renacer» (Lefebvre 1991: 242). Era, por tanto, un lugar de memoria, el vínculo entre la amnesia de los vivos y la pura memoria de los muertos. Este lugar se llamaba *mundus*, esto es, el mundo (de donde el latín derivaría las ideas de limpieza y belleza asociadas a la segregación, el repudio y la eliminación). De este modo la historia de la antigüedad urbana europea sostiene la opinión de Richard Shusterman de que la ausencia puede ser un principio estructural de la estética urbana (Shusterman 1997: 742). Y no sólo de la estética, sino también de la ética, por paradójica que pueda parecer la dependencia entre lo presente y lo ausente. En las ciudades itálicas el mundo albergaba el secreto que permitía vivir a la sociedad, la infraestructura clandestina —como la llama

Steve Pile— sin la cual nuestras metrópolis contemporáneas tampoco pueden existir (Pile 2001: 268). Pile se refiere a las tecnologías del subsuelo: canalizaciones, túneles de metro y ferrocarril, cloacas, tuberías de gas y cableado eléctrico o telefónico. Pero el subsuelo urbano es también el espacio de una clandestinidad de vínculos sociales operativos que hacen de la ciudad aérea un espacio ideológico. El subsuelo es el lugar de lo sabido ignorado.

Como todo lo ideológico, el secreto de la ciudad no es completamente ajeno a sus habitantes. «Podría suceder», dice Pile, «que lo que verdaderamente se desconoce sobre la ciudad sea lo sabido desde siempre» (Pile 2001: 265). Así acontece con los difíciles y escabrosos lugares de memoria barceloneses. A poco que uno arañe en la superficie de la sociedad aparece la escena de un crimen que no puede mencionarse abiertamente y cuyas pruebas deben inhumarse de nuevo para que toda noticia de aquél acabe disolviéndose en el ácido de una crítica que se pretende ilustrada porque hace añicos la historia. Si los restos de la demolición de 1714 han podido generar tanta polémica, ello ha sido por su condición de secreto a voces. La ciudad no ha ignorado nunca el emplazamiento de los derribos. Ni ha sido capaz, hasta ahora, de impedir la destrucción de sus lugares de memoria en nombre de la supermodernidad de los no-lugares: aparcamientos subterráneos, cinturones para el tráfico rodado, plazas duras. En vista de estos precedentes, ¿por qué las administraciones habían de ser esta vez más sensibles con la historia? Es la pregunta que, con cierta lógica, hacían algunos detractores de las ruinas del Born. Los argumentos de la excepcional conservación de los restos aparecidos y de la complejidad social del conjunto son válidos pero no terminantes. ¿Cómo valorar los tramos de muralla romana sacrificados para construir la ronda del Litoral, o los restos romanos y medievales destruidos en 1989 al excavar un aparcamiento subterráneo en la plaza de la Catedral?

Si los argumentos sobre la calidad arquitectónica de las ruinas del Born no dan cumplidamente razón de la decisión política, ¿qué ha cambiado para que el hallazgo pusiera fin al proyecto de construir una biblioteca, que antes de las excavaciones contaba con amplia aceptación social? En primer lugar, a diferencia de otras actuaciones municipales, ha ayudado el hecho de que conservar las ruinas en el interior de un edificio ya destinado a la conservación no obstaculiza ninguna infraestructura ni ninguna especulación de cuantía. Pero además, las ruinas emergieron en un momento de singular agudización de la memoria histórica. Por las mismas fechas, en diversos lugares de España y en la misma

Cataluña se localizaban fosas comunes y empezaban a exhumarse los restos de una violencia más cercana en el tiempo. Desaparecida, con la euforia de la Transición, la esperanza de una recomposición del Estado en un sentido más coherente con la conciencia histórica de Cataluña, los restos en que se visualiza la pérdida de sus libertades cobran valor, no como revelación de acontecimientos que son de sobra conocidos, sino como imagen que permite a los ciudadanos poseer materialmente aquella historia. El subsuelo del Born se convierte así en uno de aquellos espacios de metacomunicación que Victor Turner llama «metamodelos» o «marcos» y define como «los límites metafóricos dentro de los cuales pueden verse, pensarse y evaluarse los hechos de la experiencia» (Turner 1986: 103). Son lugares liminares, dice Turner, en el sentido de que suspenden la realidad cotidiana, «ocupando espacios privilegiados donde la gente puede reflexionar sobre su forma de pensar y sobre los términos de su pensamiento, o sentir cómo se siente en la vida diaria» (Turner 1986: 102). Como tal marco, el espacio del Born constituiría un lugar de memoria en el sentido que apuntaba antes al oponer el aspecto cívico del ritual conmemorativo al uso civil del espacio. Decía también que la reflexión sobre la memoria suspende la vida cotidiana, convirtiéndola en objeto de atención fenomenológica. Los lugares de memoria no son la escena donde se celebra la facticidad de lo cotidiano sino la de su posible cuestionamiento. Y en la medida en que estos lugares sean espacios de metacomunicación, y no sólo de comunicación, invitarán a los ciudadanos a reflexionar sobre las condiciones de su coexistencia.

La difícil batalla por los restos de 1714 revela que la excavación no empieza en la superficie de la tierra que los cubre sino en la memoria social, que presenta capas dóciles a la memoria y estratos mucho más duros e inaccesibles. Como los lugares hozados por la pala, estos estratos refractarios al recuerdo indican con exactitud la profundidad a que se hallan los lugares de la memoria. Y son, a su pesar, testimonios fehacientes de la autenticidad de lo excavado. Tiene razón el arqueólogo Eduard Riu-Barrera cuando advierte que la memoria material se encuentra a merced de fuerzas contrarias, y que su conservación depende de la utilidad que pueda tener para grupos sociales dotados de entidad suficiente para poder imponer sus proyectos (Riu-Barrera 2002: 65). El desenlace provisional de la batalla por los restos del Born supone el reconocimiento de que con las ruinas emerge un «secreto» de la ciudad, que un segmento decisivo de la población desea incorporar al patrimonio de lo vivido colectivamente bajo la modalidad de memoria visitable.

OBRAS CITADAS

ALBAREDA, Joaquim (2002): *Felipe V y el triunfo del absolutismo: Cataluña en un conflicto europeo (1700-1714)*. Barcelona: Generalitat de Catalunya.

ÁLVAREZ JUNCO, José (2001): *Mater Dolorosa: La idea de España en el siglo XIX*. Madrid: Taurus.

AUGÉ, Marc (2003): *Le temps en ruines*. Paris: Galilée.

BENJAMIN, Walter (1972): «Ausgraben und Erinnern». En: *Gesammelte Schriften*. Rolf TIEDEMANN y Hermann SCHWEPPENHÄUSER (eds.) con la colaboración de Theodor W. ADORNO y Gershom SCHOLEM. Tomo IV. 1. Frankfurt am Main: Suhrkamp, pp. 400-401.

BOYER, M. Christine (1994): *The City of Collective Memory: Its Historical Imagery and Architectural Entertainments*. Cambridge, MA: The MIT Press.

BREITHAUPT, Fritz (2002): «History as the Delayed Disintegration of Phenomena». En: RICHTER, Gerhard (ed.): *Benjamin's Ghosts: Interventions in Contemporary Literary and Cultural Theory*. Stanford: Stanford University Press, pp. 191-203.

CÁCERES, Rafael (2003): «Biblioteca o espectáculo: Cinco preguntas sobre el destino final del mercado del Born». En: *La Vanguardia,* 5 de enero, «Vivir en Barcelona», pp. 1 y 3.

CARRERAS, Francesc de (2002): «Nos ahoga la historia». En: *El País,* 4 de julio.

COLOMINES, Agustí (2003): «Un projecte per al Born». En: *Avui,* 3 de febrero, p. 31.

COLS, Carles (2004): «El Born esquiva el concurso público y abrirá como museo en el 2006». En: *El Periódico,* 31 de marzo, p. 40.

CURTIS, Barry (2001): «The Place Where: Some Thoughts on Memory and the City». En: BORDEN, Iain/KERR, Joe/RENDELL, Jane con PIVARO, Alicia (eds.): *The Unknown City: Contesting Architecture and Social Space*. Cambridge, MA: The MIT Press, pp. 56-68.

DELGADO, Manuel (1998): «Las estrategias de memoria y olvido en la construcción de la identidad urbana: El caso de Barcelona». En: HERRERA, D. (ed.): *Memoria, identidad y comunicación*. Medellín: Universidad de Antioquia, pp. 95-125.

EPPS, Brad (2001): «Modern Spaces: Building Barcelona». En: RESINA, Joan Ramon (ed.): *Iberian Cities*. London: Routledge, pp. 148-97.

ERNST, Wolfgang (2002): «Agencies of Cultural Feedback: The Infrastructure of Memory». En: NEVILLE, Brian/VILLENEUVE, Johanne (eds.): *Waste-Site Stories: The Recycling of Memory*. Albany: State University of New York Press, pp. 107-20.

FONTANA, Josep (2002): «La guerra de Successió: Els motius de Catalunya», conferencia pronunciada en el Institut d'Estudis Catalans el 18 de diciembre.

FOUCAULT, Michel (1986): «Of Other Spaces». Trad. Jay Miskowiec. En: *Diacritics 16,* N.º 1, pp. 22-27.

FRADERA, Josep. M. (2002): «Capacidad de intimidación». En: *El País*, 7 de noviembre.

GALÍ, Beth (2002). «Born-Biblioteca, jugada a cinco bandas». En: *El País*, 31 de julio, «Sección Cataluña», p. 2.

GARCIA ESPUCHE, Albert (2002): «Una ciutat dins un edifici». En: *L'Avenç*, N.º 273, pp. 36-42.

HALBWACHS, Maurice (1980): *The Collective Memory*. Trad. Francis J. Ditter y Vida Yazdi Ditter. New York: Harper and Row.

HEGEL, G.W.F. (1878): *Lectures on the Philosophy of History*. Trad. J. Sibree. London: George Bell.

LEFEBVRE, Henri (1991): *The Production of Space*. Trad. Donald Nicholson-Smith. London: Blackwell.

LOWENTHAL, David (1998): «Fabricating Heritage». En: *History and Memory*, 10, N.º 1, pp. 5-24.

MENÉNDEZ I PABLO, F. Xavier/PASTOR I BATALLA, Isidre (2002): «El futur del Born: Una polèmica ciutadana a l'entorn del patrimoni». En: *L'Avenç*, N.º 273, pp. 66-77.

MICHONNEAU, Stéphane (2002): *Barcelona: memòria i identitat: Monuments, commemoracions i mites*. Vic: Eumo.

MORÁN, Gregorio (2002): «...y la memoria traicionada». En: *La Vanguardia Digital*, 30 de noviembre.

NORA, Pierre (1984): «Entre Mémoire et Histoire: la problématique des lieux». En: NORA, Pierre (ed.): *Les Lieux de mémoire*. Paris: Gallimard, pp. xv-xlii.

PÉREZ GARZÓN, Juan Sisinio (2000): «La creación de la historia de España». En: PÉREZ GARZÓN, Juan Sisinio (ed.): *La gestión de la memoria: La historia de España al servicio del poder*. Barcelona: Crítica, pp. 63-110.

PILE, Steve (2001): «The Un(known) City... or, an Urban Geography of What Lies Buried below the Surface». En: BORDEN, Iain/KERR, Joe/RENDELL, Jane con Alicia PIVARO (eds.): *The Unknown City: Contesting Architecture and Social Space*. Cambridge, MA: The MIT Press, pp. 264-79.

RIU-BARRERA, Eduard (2002): «Arqueologia i conflicte urbà». En: *L'Avenç*, N.º 273, pp. 60-65.

SELTZER, Marc (2003): «Berlin 2000: 'The Image of An Empty Place'». En: RESINA, Joan Ramon/INGENSCHAY, Dieter (eds.): *After-Images of the City*. Ithaca, New York: Cornell University Press.

SHUSTERMAN, Richard (1997): «The Urban Aesthetics of Absence: Pragmatist Reflections in Berlin». En: *New Literary History*, 28, N.º 4, pp. 739-55.

SUBIRÓS, Pep (1989): «Notas para una teoría de Barcelona». En: *Revista de Occidente*, N.º 97, pp. 99-110.

TARRAGÓ, Salvador (2002). «El Born, un magnífic paraigües pel parc arqueològic de la Ribera». En: *La Veu del Carrer*, mayo-junio, p. 11.

TURNER, Victor (1986): *The Anthropology of Performance*. New York: Performing Arts Journal, Inc.

VIDLER, Anthony (1997): «The Exhaustion of Space at the Scene of the Crime».
    En: RUGOFF, Ralph (ed.): *Scene of the Crime*. Cambridge, MA: The MIT Press,
    pp. 131-41.
VIVANCO, Felip (2002a): «El eje de la memoria». En: *La Vanguardia,* 16 de
    abril, «Vivir en Barcelona», p. 3.
—: (2002b): «Habla la Ribera». En: *La Vanguardia,* 27 de abril, «Vivir en Bar-
    celona», p. 1.

Fig. 1

Fig. 2

Fig. 3

Fig. 4

Fig. 5

Fig. 6

Fig. 7

Agradezco a las siguientes entidades y personas el uso de las imágenes:
- Jordi Garcia *(Avui)*, Fig. 1.
- Elise Mesedahl, Fig. 2.
- *L'Avenç. Revista d'història i cultura,* Figs. 3, 4, 5.
- Museu d'Història de la Ciutat (Barcelona), Fig. 6.
- *El Periódico,* Fig. 7.

LA MEMORIA DESCOLOCADA:
EL MONUMENTO AL DR. ROBERT

Colleen P. Culleton

Al acabar la Guerra Civil española, las autoridades franquistas hicieron en Barcelona un esfuerzo por borrar del paisaje urbano toda señal de la identidad catalana. En *L'escultura conmemorativa a Barcelona (1936-86)*, Judit Subirachs i Burgaya explora los efectos duraderos de esta política de genocidio cultural en el espacio público de la ciudad y concretamente en los numerosos monumentos barceloneses que fueron destruidos, cambiados, o temporalmente retirados. Judit Subirachs i Burgaya cita el monumento al Dr. Bartomeu Robert i Yarzàbal (1842-1902), instalado en la Plaça de la Universitat, como «un dels exemples més escandalosos referits a l'eliminació de monuments commemoratius que honoraven la memòria de prohoms de la història de Catalunya» (Subirachs i Burgaya 1989: 22).

El monumento a que Subirachs i Burgaya se refiere fue erigido en la Plaça de la Universitat en 1910, donde estuvo hasta 1940. En ese año se ordenó su derrumbamiento, pero, por suerte, el alcalde de Barcelona, Miquel Mateu, reconoció su valor artístico y, en vez de destruirlo, lo guardó en un almacén. El primer esfuerzo para recuperar el monumento se llevó a cabo en 1977, pero Barcelona tuvo que esperar ocho años más para ver el monumento completo de nuevo, no en su lugar original, sino en la Plaça de Tetuán. En su conjunto, el monumento impresiona no sólo por su tamaño y complejidad, sino por el dinamismo comunicado por la piedra y el bronce que culmina en la sabia tranquilidad del busto del Dr. Robert. Más que un monumento, es un complejo monumental. De varios metros de altura, con sus dieciocho figuras escultóricas, abarca lo biográfico, lo político y lo cultural.

El monumento al Dr. Robert es un *lieu de mémoire* que deriva su significado actual precisamente de su falta de lugar. Esta matriz de significantes históricos y culturales manifiesta en piedra y metal el estatus dinámico de la memoria como instrumento en la construcción de una identidad nacional. Concebido como un homenaje a una vida, en el día de su inauguración ya representaba unos ideales en transformación, los del *modernisme* y el catalanismo conservador de principios del siglo XX. Treinta años más tarde, el intento franquista de eliminar los valores representados por el monumento, borrándolo del paisaje, sólo sirvió para aumentar su capacidad simbólica, haciéndolo partícipe del silencio barcelonés, que proclamaba la derrota de Barcelona mucho más elocuentemente que cualquier palabra. Finalmente, su restablecimiento en un lugar más práctico, pero menos apropiado, lo convierte en un referente no sólo del momento histórico en que se erigió, sino de los caprichos de la historia que, según Pierre Nora, afectan a todo *lieu de mémoire*.

Como el mismo término sugiere, Nora encuentra en la memoria algo inherentemente espacial. En su prefacio a la edición inglesa de *Lieux de mémoire,* explica que adoptó el término *lieu de mémoire* de Francis Yates y su descripción del «arte clásico de la memoria»[1], es decir, el arte mnemotécnico que utilizaban los historiadores de la Antigüedad (Nora/Kritzman 1996: xv). Antes de que la tecnología aportara una manera eficaz de documentar el pasado, los guardianes de la memoria, los oradores, aprendieron a no olvidar, construyendo vastos espacios mentales con imágenes que ellos mismos colocaban allí a fin de asociarlas con lo que querían recordar. Al pasear por estos espacios virtuales, en lo que Victoria Nelson ha llamado un «proceso psicotopográfico», volvían a «ver» los objetos y, a través de su asociación discursiva, podían reproducir una historia (Nelson 2001: 191). Para asegurar la fidelidad de la memoria, los oradores solían escoger un espacio real y conocido como punto de partida para sus lugares de memoria.

Lo que para los historiadores clásicos era un proceso interno e intencional, se entiende fácilmente también como un proceso externo y automático, que experimentamos cuando conocemos una ciudad. En su ensayo,

[1] A lo largo del ensayo todas las traducciones del inglés al castellano son mías.

«Paseando por la ciudad», Michel de Certeau explica el papel que representan los nombres propios para los habitantes de una ciudad:

> En los espacios brutalmente iluminados por una razón ajena, los nombres propios tallan huecos de significados ocultos y familiares a la vez. 'Crean sentido', es decir, son el impulso de ciertos movimientos, como las vocaciones y las llamadas que tuercen o desvían un itinerario al otorgarle un significado o un rumbo imprevisto (Certeau 1984: 104).

Para Certeau, la relación entre estos nombres propios y los lugares a que se refieren tiene poca importancia en comparación con la manera en que la llamada «enunciación pedestre» de una ciudad les asigna un significado a estos nombres. Al pasear, el habitante de una ciudad reclama esos nombres como parte de su propia experiencia, creando lo que Certeau denomina «una toponimia extraña que está separada de lugares reales y flota por encima de la ciudad como una geografía nebulosa de significados suspendidos en el aire» (Certeau 1984: 104).

Mientras Certeau limita sus reflexiones a los nombres propios y, sobre todo, a los nombres de las calles, yo extiendo la «toponimia» a varios otros elementos del paisaje urbano, incluyendo los monumentos. No es necesario que estudiemos la historia detrás de cada individuo que nos observa desde las alturas pétreas de un monumento, ni que conozcamos su nombre siquiera, para que demos por supuesta la presencia de esa estructura en nuestra navegación del espacio que habitamos. En la presente consideración del monumento al Dr. Robert, atribuyo a esta estructura histórica una gran consecuencia en el paisaje urbano, convencida de que su desaparición y reubicación tuvieron un notable impacto en la «retórica» de las calles de Barcelona, y que ese impacto forma parte de lo que es este monumento en cuanto *lieu de mémoire*.

Certeau se hace eco de Yates en su noción de la inscripción de significados en el espacio. Yates compara los espacios con tablillas de cera o papiro, y las imágenes que la mnemotécnica posiciona en los espacios con las letras del alfabeto (Yates 1966: 6-7). Certeau, pues, no está lejos de Nora en su preocupación por la retórica de las calles. Nora encuentra que la sociedad moderna crea espacios para la memoria porque nuestra concepción de la historia no le deja a ésta un lugar en la cotidianidad. Los espacios figurativos que Nora ha designado *lieux de mémoire* evocan una comprensión de manera que nos podamos identificar colectivamente con nuestro pasado, guardando así algún aspecto de nosotros mismos que está amenazado por las rápidas corrientes de la historia. Estos lugares de memoria, físicos o figurativos, son, en realidad, monumentos al olvido, porque si de veras recordáramos, no sentiríamos el impulso de conmemorar. Como explica Nora: «Estos baluartes refuerzan nuestras identidades, pero si lo que defendían no estuviera amenazado, no habría necesidad de ellos. Si los recuerdos que protegen fueran presencias verdaderamente vivas en nuestras vidas, serían inútiles» (Nora/Kritzman 1996: 7).

Como los historiadores de la Antigüedad, que marcaban sus espacios virtuales con las señas que necesitaban para producir una narrativa coherente, los habitantes de las ciudades modernas colocamos en nuestro espacio real monumentos para orientarnos en la temporalidad de la historia. Incluso cuando los monumentos pierden su relevancia intencional, continúan siendo signos, algo así como nombres propios no-verbales en la extraña toponimia que constituye el espacio común. Cuando desaparecen o cambian de lugar, esa toponimia se vuelve aún más extraña.

En 1963 el Patronat de Cultura Catalana Popular publicó en Suiza un informe sobre algunos de los monumentos a los héroes catalanes que habían sido destruidos o retirados en los primeros días de la ocupación franquista de Barcelona. Este documento circuló clandestinamente por Barcelona bajo el título *Volem les nostres estàtues: Pau Claris, Rafael de Casanova, Dr. Bartomeu Robert*. El documento no trata tanto de las estatuas como de los hombres conmemorados en ellas, como si intentara reemplazar las estatuas perdidas con otro mecanismo de conmemoración. El texto sirve, pues, como una fuente de datos biográficos e históricos, pero más significativo aún es su tono laudatorio, que celebra verbalmente el sentido de estos monumentos. Sus autores ven en la erradicación de los monumentos la intención de borrar del paisaje urbano la inscripción de una identidad histórica catalana. «Si haguessin pogut, haurien profanat les seves despulles i haurien destruït tot record de llur existència, com volien destruir fins el nom i el record de Catalunya» (Patronat de Cultura Catalana 1963: 7).

El olvido marca de varias maneras el monumento al Dr. Robert desde su inauguración en 1910, porque para entonces ya se habían revisado los principios que habían informado su concepción. Volvió a ser víctima del olvido en 1940, e incluso hoy en día, su nuevo emplazamiento en la Plaça de Tetuan denuncia su anonimato a la vez que lo reintegra a los mecanismos mnemotécnicos de la narrativa que es la ciudad. La situación de esta plaza, que no es mucho más que una glorieta en el cruce del

Passeig de Sant Joan y la Gran Via de les Corts Catalanes, impide acercarse al monumento sin correr el riesgo de ser atropellado, y al pasar en coche apenas llega a percibirse la forma del pedestal, y todavía menos la figura del Dr. Robert que lo remata.

DR. BARTOMEU ROBERT I YARZÀBAL (UNA BREVE BIOGRAFÍA)[2]

Cuando se inauguró el monumento al Dr. Bartomeu Robert i Yarzàbal en noviembre de 1910, un número especial de *Cu-Cut!* dedicado al acontecimiento incluyó un ensayo en el que se describía al Dr. Robert como «l'home que durant una època fou la personificació de la terra i el verb del seu pensament» (cit. en Izquierdo Ballester 2002: 326). Aunque las implicaciones del monumento claramente se extienden más allá de la vida de su protagonista, conviene reconocer que esta estructura que llegó a representar tanto y a tantos, empezó con la vida de uno. Repasemos brevemente su historia.

Bartomeu Robert i Yarzàbal nació en Tampico, México, el 20 de octubre de 1842. Cuando tenía cuatro años fue enviado a Sitges, tierra natal de su padre, a vivir con una tía, y allí creció. La celebración de Bartomeu Robert como ciudadano catalán ejemplar suele seguir dos vías distintas pero relacionadas: por un lado, es recordado como un médico excelente con una influencia renovadora en la comunidad científica de Barcelona, y por otro, como un gran representante de los intereses catalanistas a principios del siglo XX. Empecemos, como normalmente lo hacen sus biógrafos, con el médico.

El Dr. Robert recibió el bachiller de Medicina en 1862 y la licenciatura dos años más tarde, ambos de la Facultad de Medicina en Barcelona. En 1867 recibió el doctorado en la Universidad Central de Madrid. Consiguió un puesto como médico en el Hospital de la Santa Creu en Barcelona y jugaría un papel importante en su administración el resto de su vida, aunque en 1875 dejó este puesto para ocupar el de catedrático de Patología Médica en la Facultad de Medicina de la Universidad de Barcelona. No cabe en este trabajo una descripción completa de la multitud de cargos que el Dr. Robert ocupó en su vida profesional. Lo que sigue

---

[2] Para el centenario de la muerte del Dr. Robert, Izquierdo Ballester escribió una biografía muy bien documentada. Este breve resumen se inspira en este estudio y en el de Enric Jardí, publicado en 1969.

sólo sirve para dar una idea de la vida que celebra el monumento bajo consideración, pero cabe decir que en todas sus actividades se observa un hilo conductor: la búsqueda constante de la regeneración.

Los biógrafos están de acuerdo en que el Dr. Robert gozó del cariño, respeto y admiración tanto de sus estudiantes como de sus pacientes. Incluso antes de que Robert fuera nombrado catedrático, los estudiantes de la Facultad se asomaban al Hospital de la Santa Creu para participar en lecciones prácticas «a la cabecera de los enfermos» (Izquierdo Ballester 2002: 34). Y los mismos pacientes parecían mejorar nada más ver al Dr. Robert, quien les asombraba con sus poderes diagnósticos legendarios a la vez que les confortaba de una manera que, según todas las descripciones, demostraba compasión y mucha humanidad (Izquierdo Ballester 2002: 51, Jardí 1969: 12-15).

En su vida profesional el Dr. Robert adoptó el espíritu regeneracionista de la época. Desde los principios de su vida profesional, formó parte de una nueva generación de médicos catalanes que se mostraban abiertos a nuevas tendencias en el pensamiento científico y abogaban por una transformación positivista en la enseñanza de la medicina interna, convirtiendo lo que había sido un proceso de memorización en las aulas de la facultad en una experiencia práctica (Izquierdo Ballester 2002: 44). Quizá la señal más simbólica de su papel en la vida intelectual de Cataluña fuera la ubicación original del monumento frente al edificio central de la Universidad de Barcelona, en reconocimiento de la profunda influencia que el doctor había tenido en la vida de sus estudiantes.

El Dr. Robert, junto con tres de sus contemporáneos (Joan Giné i Partagàs, Jaume Pi i Sunyer y Miquel Àngel Fargas) formó parte de la llamada «generación de 1888» de médicos en Cataluña. Esta generación recibe su nombre de la Exposición Universal del mismo año, durante la cual Robert recibió una medalla de oro por sus publicaciones científicas (Izquierdo Ballester 2002: 40-41). El Doctor Robert participó activamente en la Acadèmia i Laboratori de Ciències Mèdiques de Catalunya, en la cual sirvió de presidente en 1880-1884, y 1895-1897. Aquí empezó a surgir su figura pública:

> Val a dir que tant la Reial Acadèmia de Medicina i Cirurgia de Barcelona com la Acadèmia i Laboratori de Ciències Mèdiques de Catalunya van intervenir en la vida pública barcelonina amb posicionaments que evidenciaven el desig d'oposar-se a les directrius que provenien del govern de Madrid i d'intervenir en la dinamització i en la regeneració de la vida local. (Izquierdo Ballester 2002: 46)

El Dr. Robert ocupó su puesto en el paisaje político de Barcelona en el momento de consolidación del movimiento catalanista bajo los auspicios de la Lliga Regionalista, que jugaría un papel central en el movimiento catalanista hasta 1931. Aunque en un principio la Lliga pretendía unir los intereses de todos los catalanes, estaba encabezada por los poderes comerciales del momento.

> La dirección de la Lliga estaba unida por una visión fundamentalmente conservadora de la sociedad, compuesta de entidades corporativas. El privilegio era algo perfectamente natural a esta sociedad, que miraba con suspicacia ideas como la soberanía popular y la igualdad democrática (McRoberts 2001: 27).

Tras la pérdida de las colonias en 1898 y la crisis resultante, el general Camilo García de Polavieja se presentó en el ámbito político de España como defensor del llamado *regeneracionismo*. Polavieja mostró simpatía por algunas de las aspiraciones catalanistas y ganó el apoyo de varias ramas del catalanismo conservador bajo los auspicios de la Lliga. Los partidarios de Polavieja quedaron satisfechos en 1899, cuando el gobierno de Francisco Silvela tomó el poder en Madrid con Polavieja como ministro de Guerra (Jardí 1969: 67). Desde el punto de vista catalán, el paso más importante que daría Silvela a principios de su administración sería nombrar a un alcalde de Barcelona. ¿Apoyaría la regeneración, o complacería a los caciques que tradicionalmente monopolizaban el poder? Al final, el 14 de marzo de 1899, Silvela nombró al Dr. Robert, quien en esos momentos era muy conocido como médico y como ciudadano, pero cuyo carácter político estaba aún por definir (Izquierdo Ballester 2002: 100-101).

El Dr. Robert ya había destacado como líder social, económico, e intelectual. En 1897 había sido elegido presidente de la Societat Econòmica Barcelonina d'Amics del País, y antes había sido presidente de l'Ateneu Barcelonés en 1881-1882 (y lo volvería a ser en 1900-1901), que en estos momentos prestaba mucha atención a la lengua catalana. Durante todo este tiempo mantuvo su cátedra en la Facultad de Medicina y trabajó como médico de barrio (Izquierdo Ballester 2002: 90).

Quedaba establecido, pues, que Robert era partidario del regeneracionismo, de manera que no es de extrañar que su primer acto como alcalde de Barcelona fuera «sanear» la política local. En su primer día en el Ayuntamiento eliminó la posición de los alcaldes de barrio, que hasta entonces habían dominado el escenario político local, en gran medida a través del control del censo. Llevaban años apoyados por los votos de muchos fallecidos (el número exacto varía en la documentación entre 20.000 y 60.000) que, al parecer, aún votaban, a la vez que muchos vivos (el nuevo alcalde incluido) no aparecían en los registros. Considerando el tema de este análisis, no está fuera de lugar mencionar que hace poco Barcelona tuvo la ocasión de conmemorar de nuevo al Dr. Robert. En la celebración del centenario de la muerte del Dr. Robert, el 4 de octubre del 2002, Joan Clos, el alcalde actual y también médico, hizo dos discursos en su honor. En uno de ellos identificó el primer acto del alcalde Dr. Robert como un momento clave en el catalanismo del siglo xx:

> El trencament d'aquest sistema va capgirar els números del cens i va portar al triomf de la Lliga a les eleccions següents i a la mateixa elecció dels quatre diputats [...]: el Sr. Torres, el Sr. Domènech i Montaner, el Sr. Rusiñol i el mateix Dr. Robert. [...] és ben cert que en aquest començament de segle, l'any 1901, hi va haver un capgirament molt concret: el canvi del cens de la ciutat de Barcelona. Probablement, aquest seria el primer punt que va donar peu a tota la tranformació de la vida política de la nostra societat (Clos 2002: 1).

Claro está, el cómodo paralelo entre la sanidad pública y la sanidad política se presta a una interpretación de la historia en que la eliminación de la corrupción en la política local se entiende como el logro principal del Dr. Robert como representante del movimiento catalanista. Sin embargo, los contemporáneos de Robert, al igual que sus biógrafos actuales, interpretan su paso por la alcaldía como sólo una etapa en su carrera política, una carrera que culminó en su puesto como diputado en las Cortes, donde Robert sirvió como uno de los primeros portavoces del catalanismo en Madrid, defendiendo allí la autonomía de Cataluña (Patronat de Cultura Catalana 1963: 51). Lo que realmente ensalzó a Robert al nivel de héroe nacional no fueron sus comienzos en el Ayuntamiento barcelonés sino el final.

Pronto se vio que la administración de Silvela no iba a satisfacer las expectativas regeneracionistas de la Lliga. A fin de que la economía española se recuperara de los gastos de la guerra de Cuba, el ministro de Hacienda, Raimundo Fernández Villaverde, propuso un sistema de impuestos que perjudicaría precisamente a la clase industrial y comercial que en Cataluña contaba con el apoyo de Silvela y que había perdido un sesenta por ciento del mercado de exportación cuando España perdió Cuba (Conversi 1997: 25). Villaverde pretendía hacer esto sin eliminar los «recargos transitorios» que se habían iniciado durante la guerra con el mismo propósito que ahora tendrían los nuevos impuestos. Como respuesta, el 3 de junio de 1899, varios organismos comerciales e industriales de Barcelona redactaron un documento de protesta y pidieron que el Dr. Robert se lo comunicara a Silvela. En este documento, los poderes económicos de Barcelona anunciaron que, reaccionado contra esta injusticia, «nos vemos precisados a cerrar las cajas» (cit. en Izquierdo Ballester 2002: 160). De ahí que este evento se conozca en la historia como el Tancament de Caixes.

Ya para julio la opinión pública en Cataluña apoyaba a los comerciantes, y los mismos gremios barceloneses recomendaron oficialmente que no se pagaran los impuestos. La tensión fue en aumento hasta mediados de octubre, estando los comerciantes tan decididos a no pagar los impuestos como lo estaba el gobierno a recaudarlos. A lo largo del debate, el Dr. Robert se situó claramente al lado de los intereses comerciales de Barcelona. Agotada toda posibilidad de una resolución pactada, el gobierno central decidió embargar a los comerciantes que se negaban a pagar y requirió la firma del alcalde en las órdenes de embargo. El Dr. Robert empleó cada mecanismo legal a su disposición para no cooperar con los propósitos de Villaverde, pero cuando ya no le quedaba ninguna vía de resistencia, autorizó algunas órdenes de embargo y simultáneamente dimitió en señal de protesta (Izquierdo Ballester 2002: 169-174, Jardí 1969: 94). «Aquesta conducta fou rebuda amb unánime beneplàcit i tinguda com un gest de la més alta valoració ciutadana» (Patronat de Cultura Catalana 1963: 61).

El Dr. Robert murió el 10 de febrero de 1902, mientras pronunciaba un discurso en un banquete de médicos barceloneses. En *Volem les nostres estatues* se dice que,

> La mort sobtada del Doctor Robert, a l'any d'haver entrat per les portes de la política, fou un veritable cop de mall per a la nova causa. De primer antuvi hom pot conjecturar que, de sobreviure uns anys més, Robert hauria estat el líder indiscutit del brillant estol parlamentari de Solidaritat catalana. La manca d'aquest cap es deixà sentir des d'una primeria i qui sap si, sota l'autoritat emanada d'un títol que tots li haurien lliurement consentit, s'haurien evitat els esculls que invalidaren aquell gran moviment. [...] (Patronat de Cultura Catalana 1963: 52).

EL MONUMENTO

Los historiadores y biógrafos están de acuerdo en que tanto sus amigos como sus detractores percibían al Dr. Robert como un hombre inteligente y mesurado, una gran figura que emanaba simpatía y merecía respeto incluso de los que no compartían sus ideas. Ésta es la impresión que transmite el monumento erigido en su honor en 1910, uno entre los muchos que se dedicaron a las grandes figuras de la cultura catalana durante el primer tercio del siglo XX. Entre ellos están el monumento a Francesc Rius i Taulet (1901), el de Joan Maragall (1913), y el de Pi i Margall (1934) (Ajuntament de Barcelona/Edicions Polígrafa 2001: 2).

La construcción del monumento al Dr. Robert no fue un mero intento de conmemorar la vida de un hombre; si examinamos las personalidades que participaron en su creación, veremos que también fue un manifiesto político y artístico[3].

La idea de erigir un monumento al doctor fue de Enric Prat de la Riba, el fundador de la Lliga Regionalista. Se constituyó una comisión encabezada por Albert Rusiñol, que encargó el diseño al gran arquitecto modernista Lluís Domènech i Montaner. A su vez, Domènech i Montaner pidió la colaboración del escultor Josep Llimona i Bruguera, a quien Ràfols identifica como el ejemplo más alto de la plástica modernista en Cataluña (Ràfols 1982: 239)[4]. Llimona siguió con el proyecto aun después de que Domènech i Montaner lo abandonara al alejarse de la Lliga (Izquierdo Ballester 2002: 321). En el monumento al Dr. Robert, entonces, convergen dos aspectos fundamentales de la identidad nacional catalana del momento: primero, el catalanismo como movimiento político

---

[3] Lo que Joan Ramon Resina comenta sobre la memoria en la España posfranquista es igualmente relevante a este caso: «Los que denuncian la problemática transmisión del pasado en las décadas después de la muerte de Franco raramente reconocen que distorsionar y olvidar quizás sean esenciales al acto de recordar. Casi todos los que participan en el debate han ignorado que, incluso bajo las mejores circunstancias políticas, el pasado no es asequible en su totalidad, y que lo que de él recordemos en un momento y un lugar precisos depende de la naturaleza de las instituciones que organizan nuestra vida» (Resina 2000: 85).

[4] Cuando inició el monumento al Dr. Robert, Llimona ya era conocido como creador de escultura pública, habiendo trabajado para la primera Exposición Universal de 1888 con obras como el friso titulado *Recompensa*, que forma parte del Arco de Triunfo. Llegaría a esculpir para la Exposición de 1929 también. Entre sus esculturas más reconocidas se encuentra *El desconsol*, de 1907, la figura en mármol de una mujer desmayada, que se encuentra en el Parc de la Ciutadella (Hughes 1992: 493).

(cuyo representante más destacado en este momento era la Lliga Regionalista), segundo, el modernismo.

El monumento es una matriz de significados simbólicos que incorpora a su vez varios elementos que son *lieux de mémoire* por su propia cuenta. Examinémoslo de abajo hacia arriba. Se ha sugerido que la base de la escultura fue diseñada por Antoni Gaudí, dada su indudable semejanza con la Casa Milá, que el arquitecto estaba construyendo por las mismas fechas, aunque al parecer, esta sugerencia se basa sólo en la estética y no en la documentación existente (Izquierdo Ballester 2002: 322, Hughes 1992: 496). La colaboración de Gaudí y Llimona en este proyecto no es imposible, puesto que Josep Llimona, junto con su hermano Joan, había fundado el Cercle Artístic de Sant Lluc, al que Gaudí se unió en 1899; y Llimona y Gaudí colaborarían en 1914 en el Rosario de Montserrat[5].

La base del pedestal se esculpió en piedra de Montserrat, y Robert Hughes sugiere acertadamente que su forma imita la de esa montaña, que parece haber emergido espontáneamente del centro de Cataluña (Hughes 1992: 496). Esta característica comunica la idea de que el Dr. Robert era inseparable de su tierra. Este elemento en la base misma del monumento expresa una idea compartida por el modernismo y el nacionalismo catalán. Joan Maragall la expresó en un artículo que escribió para el *Diario de Barcelona* en 1904, declarando: «El alma de un pueblo es el alma universal que brota a través de un suelo» (cit. en Castellanos 1988: 109; véase también Marfany 1975: 28).

Por encima de la base se encuentran dos conjuntos escultóricos que evocan una narrativa nacional de Cataluña. Volviendo a la mnemotécnica, da la impresión de que la base forma una parte natural del paisaje, y que estas figuras fueron colocadas allí después. Podemos imaginarlas como la estrategia que emplea algún historiador para recordar los momentos importantes en la historia de Cataluña, de manera que el monumento es la espacialización de una memoria nacional.

En la parte posterior del monumento un grupo de niños mira hacia una mujer que está consolando a una niña que llora —referencia a la vocación de médico que caracterizó la carrera política de Robert—. También hace referencia a la compasión y simpatía que lo caracterizaban,

[5] Como prueba de la celebridad del Dr. Robert, Izquierdo Ballester subraya la rapidez y generosidad con que se financió el monumento. Entre las primeras contribuciones de particulares se encuentra el nombre de Güell, benefactor del mismo Antoni Gaudí (Izquierdo Ballester 2002: 322).

según todos los testimonios (Patronat de Cultura Catalana 1963: 53). Estas esculturas eran de piedra y, a causa de la desidia con que se habían almacenado, tuvieron que reconstruirse del todo. Lo que vemos hoy no es la escultura original.

En la parte anterior y de una forma mucho más destacada, se encuentran varios personajes de la cultura catalana esculpidos en bronce. Representan las distintas clases sociales, a la vez que personifican momentos claves en la historia del catalanismo. El poeta de la Renaixença, por ejemplo, se presenta como portavoz de una conciencia cultural autónoma, y el cura como un partidario espiritual de la misma. Y claro, el segador es el protagonista de la canción tradicional convertida en himno nacional catalán al final del siglo XIX. La canción celebra a los héroes del Corpus de Sangre de 1640, una insurrección contra la derogación de los fueros por el conde-duque de Olivares, que dio lugar a la guerra entre Cataluña y Castilla conocida como la guerra dels Segadors. Por ello el himno resuena con el estribillo: «Bon cop de falç!/ Bon cop de falç, defensors de la terra!/ Bon cop de falç!».

La sensación de movimiento que comunican las figuras denota una Cataluña en progreso, en obras (¡no tan distinta de la Barcelona de hoy!) y refleja la aserción de Nora sobre la naturaleza simbólica de los *lieux de mémoire:* «Si los lugares de la memoria son simbólicos por naturaleza es porque representan el contexto y significado totémico del que emerge la identidad colectiva» (Nora 1996: x).

La elección de la palabra «emerger» para describir la manera en que los *lieux de mémoire* expresan la identidad colectiva es del todo apropiada para este monumento, cuyo nacimiento en la tierra y movimiento hacia arriba culminan en la cabeza del Dr. Robert. La cabeza no tiene cuerpo; está colocada por encima de un pequeño pedestal de aspecto mucho menos orgánico que el de la base del monumento. Una mujer susurra algo al oído del doctor. Robert Hughes la describe como «el genio (femenino) de Cataluña susurrando consejos al oído de Robert» (Hughes 1992: 496). Interpretando de manera alegórica las figuras del monumento, Raimon Casellas escribió:

> I heus ací un monument escultòric que, començant baix en un món realista de forjadors i bosquerols, acaba amb un món ideal de muses consellers i d'hermes apoteòsics. Per a mi aquest es un dels principals mèrits del monument erigit a la glòria del gran patrici: l'ascenció de l'ideal que va concentrant-se de baix a dalt (cit. en Patronat de Cultura Catalana 1963: 74).

Efectivamente se nota en la composición del monumento el gran esfuerzo para hacer resaltar la inspiración e idealismo del momento histórico que conmemora. La misma elaboración del monumento parece estar inspirada por el miedo al olvido, una insistencia estridente en la permanencia, surgida como un acto de rebeldía frente a su propia esfumación. Nora sugiere que la falta de una guía para el futuro, resultado de la desaparición de una idea lineal y continua de la historia, nos causa una reticencia frente al futuro desconocido. Compensamos con *lieux de mémoire*. Desde esta perspectiva resulta especialmente apto este monumento diseñado como ejemplo del modernismo que había empezado a desvanecerse incluso antes de que fuera inaugurado.

Pasaron casi cinco años entre el día en que se colocó la primera piedra y el día de la inauguración. Joan Maragall expresó en una carta la precariedad de la memoria afectiva:

> Aquest monument és el monument català esencial, perquè és el monument de la nostra inconstància: només del començar-lo a l'acabar-lo el poble nostre ha tingut prou temps per oblidar el sentiment que el féu nèixer: alguns recorden encara a l'home i els fets, però és sols memòria, el sentiment ja no hi es: aixís som els catalans. [...] Perquè tots tenim la fonda consciència de que som un poble fet a rauxes: i aquest és el monument d'una d'elles (cit. en Izquierdo Ballester 2002: 323).

Sin saberlo, Maragall designó al monumento como un *lieu de mémoire:* un sentimiento, el recuerdo de un ímpetu ya hecho pasado por los caprichos de la historia (y según Maragall, por el pueblo catalán), anticipando así la aserción de Nora: «Los *lieux de mémoire* son fundamentalmente vestigios, las máximas encarnaciones de una conciencia conmemorativa que sobrevive en una historia que, después de renunciar a la memoria, la pide a gritos» (Nora/Kritzman 1996: 6).

Casellas interpreta el monumento de abajo hacia arriba, como formulaban la identidad catalana el modernismo y el nacionalismo de principios de siglo. Una lectura de arriba hacia abajo, contrariamente, evoca una visión más contemporánea de la relación que nuestros monumentos tienen con nuestra comprensión del pasado. Como explica Lawrence D. Kritzman en su introducción a la traducción inglesa de *Lieux de mémoire,* «El mundo histórico del presente representa la conciencia histórica como recuerdos incorpóreos» (Kritzman 1996: xii). El Dr. Robert encarna este concepto al ser representado sólo como una cabeza que emana del pueblo catalán y de la tierra misma. El Dr. Robert de este monumento es, más que un individuo, una idea. Una imagen de poderosa intelectualidad encabeza literalmente toda la historia y la cultura catalanas, personificadas en las figuras del segundo plano de la gran estructura. El monumento al Dr. Robert, mucho más que la memoria de un hombre, pone de manifiesto la memoria de un pueblo. En medio de un proyecto de construcción nacional, un sector específico de la sociedad cinceló un *lieu de mémoire* de piedra para una identidad nacional que quedaba aún por concretar. Este valor representativo del monumento, realidad ya desde su concepción, aumentó enormemente en cuanto se tomó la decisión de derribarlo.

LIEUX DE MÉMOIRE

El monumento ejemplificaba todos los principios —artísticos, políticos e intelectuales— que subyacían al nacionalismo articulado por la Lliga. A pesar de sus orígenes conservadores, en 1939 el monumento había llegado a representar un sentimiento más amplio de la identidad catalana.

Puesto que el monumento se había erigido para afirmar la identidad catalana, su desaparición en 1940 formó parte de un ataque a esa identidad, ejercido sobre los mismos monumentos. Muchos homenajes en piedra a los héroes de la historia barcelonesa fueron destruidos totalmente en los primeros meses de la ocupación franquista de la ciudad. Algunos cayeron en el anonimato cuando las inscripciones en catalán fueron borradas sin reemplazarse, como el monumento a los catalanes que murieron en la Primera Guerra Mundial (el último monumento inaugurado antes de estallar la Guerra Civil) (Subirachs i Burgaya 1989: 21). Otros fueron «revisados» al retirarse algunos símbolos y añadirse otros. Éste fue el caso del monumento a Francesc Pi i Margall, que Subirachs presenta como,

> un dels exemples més representatius de l'arbitrarietat de les accions portades a terme pels ajuntaments franquistes. En aquest cas, l'acció depuradora no consistí en enderrocar o retirar de la via pública el monument sinó en transformar la seva significació ideològica, eliminant l'estàtua que, situada al cim de l'obelisc, simbolitazava la República, eliminant també el medalló amb l'efígie de Pi i Margall i col·locant al peu de l'obelisc una estàtua com a símbol de la Victòria (Subirachs i Burgaya 1989: 25).

Y finalmente, algunos, como el que estamos considerando, desaparecieron temporalmente, para reaparecer años más tarde deteriorados y despedazados, perfectas metáforas de la recuperación de una identidad herida.

En 1940, por orden superior, a causa de su evidente celebración de la identidad catalana, el monumento al Dr. Robert fue retirado, pero su misma desaparición aumentó su significado como un *lieu de mémoire*. Su ausencia —un silencio espacial— se hizo eco del silencio que, según Castellet y Molas, reinaba sobre Barcelona en los días que siguieron a la ocupación franquista. El pasaje conmovedor se ha citado muchas veces, pero merece repetirse.

> I fou el silenci: un silenci ple d'humiliacions i de por, de desorientació i d'impotència. Fou un silenci dens, que traduïa la incomunicabilitat més absoluta: els esperits dividits; els homes separats físicament i geogràficament; els mitjans de comunicació amb els lectors, perduts; la societat desfeta; l'esperança incerta (Castellet/Molas 1963: 117).

Envueltos en este silencio se encuentran la censura, la política de la lengua, los muertos que ya no hablarían, el duelo y la necesidad de convivencia con el vecino/enemigo. Es un silencio del cual Cataluña se tuvo que recuperar, y al hacerlo, lo convirtió indiscutiblemente en un *lieu de mémoire* en sí mismo.

Lo cierto es que, a partir de su desaparición en 1940, el monumento, con todo el complejo de significados que incorpora, queda marcado indeleblemente por el silencio. En su capacidad para sobrevivir a una revisión de su sentido sin perder su ambición de permanencia, el monumento al Dr. Robert capta la esencia de lo que es para Nora un *lieu de mémoire*.

> Aunque es verdad que el propósito fundamental de un *lieu de mémoire* es detener el tiempo, inhibir el olvido, fijar un estado de cosas, inmortalizar la muerte y materializar lo inmaterial [...] también está claro que los *lieux de mémoire* florecen sólo por su capacidad para cambiar, su habilidad de resucitar antiguos significados y generar otros nuevos junto con relaciones imprevistas (Nora/Kritzman 1996: 15).

Incluso para alguien que, cuatro décadas después de la muerte del Dr. Robert, no conociera las resonancias históricas del monumento, su ausencia abrupta de la Plaça de la Universitat habría implicado un silencio espacial notable. Pero considerando toda la matriz de significados que incorpora el monumento, ese silencio resonó en el forzoso vacío político, intelectual y artístico de la ciudad, hasta que su eco llegó a las mismas raíces del catalanismo. Recurriendo de nuevo a la terminología de Certeau, la retirada del monumento supuso una ruptura en la toponimia de Barcelona, tanto en el paisaje físico como en la efímera geografía de significados suspendida sobre la ciudad. Un punto de encuentro y un jalón orientador en la memoria nacional de Cataluña se convirtió de repente en un índice vacío.

El Foment de les Arts Decoratives, con la cooperación de varios organismos locales, dio los primeros pasos hacia la restauración del monumento en 1977, pero por la complejidad de la estructura y el mal estado en que se encontraba a causa del descuido con que había sido almacenado, el monumento no fue reinaugurado hasta el 14 de mayo de 1985 (Subirachs i Burgaya 1989: 72). La propuesta en principio fue restablecer el monumento a su lugar original en la Plaça de la Universitat. Sin embargo, la estructura de esa plaza había cambiado de tal forma que hizo imposible la restitución. La segunda inauguración del monumento, 75 años después de la primera y ahora en la Plaça de Tetuan, fue presenciada por los reyes de España, Jordi Pujol (presidente de Cataluña), Pasquall Maragall (alcalde de Barcelona), y el alcalde de Tampico, México, donde el Dr. Robert nació (Subirachs i Burgaya 1989: 81).

Dada la importancia de la tierra, tanto en la creación del monumento (recordemos que la base es de piedra de Montserrat) como en las ideologías políticas y artísticas que lo respaldaron, cabe decir que éste es un monumento desarraigado. No es sin motivo que en 1910 el Dr. Robert se veía presidiendo la Plaça de la Universitat, «davant la institució a la qual Robert havia lligat el millor de les seves il·lusions i de la seva vida» (Patronat de Cultura Catalana 1963: 73). Este centro intelectual de Barcelona sirvió para evocar el aspecto académico e intelectual de la vida y la obra del Dr. Robert, dando cuerpo al idealismo de su tiempo.

La Plaça de la Universitat, a unos pasos de la Plaça de Catalunya, el eje donde se encuentran l'Eixample y el Raval, es un lugar central, y muy a la vista, asequible a los caminantes y lo suficientemente extenso como para permitir la perspectiva visual que esta gran obra requiere y merece. Ahora es difícil que el peatón adopte la posición adecuada para apreciar tranquilamente todos los elementos del monumento. Desgraciadamente, al acercarse en coche, los detalles se pierden, porque, a corta distancia, la vista sólo domina el gran pedestal. Es interesante notar que en la base del monumento hay fuentes; de allí salía metafóricamente la leche de la madre tierra catalana (Hughes, de hecho, ve senos en la forma de los grifos), pero en la Plaça de Tetuán, la fuente está seca. A la vez que el monumento ha perdido significado con el cambio de lugar, ha ganado un sentido de catalanismo recuperado. Ahora representa una memoria restituida, pero descolocada. Lugar y movimiento se combinan para informar la memoria de la vida de un hombre y de una ciudad.

¿Qué se logró con la restitución del monumento? Cierto que no representó una vuelta al pasado, ya que desde el mismo día de su inauguración, el monumento iba cambiando en su resonancia simbólica. Representa las raíces intelectuales del catalanismo, las raíces artísticas del catalanismo, las raíces políticas del catalanismo —todo lo que sus creadores se habían propuesto—, pero al ser retirado y restablecido, anuncia de una manera impensada la imposibilidad de hacer desaparecer un catalanismo que, no obstante, ya no es como en sus orígenes. Por más que evoque y glorifique el nacimiento de una nación, ya no se encuentra allí ninguna indicación de una dirección futura, y sólo representa el presente en cuanto presencia de una memoria del pasado[6].

En 1910, más que conmemorar la vida y la obra de un individuo, el monumento era una fuerza legitimadora para el nacionalismo naciente, que en sus primeros momentos ya parecía merecer un monumento. Ahora es una confirmación del carácter indeleble de una identidad redefinida por las mismas fuerzas históricas que causaron la reubicación del monumento. Presidiendo el tráfico barcelonés, la gran escultura es ahora un monumento a la memoria misma y a su reconfortante constancia frente a la naturaleza ilusoria de la historia que pasa rápidamente, como los coches junto a la glorieta en que está instalado el bloque pétreo. Llevando las cicatrices de la historia, este *lieu de mémoire* simboliza la memoria nacional en toda su duración y dinamismo. La sabia cabeza del Dr. Robert, alejada de su amada universidad, forma la cúspide de un *lieu de mémoire* no a pesar de que, sino *porque* se encuentra definitivamente fuera de lugar.

Agradezco la generosa lectura y los comentarios de Concepció Godev y la paciencia y apoyo de Joan Ramon Resina.

El trabajo de investigación para este ensayo se realizó con el apoyo de una *Junior Faculty Research Grant* de la Universidad de Carolina del Norte en Charlotte.

[6] Véase Wood (1999: 31).

OBRAS CITADAS

Ajuntament de Barcelona/Edicions Polígrafa (2001): «Barcelona escultures». En: http://www.bcn.es/publicacions/Bcn_escultures, (25/10/03).

Castellanos, Jordi (ed.) (1988): *El modernisme: Selecció de textos*. Barcelona: Empúries.

Castellet, Josep M./Molas, Joaquim (1963): *Poesia catalana del segle xx*. Barcelona: Edicions 62.

Certeau, Michel de (1984): *The Practice of Everyday Life*. Trad. Steven F. Rendall. Berkeley: University of California Press.

Clos, Joan (2002): «Articles i discursos». En: http://www.bcn.es/alcalde, (25/10/03).

Conversi, Daniele (1997): *The Basques, the Catalans and Spain: Alternative Routes to Nationalist Mobilisation*. Reno: University of Nevada Press.

Hughes, Robert (1992): *Barcelona*. New York: Alfred A. Knopf.

Izquierdo Ballester, Santiago (2002): *El doctor Robert (1842-1902): Medicina i compromís polític*. Prólogo de Joan B. Culla i Clarà. Barcelona: Proa.

Jardí, Enric (1969): *El Doctor Robert i el seu temps*. Barcelona: Aedos.

Kritzman, Lawrence D. (1996): «Forward». En: Nora, Pierre/Kritzman, Lawrence D. (eds.): *Realms of Memory*. Vol. i. Trad. Arthur Goldhammer. New York: Columbia University Press, pp. ix-xiv.

Maragall, Joan (1988): «Alma catalana». En: Castellanos, Jordi (ed.): *El modernisme: Selecció de textos*. Barcelona: Empúries, pp. 109-110.

Marfany, Joan Lluís (1975): *Aspectes del Modernisme*. Barcelona: Curial.

McRoberts, Kenneth (2001): *Catalonia: Nation Building without a State*. Oxford: Oxford University Press.

Nelson, Victoria (2001): *The Secret Life of Puppets*. Cambridge, Massachusetts: Harvard University Press.

Nora, Pierre/Kritzman, Lawrence D. (eds.) (1996): *Realms of Memory*. Trad. Arthur Goldhammer. Vol. i. New York: Columbia University Press.

Patronat de Cultura Catalana (1963): *Volem les nostres estàtues: Pau Claris, Rafael de Casanova, Dr. Bartomeu Robert*. Ginebra: Edicions del P.C.C.P.

Ràfols, J. F. (1982): *Modernisme i modernistes*. Barcelona: Destino.

Resina, Joan Ramon (2000): «Short of Memory: The Reclamation of the Past Since the Spanish Transition to Democracy». En: Resina, Joan Ramon (ed.): *Disremembering the Dictatorship: The Politics of Memory in the Spanish Transition to Democracy*. Amsterdam: Rodopi, pp. 84-125.

Subirachs i Burgaya, Judit (1989): *L'escultura commemorativa a Barcelona (1936-1986)*. Barcelona: Els llibres de la frontera.

Wood, Nancy (1999): *Vectors of Memory: Legacies of Trauma in Postwar Europe*. New York: Berg.

Yates, F. A. (1966): *The Art of Memory, by Frances A. Yates*. Chicago: University of Chicago Press.

Monumento al Dr. Robert
Fuente: http://www.gaudiallgaudi.com/images/Llimona_Dr._Robert_General.JPG

LA PALANCA COMO TRANSGRESIÓN Y MEMORIA: SEXO Y RELIGIÓN, AMOR E IRONÍA EN EL BILBAO POSTFRANQUISTA

Joseba Zulaika

Los distritos de San Francisco y Las Cortes —el famoso barrio chino bilbaíno que contaba con docenas de burdeles— eran «los barrios altos» de la ciudad; allí se encontraban, hasta los años cincuenta-sesenta, las poblaciones más elevadas de la margen izquierda del Nervión. Eran los barrios de los emigrantes, mineros, obreros, artesanos, marinos y prostitutas. Descritos también a menudo como «los barrios bajos», la zona es conocida popularmente como «La Palanca». El nombre hace referencia a la rica historia minera de la zona, cuna de las reivindicaciones obreras y del socialismo vasco.

Durante las décadas de dictadura, La Palanca se convirtió en el lugar de visita obligado de todas las clases sociales y el lugar bilbaíno por antonomasia. El cuartel y el burdel, a menudo yuxtapuestos, eran los emblemas de la cultura militarizada de la época franquista.

Luego llegarían los que iban a ser sus enemigos implacables. En los años ochenta, la droga y la delincuencia se apoderaron de La Palanca; en los años noventa, el sida hizo estragos. No sólo la economía y las relaciones de vecindad tocaron fondo, sino que la droga hizo que muchas viviendas en estado de ruina tuvieran que ser derruidas. Hoy sólo quedan restos y memorias de aquella Palanca glamorosa del franquismo.

El postfranquismo terminó con estos modelos sexuales represores para los que La Palanca era un lugar indispensable de transgresión

—transgresión que, lejos de cuestionar el modelo, era parte integral del mismo—. Los bilbaínos hablan ahora de aquella Palanca con nostalgia y no es raro escuchar a gentes que la añoran como «la academia de la iniciación erótica», como «prostitución romántica», o como «teatro valle-inclanesco». Era el lugar al que todos tenían acceso en momentos de fiesta, despedidas de solteros, o espectáculos de variedades. Para las generaciones mayores que la experimentaron durante las décadas del franquismo, La Palanca representa ahora una cierta forma de inocencia del pasado. Era el lugar de las compensaciones eróticas de una juventud controlada por ideologías católicas y militares, de la iniciación al sexo sin los peligros de la droga y el sida, del erotismo convertido en espectáculo urbano, de la combinación en un mismo lugar de utopismo socialista y sexualidad libertaria, del glamour de los cabarés y salas de alterne como único lugar de transgresión social.

Seducción, voyeurismo, glamour, atracción turística... Bilbao los ha puesto nuevamente de moda con su flamante museo Guggenheim. El nuevo Bilbao posmoderno ha relegado La Palanca a lugar de ruina urbana y abyección social, a la vez que le ha conferido un estatus especial en su memoria urbana. Es el escenario que marcó la subjetividad de los bilbaínos que apostaron por reinventar la ciudad. Revisitar La Palanca implica, más allá del actual Bilbao posmoderno, revisitar el Bilbao profundo, el constituido por el Athletic, la Virgen de Begoña, el Banco de Bilbao y el PNV.

DE LA RELIGIÓN A LA PROSTITUCIÓN: EL MODELO SEXUAL DE LA DICTADURA

> En el puerto de Amsterdam
> Hay marinos que beben
> Y que beben y vuelven a beber
> Y vuelven a beber de nuevo
> Beben a la salud
> De las putas de Amsterdam
> O de Hamburgo o de otra parte
> En fin, beben por las mujeres
> Que les dan sus cuerpos bonitos
> Que les dan su virtud
> Por una pieza de oro
> En el puerto de Amsterdam
> En el puerto de Amsterdam.
>
> Jacques BREL

Si los barrios altos eran a principios del siglo XX el territorio más abierto a emigrantes, obreros y utopías socialistas, durante el franquismo La Palanca se convirtió en el lugar más exótico de Bilbao, el centro más transgresor e íntimo de la ciudad. Era la meca donde se daban cita las diversas capas sociales tanto de la ciudad como de las minas, el puerto de acogida tanto de los hombres del campo huyendo de sus aldeas como de los hombres del mar que arribaban llenos de distancia y de alcohol. La Palanca era también la piedra de escándalo para las pasiones moralizantes de curas, escritores y socialistas militantes. Era, en breve, el lugar de referencia obligado de una ciudad puente entre las minas y el mar, entre caseríos y carreteras a Castilla, entre valles y puertos, iglesias y comercios, y deudora de todo ello al generoso río que la atravesaba, el Nervión.

Pero la historia de Bilbao la Vieja no es primeramente la historia de sus burdeles; lo es antes de sus iglesias y conventos. William Blake no andaba errado cuando escribió que los burdeles están construidos con ladrillos de iglesias. La asociación entre prostitutas y monjas que cuiden de ellas no es infrecuente en Bilbao; de hecho, hay organizaciones religiosas como la Mater Misericordiae cuya misión principal es el cuidado de las prostitutas. Hace un siglo, Rafaela de Ybarra, perteneciente a una de las familias de la élite industrial bilbaína, se hizo monja para hacer vida de santidad ayudando a las prostitutas. Anterior a la industrialización minera de fines del XIX (Glass 1997) destaca la presencia de iglesias y conventos en Bilbao la Vieja. El convento de los franciscanos, que llegó a contar con más de cien religiosos, y su iglesia de San Francisco, de 56 metros por 14 metros por planta, fueron construidos en la primera mitad del siglo XVI. La iglesia fue ocupada por el ejército durante la primera guerra carlista de 1833 y derribada en 1852 debido a su estado de ruina y con el objetivo de construir en su solar un cuartel. Los franciscanos de este convento impartían educación gratuita, se dedicaban a servicios tanto de caridad como patrióticos y, convertidos en directores espirituales de los parroquianos, ejercían una influencia sin par sobre la población. Fueron exclaustrados en 1834. En 1889 llegaría la Orden de los Claretianos al barrio de San Francisco. Otra de las iglesias, construida entre 1663 y 1673, es la de la Merced, regentada por las monjas de clausura mercedarias. En la calle de la Naja se sitúa a finales del XIX el convento de la Congregación de las Siervas de Jesús. También existe otro convento en la calle Concepción, convento que dejó su emplazamiento para permitir la estación de ferrocarril de Bilbao a Tudela y que fue inaugurado en la zona de las minas de Mena en 1861.

Convertido en barrio eminentemente minero y obrero para fines del
XIX, durante las primeras décadas del nuevo siglo las calles de San Francisco y las Cortes se erigieron también en centro de prostitución. Durante
la década de 1920 ya contaba con cerca de 300 prostitutas. El socialista
Tomás Meabe las calificaba de «calles infames», «barrio de la gente
aparte», «barrio maldito». Y describía así su composición social:

> En él viven los obreros peor pagados, y un mundo extraño de indigentes,
> buhoneros, embestidores, colilleros, ladrones pobres de toda laya, peseteras,
> rufianes, alcahuetas, revolvedores, echacuervos, gariteros, prestamistas,
> gitanos, ex toreros, abortadoras, curanderas, adivinadoras, brujas, gentes
> absurdas, vidas inverosímiles, tipos venidos de todos los sitios y que han
> sido todo. [...] Todo está caído o para caer en este barrio: las casas, los mue-
> bles, las personas (cit. en Izarzelaia 2001: 140-141).

En su época gloriosa de los años de posguerra, La Palanca era en el
Bilbao industrial de mineros, proletarios, marinos, y burguesía hipercató-
lica, una de las plazas de prostitución más cotizadas en España. Entre sus
visitantes ilustres contó con artistas y escritores, y, según es conocimiento popular, hasta con ministros de Franco. Bilbaínos de todas las clases
sociales gustaban de atender la variedad de espectáculos que se ofrecían
en La Palanca. No eran sólo los marinos de Brel, aquellos que «bailan y
se frotan la panza sobre la panza de las mujeres y que se retuercen y bailan como soles escupidos en el sonido roto de un acordeón rancio», sino
que La Palanca era simplemente el lugar del espectáculo bilbaíno, el de
las despedidas de solteros, la visita de los guipuzcoanos que asistían al
partido del Athletic, la escapada furtiva de los caseros de los pueblos de
alrededor y el paseo voyeurista de todo tipo de gentes. Así lo conocí yo
en mis años de estudiante a principios de los setenta.

Represión política y sexual se complementaban durante el franquismo. De entrada, frecuentar las prostitutas ha sido parte integral de la cultura militar imperante en la época. En la calle San Francisco, sobre el
solar del antiguo convento de los Franciscanos que había dado nombre a
la calle, se había construido en 1868 un cuartel del ejército que albergaba a más de 1.000 soldados y cuya función sería reprimir las revueltas
obreras. La contradicción típica del soldado en relación a la sexualidad
consiste en que el guerrero tiene que abandonar a las mujeres por el alto
deber de las armas y a la vez tiene que demostrar ser un macho (Zulaika
1989). Esta antinomia se ilustra con el comportamiento antitético de los dos
cofundadores de la Legión, Millán Astray y Franco: «Mientras el primero

apoyaba la existencia del burdel junto al cuartel y hablaba de 'aquellas a las que ni citar se puede' [...], Franco pretendía crear una Unidad abstemia y fracasaba en su intento» (Busquets 1984: 100). También en Bilbao el cuartel y los burdeles se complementarían. La expansión de La Palanca en una ciudad burguesa controlada por los militares y conocida por su intenso catolicismo no podía reñir con la política sexual de la dictadura. Eran los años en los que había que cruzar la frontera para ir a Francia a ver películas como *El último tango de París* con Marlon Brando y María Schneider de protagonistas.

Manuel Montero resume así la situación:

> El auge de la prostitución estuvo en Bilbao propiciado por su carácter de puerto de mar, la llegada de cientos de obreros que venían solos o la existencia del cuartel de Garellano, que estaba en la calle San Francisco. Pero abundantes referencias literarias —de Unamuno, Zugazagoitia, Prieto [...]— confirman cómo también hombres de las clases medias y acomodadas acudían a las casas de citas, sin graves críticas de los curas. ¿Una sociedad hipócrita? Hasta cierto punto. Existía una doble moral, pero las autoridades afrontaron los problemas derivados de la prostitución e intentaron encauzarlos. Ni la reprimieron ni ocultaron que existía (Montero 1998).

En resumen, a La Palanca le tocó ser testigo de una implacable pelea entre el sexo y la religión, entre la lujuria más desatada y la santidad más redentora, en un pacto de caballeros por el que los enemigos irrenunciables de la carne y del espíritu, aunque combatiéndose eternamente, parecían al mismo tiempo respetarse en una admisión tácita de tolerancia y necesidad mutua. Hubo momentos difíciles, como el Decreto Ley de abolición de la prostitución de 1956 o la Ley de Peligrosidad Social de 1970, que fueron sorteados con prontitud. El sexo transgresor de La Palanca venía a ser complemento y aliado del espiritualismo barroco del catolicismo oficial.

La balanza creadora entre el espectáculo del sexo y el *pathos* de la religión se quebró a principios de los años ochenta, pero no a favor de uno de los dos rivales. El mundo de la droga se apoderó como un huracán del escenario, y el imperio de las ruinas sustituyó al mundo del juego erótico y la conversión religiosa. Los alegres bares de alterne y música se convirtieron en lugares siniestros. Las calles antes rebosantes de voyeurs curiosos hay que transitarlas ahora con sigilo y máxima alerta. Apenas queda ya lugar para el teatro callejero de la seducción, la invitación y el sexo. Ahora ellas se anuncian en las páginas de «Relax» de *El Correo,* que es el

periódico de lectura obligada con sus esquelas, deportes, anuncios clasifi-
cados y direcciones de prostitutas con fotos desnudas incluidas.

Al expandirse por el resto de la ciudad los *night clubs,* centros de
masajes, barras americanas, y pisos de prostitución, La Palanca ha quedado aislada y marginada (Vázquez/Andrieu 1985). Su modelo tradicional de prostitución, con el chulo como figura central, ha dado lugar a
otros más privados y normalizados. A las heroinómanas *yonquies* de los
ochenta han seguido más recientemente el tráfico de prostitutas provenientes del tercer mundo y, tras el colapso de la URSS, del este europeo,
asociando así prostitución e inmigración. Los modelos de comportamiento sexual de las chicas que ejercen hoy en día en clubes, masajes,
salones de belleza o pubs se alejan por supuesto del clima de gueto de La
Palanca y de la mentalidad tradicional de concebir el sexo en la disyun-
tiva matrimonio o prostitución. Los cambios políticos del postfranquismo han traído formas de prostitución diferentes que poco tienen que ver
con la tensión clásica entre religión y sexo, o entre familia y ausencia. La
estudiante que ejerce la prostitución para pagarse su carrera no está
sometida a las ambivalencias históricas entre autodefinirse como madre
o prostituta. Los modelos son múltiples para unas relaciones que se
caracterizan por su temporalidad provisional y por formas de transacción
que desbordan el mero pago en dinero.

Estas nuevas formas de prostitución han hecho que lo que era «normal» durante el franquismo sea ahora sexo salvaje, marginación morbo-
sa y peligrosamente anómala. El efecto real de esta tabuización de La
Palanca es que conlleva a su vez la normalización de las formas más
urbanas de prostitución anunciadas cada mañana en el periódico católico
de la ciudad. «De este modo, se minimiza el carácter transgresor de la
prostitución, integrándolo en la cultura dominante» (Vázquez/Andrieu
1985:160). La Palanca es así no sólo un lugar único de memoria histó-
ca, sino que sus residuos, inmersos en la pobreza e inmigración no asimi-
ladas por la nueva ciudad posmoderna, se han convertido en escándalo
permanente que cuestiona esa cultura dominante.

URBANIZACIÓN, RUINAS, REGENERACIÓN

Bilbao la Vieja tiende a ser olvidada en la evolución histórica de la Villa,
que típicamente se fija en la formación urbana inicial de las Siete Calles
y su expansión en el Ensanche burgués de fines del XIX (García Merino

1987). Anteriormente había habido otro Ensanche en Bilbao la Vieja con la demolición y reconstrucción, en el corto tramo de su espacio y durante las décadas de 1860 y 1870, de los cuatro puentes de San Antón, San Francisco, de la Merced, y de los Fueros. A partir de 1870 las olas de inmigración minera desbordaron el arrabal de Bilbao la Vieja y obligaron a la urbanización del área de San Francisco a lo largo del camino de Balmaseda, así como de las calles Bailén y Hernani hasta las Cortes. Numerosos caseríos dispersos, sobre todo en la zona de Mena, fueron derribados por el avance de las explotaciones mineras y a favor de la construcción de viviendas que albergaran a los inmigrantes.

El Ensanche era la nueva ciudad que requería el nuevo Bilbao industrial (Basurto Ferro 1990). Pero era una ciudad para la élite local, no para los inmigrantes recién venidos (Arpal 1978). Las diferencias de clase se hallaban claramente definidas en el diseño urbanístico, tal y como se reflejaba, por ejemplo, en los muertos que produjo la epidemia de cólera de 1893, siendo la gran mayoría de Bilbao la Vieja. El higienismo se convierte en ideología de los reformadores. El puerto de acogida y de residencia de los inmigrantes para el nuevo Bilbao suburbial de la industrialización fueron los barrios de Bilbao la Vieja. Ésta había sido zona de ferrerías y de extracción de hierro desde siempre, estando su centro minero ubicado en el alto de Miravilla (o Mirivilla) al sureste. Las minas eran propiedad particular de las villas que las explotaban en régimen comunal, lo que generó un gran desorden y dio lugar en 1818 a que las Juntas Generales adoptaran el Reglamento Minero. Posteriores Juntas Generales elaboraron un nuevo reglamento que era copia de la Ley de Minas del Estado de 1825 y que a partir de 1841 suponía una sustitución radical del concepto comunal por otro de carácter abiertamente capitalista. Ello abrió el paso a la industrialización sin precedentes de Vizcaya en estrecha colaboración con el capital europeo, sobre todo inglés. El apogeo de la extracción minera tuvo lugar en 1900. Durante la segunda mitad del siglo XX las explotaciones mineras estaban ya cerradas.

En la década final del XIX se urbanizó la zona con la creación de calles transversales nuevas que llevan nombres de personajes, lugares y fechas del bando liberal en la guerra carlista: Constitución, 2 de Mayo, Hernani, General Castillo, Conde Mirasol, además de Las Cortes. De los 1.800 residentes en la zona en 1870 se pasa a 19.000 en 1900 y 22.000 en 1915. En esta fecha se alcanzaba una densidad urbana de 70 personas por edificio y dos familias por vivienda. Se había creado el auténtico suburbio de Bilbao. No es de extrañar que surgiera aquí el asociacionismo obrero con la creación en 1886 de la Agrupación Socialista de Bilbao en la calle San Fancisco. Se constituyó el primer Centro Obrero y empezó a editarse el semanario *La Lucha de Clases*. De los barrios altos surgieron los que serían líderes históricos del Partido Socialista, tales como Facundo Perezagua e Indalecio Prieto (Egiguren 1994). Este modelo industrial de ciudad se iba a imponer durante el siglo XX. Requería de un Ensanche para las nuevas élites urbanas y de suburbios como San Francisco y Las Cortes para los proletarios. La Palanca se convertiría en el foco nocturno de escape y diversión, el lugar liminal en el que las jerarquías sociales se disolverían para sumergirse en la comunidad de la fiesta y la transgresión erótica.

El hundimiento del modelo industrial durante los años ochenta del pasado siglo obligó a Bilbao a enfrentarse con la urgente necesidad de una transformación económica y urbanística históricas. En la década de 1990, cuando Bilbao optó por el museo Guggenheim y se convirtió en el modelo internacional de lo que la arquitectura y las industrias culturales pueden hacer para cambiar una ciudad en declive, La Palanca se convirtió en el polo negativo del nuevo glamour museístico y urbanístico. Al mismo tiempo que Abandoibarra —con el Guggenheim de Gehry, el palacio Euskalduna de Palacio y Soriano, el puente de Calatrava, y otros edificios proyectados por arquitectos famosos— se erigía en el buque insignia de una ciudad pujante que se permitía el lujo de aglutinar al *star system* de la arquitectura internacional, La Palanca —con el espectáculo de sus drogadictos, sus bares en decadencia y sus *calvas* de edificios derruidos— quedaba relegada a ser el emblema de la ruina urbana del Bilbao de ayer.

La lógica de la regeneración urbana se basa en la premisa del arruinamiento previo del lugar que va a ser renovado; el margen de beneficio entre el valor previo y posterior a la regeneración debe justificar la inversión (Smith 1996). En este sentido, cuanto mayor sea la ruina, mayor su potencialidad regeneradora. La Palanca, con su devastación económica y urbana, y a pocos metros de un proyectado Intermodal por los arquitectos ingleses Sterling y Wilford, se convirtió en una zona rumoreada como muy apetecible al capital privado. En los barrios contiguos a La Palanca, la lógica de la renovación urbana ha hecho ya que, por ejemplo, la iglesia de la Merced haya sido transformada en Bilborock, el centro de la música rockera de la juventud. Igualmente, la antigua Casa Galera (manicomio y asilo nocturno en el XIX, más tarde escuela) ha dado lugar a Bilbao Arte, centro experimental para artistas jóvenes; para ello se contó con ayudas europeas destinadas a renovación urbana. Uno de los proyectos para el futuro es una residencia de estudiantes.

Esta lógica de la «gentrificación» sigue el modelo que se ha impuesto en el resto de la ciudad, sobre todo en los muelles abandonados de Abandoibarra. El nuevo corazón urbano exigía el cierre de los famosos astilleros Euskalduna, así como el abandono de la «Campa de los Ingleses», antaño centro de las actividades comerciales marítimas de la ciudad. Los ingleses habían sido por supuesto los que, en la segunda mitad del siglo XIX, habían colocado a Bilbao en el centro de su producción industrial a base de exportar el 80% de su hierro de los montes de la margen izquierda del Nervión. La sustitución tardía del imperio británico con sus industrias pesadas, ferrocarriles y control del comercio marítimo por el imperio americano de las nuevas tecnologías, sociedad de la información e industrias culturales, exigía el cambio emblemático de la producción y comercio de barcos a la implantación de un museo/buque insignia cuya figura es percibida como la de un barco varado en la ribera. El Bilbao Guggenheim, el palacio de congresos Euskalduna, el puente de Calatrava, el hotel Sheraton iban a ser los nuevos «Altos Hornos» de una Abandoibarra posmoderna enteramente reconstruida.

El éxito de la operación Guggenheim no podía haber sido más espectacular. ¿Y el espectáculo de La Palanca? Todo lo que fuera luz, glamour, deseo y voyeurismo parecía haberse trasladado a Abandoibarra. La Palanca era noticia por su delincuencia, tráfico de drogas, burdeles en ruina, y casas demolidas. Si el Guggenheim marcaba el polo de la nueva utopía urbana dominada por el voyeurismo arquitectónico, La Palanca se había convertido en foco de heterotopía social y en lugar de recuerdo. La Palanca espera ahora su «gentrificación» plena en lo que constituiría un «segundo efecto Guggenheim» (Vicario / Martínez Monje 2003: 2396).

PASIÓN EN BILBAO: *ET INCARNATUS EST*

Es lunes de Semana Santa y la procesión anual que sale de la quinta parroquia procede por Las Cortes, una de las calles de la Palanca. El coro electrizante de cornetas lastimeras acompaña a los miles de penitentes encapuchados que se mueven ritualmente al unísono tras la figura del Nazareno vestido de morado. El público y las televisiones locales atienden curiosos al evento ya convertido en folclore obligado de la Semana Santa bilbaína. La procesión se detiene ante uno de los bares mientras las cornetas erizan la noche con su música agónica y una de las supuestas «mujeres de la vida» canta una saeta al Nazareno. La luna llena está presente.

Es la noche de Bertolt Brecht que situó su «Canción de Bilbao» en un cabaret de los años treinta, en una sala de baile donde por un dólar se podía obtener música y placer a raudales, donde todo era coñac y risas, donde «la hierba crecía en la pista de baile», y se veía el brillo de la luna verde a través del tejado. «Aquella vieja luna de Bilbao, la más hermosa, la más hermosa, la más hermosa del continente», canta Lotte Lenya con voz seductora y música de Kurt Weill, palabras de un Brecht que continúa irónico: «Aquella vieja luna de Bilbao, donde al amor todavía valía la pena». Aquella vieja luna de Bilbao la Vieja.

Fue a principios de los cincuenta, en pleno franquismo, cuando Bilbao se convirtió en «tierra de misión» para la pasión misionera y cuaresmal de las órdenes religiosas. «La misión» consistía en una semana de drama religioso en la que los predicadores se lanzaban con ardor sobre las conciencias pecadoras de los feligreses con el objetivo de convertirlos a una vida más espiritual. Las técnicas misioneras consistían en sermones tremebundos, ejercicios espirituales y la práctica de los sacramentos. La verdadera señal de conversión era en la confesión de los pecados. Como cazadores de almas que se sentían, los misioneros medían la fuerza de su oratoria con casos de «almas empedernidas» que se habían convertido. Fue también en esta época cuando se instalaron en Bilbao las procesiones barrocas de Semana Santa típicas de Sevilla. Cada día de la semana al anochecer una sección de las calles de Bilbao se llena de encapuchados que siguen lentamente las imágenes religiosas de Pasión al son de una banda de música. Para miles de bilbaínos y bilbaínas, creyentes y no creyentes, empleados y profesionales, participar en estas procesiones se ha convertido en un punto álgido de su calendario ritual anual. Protegidos por el anonimato de las sotanas y las capuchas, rodeados de curiosos que les contemplan desde las aceras, movidos por el lento ritmo del paso al unísono, estremecidos por la música de cornetas y tambores, los penitentes experimentan una satisfacción íntima que no aciertan a explicar con palabras.

Las procesiones de la pasión por la calle de Las Cortes proporcionan una ocasión más para visitar La Palanca. No es infrecuente que durante la Semana Santa las prostitutas acompañen descalzas al Nazareno. Durante estos últimos años, con La Palanca convertida en picadero de *yonquies* y espectáculo de degradación social, con grupos marginales como los gitanos diezmados por el sida, la representación de la Pasión suscita reacciones que van más allá de la mera evocación de la realidad atormentada del barrio. «Bilbao es tierra de misión», me decían convencidas las monjas de uno de los conventos de Bilbao la Vieja. Pero fue en los centros de asistencia a los drogadictos y prostitutas de La Palanca donde tuve la suerte de conocer a personas inolvidables que conocían íntimamente los tormentos de las gentes de «los barrios altos». Personas como Marta o Paulina (nombres ficticios) condensan para mí el testimonio de la Pasión en Bilbao, en la tradición de otras mujeres extraordinarias como Rafaela Ibarra o Dolores Ibárruri «La Pasionaria».

Marta trabajaba en el centro antisida de la calle Bailén. Las formas en que aquella mujer se relacionaba con los *yonquies,* gitanos y prostitutas del barrio tenía algo diferente a las formas que yo había visto entre las monjas y sicólogas que se dedicaban a lo mismo. Sus ojos negros, casi desafiantes, delataban desde la distancia una determinación diferente. No había en ella conmiseración ni indicio alguno de superioridad moral sobre quienes atendía. Les ayudaba pero no por caridad. No había en ella motivo alguno religioso o intelectual. Lo hacía sin más por un sentido básico, casi salvaje, de humanidad y justicia. Durante años Marta había sido la única persona que se había atrevido a entrar en los picaderos de Las Cortes, en pisos derruidos con olor fétido y en la oscuridad completa. En sus brazos habían muerto *yonquies.* En su paseo diario por las calles del barrio se encontraba con drogadictos moribundos para quienes en la hora final ella era el único cuerpo de amor.

Volví a Bilbao al año siguiente y fui a preguntar por Marta. Ya no iba al centro de Bailén, me dijeron. Había caído en una depresión y hasta le habían despedido del trabajo de media jornada con el que se ganaba la vida. Un día estando en la calle en una manifestación alguien me tocó el hombro y era ella. Había adelgazado mucho; la palidez añadía belleza a su rostro frío. «No me encuentro bien, me he derrumbado sicológicamente», me confesó de entrada. Me dejó su número de teléfono para que la llamara. Nos citamos dos veces pero no apareció; no se encontraba bien, se excusaba. Yo quería que me contara al detalle las situaciones límite que ella había presenciado, pero una cosa era el vivirlas y otra el contarlas y escribirlas después. Mis escritos e historias de poco le servían a ella. Lo que menos le interesaba era convertirse en personaje de mis relatos. Finalmente nos sentamos para tomar un café. Aquel cuerpo frágil y atormentado, casi sin autonomía, que había llegado a depender de sus hijos y amigas para llevar a cabo las funciones básicas de levantarse de la cama y alimentarse, incapaz de atender debidamente las obligaciones de su trabajo diario, era para mí portador de una verdad elemental encubierta sobre las ciudades virtuales; su derrumbe sicológico tenía que ver con su radical testimonio de los tiempos actuales en el Bilbao marginal que se oculta tras la fantasmagoría arquitectónica.

A unos pocos pasos de donde conocí a Marta trabajaba Paulina, la médico cuyo marido hacía poco se había muerto de cáncer y que dirige la oficina de Médicos del Mundo. Junto con un grupo de voluntarios, ella dedica veinte horas semanales a atender a los cientos de emigrantes y a gente que no dispone de ninguna seguridad social en Bilbao. Lo hacen sin otra mística que la de ayudar a los necesitados y por simple dignidad humana. Ellas no necesitan presenciar situaciones transgresoras ni son lo suyo disquisiciones de ciudades virtuales. Viven la nueva globalidad social y política a base de visitar y participar en naciones necesitadas de ayuda médica, con visitas continuas a Centroamérica y África pero, sobre todo, a base de mirar por las calles de su propia ciudad y prestar los servicios básicos a cuerpos enfermos sin seguridad social alguna traídos por la emigración y la marginación de la nueva economía global. Para ellas la canción de Brecht, «la ciudad donde el amor todavía valía la pena», es, más allá de la ironía, lo natural y cotidiano en Bilbao.

A fines del XIX fueron los barrios altos los que facilitaron la existencia de una minería moderna y de la industrialización a base de acomodar a los emigrantes del campo y de afuera y los que, de paso, dieron vida al obrerismo ateo, al socialismo y a la cultura del espectáculo. Estos barrios seguirán existiendo y cabe preguntar si no les habrá tocado de nuevo la misión de ser semilla de un nuevo Bilbao. Son ellos los que, en medio de la ruina urbana del nuevo milenio, se han visto obligados a acoger a los emigrantes del tercer mundo que nadie quiere. Lugar de abyección por antonomasia, La Palanca es también el lugar más multiétnico y multilingüístico del Bilbao del Guggenheim. Lo que para la prensa local no es sino lugar de delincuencia y droga, es lugar de acogida para los cientos de emigrantes provenientes del Magreb. Sólo en La Palanca cabe la coexistencia multiétnica de gitanos, asociaciones afro-vascas, artistas, y bilbaínos locales, y es allí donde empiezan a surgir nuevas expresiones culturales de peluquerías afro, *piercings, tatoos,* etc. Es el lugar bilbaíno que, fiel a su tradición socialista, mantiene todavía el recuerdo de la utopía de la solidaridad obrera más allá de las fronteras nacionales.

En su ensayo dedicado a Nietzsche, Luce Irigaray se pregunta:

¿Qué quiere decir que el verbo se hizo carne? ¿Por qué guarda su profecía tan enorme influencia? Y a pesar de los bien sabidos horrores y represiones, ¿cómo nos explicamos todas las obras de arte producidas por esa profecía? ¿Qué energía les ha permitido enraizarse y florecer, a través de los siglos, como lugares donde lo divino vive y respira? [...] ¿No están funcionando aquí el deseo y el compartir del cuerpo? ¿No cantan aquí? ¿No pintan? ¿Esculpen? ¿Hablan? En un lenguaje que por supuesto va más allá y no llega a ninguna gramática de la razón. ·Críptico, o místico, en su lenguaje (Irigaray 1991: 179).

Esta cita puede valer para entender la exuberancia de la relación entre Marta y los *yonquies,* o entre Paulina y sus enfermos, u otras relaciones descritas más abajo, como un amor que rebasa el imperativo ideológico o la norma religiosa y llega a hacerse cuerpo. No se trata de un infantilismo que regresa a lo espiritual, sino de «la revelación», en palabras de Irigaray, de que «lo divino quiere habitar en la carne» (Irigaray 1991: 186). No la prohibición del cuerpo, sino los cuidados hechos cuerpo de los parados, las prostitutas, las monjas, los médicos, las familias, las ciudad en transformación invitaban a recordar el idioma de la revelación de lo divino. *Et incarnatus est.*

PROCESIONES BILBAÍNAS POR LA GEOGRAFÍA DE LOS VENCIDOS

Las procesiones bilbaínas que más me impresionaron a mí no fueron las de Semana Santa sino las de los parados por las calles de Bilbao. La Asamblea de Parados se reúne todas las mañanas a las 9 en la calle Prim. De allí se desplazan en grupo por las calles para mendigar un puesto de peón en alguna de las obras que se están llevando a cabo en la ciudad. Es la procesión de los indeseados, los que no disponen de ningún apoyo social o político, los que al parecer no saben ningún oficio que sirva a alguien. Los parados me dejaban ir con ellos y mi trabajo era preguntarles sobre sus vidas, pero en aquellas peregrinaciones humillantes todo resultaba tan obvio y exorbitante que yo apenas podía abrir la boca. Yo pertenecía a «los otros», al mundo de le gente con suerte. No me podía quitar de encima la pregunta: «¿Para qué sirve escribir?»

Una vez viajamos en tren los 20 kilómetros que separan Bilbao de Durango un grupo de unos ochenta hombres y mujeres. El objetivo era que en alguna de las obras en construcción cogieran a alguno como peón para un par de meses. Llegamos a una de las obras y el constructor, que ya conocía las tácticas de los parados de interrumpir la obra hasta obtener algún resultado, se negó en redondo. Ante nuestra negativa a abandonar el lugar de la obra, llamó a la policía vasca. Los parados intentaban en vano todos los medios: algunos jóvenes razonaban con el constructor en tono persuasivo; una chica joven replicaba a sus negativas en lenguaje de amigos, «eres cabezón, guapo»; otro chico, con gorra del Athletic, le miraba con ojos suplicantes. Según iba en aumento la frustración, empezaron los gritos de «¡No somos delincuentes!» y «¡Tenemos derecho al trabajo!» y, sobre todo, «¡Tenemos familias que alimentar!» Algunos empezaron a utilizar mi presencia como «periodista» para amenazarle con que saldría en la prensa al día siguiente. La respuesta del constructor era que no necesitaba trabajadores y que abandonáramos la obra inmediatamente. Tras una hora de confrontación, y con la policía preparada para cargar, al final abandonamos la obra con la mera promesa del constructor de que estaba dispuesto a hablar en el futuro con los representantes de los parados. Volvimos a Bilbao en Euskotren con la *Quinta Sinfonía* de Beethoven como música ambiental. Ni grupos de profesionales, ni organizaciones sociales, ni sindicatos, los parados parecían no disponer de ningún apoyo de nadie. Apenas estaban organizados entre ellos. Valores como solidaridad, lealtad, o dignidad, de los que la clase obrera hace gala, eran un lujo para ellos.

En otra ocasión la procesión se dirigió por el Arenal hacia Campo Volantín y Deusto. Pasamos en silencio ante el Guggenheim. De pronto, cerca ya de la Universidad de Deusto, alguien empezó a darnos gritos de ánimo desde la otra acera. El individuo, borracho ya para las diez de la mañana, dejó en el suelo las bolsas de El Corte Inglés para levantar los brazos y salir en medio de la carretera a saludarnos a gritos mientras hacía parar el tráfico. Los parados corrieron a llevarlo a su acera para evitar que fuera atropellado. Llegamos a la obra contigua al puente de Deusto. Tampoco allí había trabajo para uno o dos peones. Los parados, visiblemente incómodos, no estaban para guerras. Justo enfrente había una sala de fiestas que anunciaba *streap-tease* para la noche. El periódico del día traía la noticia de que uno de los actores de la película *Full Monty* tomaría parte la semana siguiente por las calles de Bilbao en la filmación de la película de James Bond. Los parados dieron sus nombres para avanzar en el sistema de «puntos» que decidía el orden de los futuros trabajos y abandonaron el lugar.

Atravesé el puente de Deusto con uno de los parados, Antonio. Yo camino de casa y él dirigiéndose a una cita que tenía para un posible trabajo, teníamos que pasar por delante del Guggenheim, en dirección a Mazarredo. Le pregunté a Antonio si había visitado alguna vez el Guggenheim. Me miró sorprendido; por supuesto que no. Las únicas procesiones en las que él tomaba parte eran las de los parados, no las de Semana Santa o, las preferidas por los diarios, las de los turistas en las colas de las escalinatas del Guggenheim esperando entrar al museo. Las 500 pesetas de entrada eran para él tres barras de pan y dos litros de leche, es decir, el desayuno y cena de su familia de un día. Tenía tres hijos de edades entre 13 y 18 años; su mujer tenía cirrosis biliar. Antonio llevaba ocho años sin pagar la renta del piso que era de protección oficial; los pisos de los 25 vecinos habían tenido problemas de construcción y se escudaba en que el Gobierno no se atrevería a arrojarlos por el escándalo que ello supondría. Se permitía el lujo de comprar el periódico los domingos. Había trabajado muchos años en hostelería como «extra fijo» (es decir, sin sueldo fijo, renovando el contrato cada día o semana) pero ahora preferían a gente más joven que Antonio, que tenía ya más de cuarenta años. Nos despedimos y mientras visitaba en el Guggenheim la exposición de Rauschenberg, con un BMW colgado de la pared como introducción a su sala, una cifra me venía a la mente: 28.606. Era, según había leído un par de horas antes en el tablero de la Asamblea de Parados, el número de parados que había en Bilbao.

Esa tarde, al llevar a mis hijos a la escuela, volví a ver al borracho de la mañana ante el cuartel de la Guardia Civil de La Salve. Desde el coche le pregunté quién era. Los guardias civiles se sonreían y le querían quitar de en medio. «Soy gallego», me dijo, «llevo aquí treinta años». «¿Qué haces aquí?» «Soy cantero. Podría cobrar seguro pero no lo hago». «¿Por qué no?» «Porque soy tonto. Soy de un caserío grande de piedra en Galicia. Soy un fracasado». Le miré en silencio bajo la llovizna. «Soy un fracasado, pero bastante feliz». Olía a alcohol, su rostro estaba rojo. «¿En qué cantera trabajaste?» «En las de Markina». «¡Markina!» También mi padre, que fue cantero durante más de treinta años, había trabajado a veces en las canteras de Altuna de Markina. Tal vez se conocieron.

También mi padre había viajado de joven a Bilbao. Fue en la década de los treinta, la misma en que Brecht había escrito su canción irónica sobre Bilbao. Había dejado el caserío para venir a Alonsótegui sobre la margen izquierda del Nervión, con el fin de aprender a hablar en castellano y las cuatro operaciones aritméticas para poder así encontrar un trabajo —el caserío era ya para él un lugar de memoria—. Treinta años más tarde, a fines de los sesenta, mi padre volvía a Bilbao, esta vez a visitar a su hijo que estaba en un convento de frailes pasionistas. Ese hijo era yo. Él y yo éramos también parte del espectáculo de la Pasión en Bilbao. Me llevó a Alonsótegui en su moto Montesa. Yo no me daba cuenta entonces de las similitudes entre su viaje de emigrante a la margen izquierda y el mío de seminarista a un convento —viajes que tenían que ver con los sistemas educativos y económicos de la sociedad vasca tanto de la preguerra como de la postguerra—. Para quienes habíamos tenido la suerte de huir del campo, Bilbao —con sus fábricas, sus conventos, sus universidades, sus casas de prostitución— era la ciudad que requería nuestras vidas. Era la ciudad de los amores divinos, amores empresariales, amores de la vida, para nosotros que proveníamos del monte, de la incultura, de la proximidad peligrosa con lo salvaje. La retórica del amor comprendía todo menos la ironía de Brecht.

La lectura vino a rescatarme de aquel cautiverio religioso. Recuerdo en particular el *Así hablaba Zaratustra* de Nietzsche. La retórica del amor no servía sino para los débiles, pregonaba Zaratustra. Había que sospechar de todas las verdades, sobre todo de las cristianas. Así perdí toda fe. Durante mi trabajo de campo en Bilbao volví al convento de los pasionistas. Atendí sus ceremonias de Semana Santa leyendo a Zaratustra. «¿Qué hay tan abismal en estas hipérboles?», me preguntaba recordando aquella experiencia abrasadora.

También Zaratustra, como La Palanca, se había convertido para mí en lugar de memoria, mero testigo de la conversión al ateísmo de la generación de mi juventud —como eran también fundamentalmente lugares de memoria aquella religión barroca de los pasionistas, el socialismo nacido en los barrios altos, o el nacionalismo bilbaíno de Sabino Arana—. Eran los restos que quedaban de lo que un día habíamos conocido íntimamente. Tendríamos que esperar a la experiencia de formar nuestras propias familias para recuperar la infancia y descubrir que los hijos son el pasado y la religión. La historia, de forma implacable, nos había a obligado a cambiar.

Tres décadas más tarde, mientras compartía comida con los frailes que habían sido mis educadores de juventud, el reto intelectual consistía en escribir la memoria de lo que habían sido aquellas conversiones tanto hacia dentro como hacia fuera de la religión, la filosofía, la política. Una mera reconstrucción histórica de lo que ya no existía era tarea demasiado fácil. El reto se acercaba más a la reconstrucción de lo que Nora denomina «memoria», es decir, «un fenómeno del presente [...] de emoción y magia [...] vulnerable a transferencias [...] que sitúa el recuerdo en un contexto sagrado» (Nora 1996: iii). Esta memoria es sospechosa al historiador cuya misión es demoler el pasado, vaciarlo de legitimidad. Para mi generación la labor destructora de la historia ya había tenido lugar hacía décadas; el reto era ahora recuperar el sentido de aquel lugar «arrojado por un mar de la memoria en el que ya no habitamos» (Nora 1996: vii). Era precisamente porque las voces ancestrales habían perdido legitimidad y porque el pasado era ya irrecuperable por lo que compartir mesa con aquellos hombres de fe obligaba a introducir un tiempo común —la memoria— previo y posterior a la ruptura entre su mundo y el mío. Sólo la verdad de la memoria común podía hacernos distinguir entre lo que éramos y lo que ya no. Era ésta una memoria hermética, sin referente concreto en la realidad histórica y abierto a infinidad de significados personales. La verdad de la memoria permitía tanto el duelo por el mundo simbólico perdido como la celebración de redescubrir una humanidad común antes y después de la ruptura.

El éxito del nuevo Bilbao consiste en haber sido capaz de generar centros triunfantes de rehabilitación económica y memoria colectiva urbana. El museo Guggenheim, el palacio Euskalduna, el Metro, el Aeropuerto, Abandoibarra, el parque tecnológico de Zamudio... Son los nuevos lugares dominantes del Bilbao urbano, los que proporcionan espectáculo y celebran el éxito de la ciudad, los lugares obligados de visita, orgullo e identificación ciudadana. Pero al mismo tiempo la ciudad de la arquitectura y el urbanismo triunfantes genera también la geografía de los lugares de memoria subordinados y hasta vencidos —lugares subordinados como las iglesias, los museos etnográficos, las galerías o centros de cultura; o de los lugares arruinados como La Palanca, los caseríos abandonados, la margen izquierda del Nervión, o los conventos de religiosos de ancianos—. Estos lugares son centros de refugio y acogida, a la vez que santuarios complejos de una herencia que se resiste a morir, memoria viva de lo que la gente conoció en su día íntimamente y de la que todavía se sirve para afrontar las incertidumbres del presente.

AMOR E IRONÍA: EL LIMONERO, O LA CIUDAD DONDE EL AMOR VALÍA LA PENA

Era a fines de febrero y no había en todo Bilbao un árbol más hermoso que aquel limonero en flor. No llovía aquella mañana. Mientras subía las más de sesenta escaleras de cemento hacia la residencia Bi Etxeak, la forma callada de aquel limonero en flor vigilando el jardín de la residencia empezó a resurgir y a estallar ante mis ojos. Parecía querer embrujar la ciudad entera. Casi se podían escuchar las voces de los poetas andaluces cantando a los limoneros en la luz del sur de España. Pero esto era Bilbao, mi Bilbao gris de poetas maldicientes, y en una callejuela estrangulada que se escondía tras el ayuntamiento. Esto era la residencia de enfermos terminales de sida regentada por monjas. «Tienes suerte», me dijo al llegar Encarna, la monja a cargo del centro, «Juanita está dispuesta a hablarte».

Durante sus primeros seis años de funcionamiento, la residencia Bi Etxeak había albergado a 103 pacientes de sida, de los cuales 40 habían muerto. En una de las casas residían diez pacientes; en la otra vivían las cuatro monjas que los atienden. «La gente viene aquí a morir», me avisa Encarna.

Juanita es una mujer de unos 35 años, de sonrisa fácil y acogedora. Parece no tener que hacer ningún esfuerzo para contarme sus historias de veinte años de prostitución, adicción a la heroína y abusos de los hombres con los que ha convivido. Todavía es una mujer atractiva. Su madre la envió a un colegio de monjas mientras ella practicaba la prostitución. Estuvo con las monjas hasta que, quinceañera, los amantes de su madre empezaron a perseguirle. Le dieron trabajo en uno de los clubes en los que su madre había trabajado, «inicialmente solo para bebidas», hasta que terminó ejerciendo como su madre. Se hizo heroinómana, como su compañero. Le quitaron los dos hijos que tuvo. Sus ojos brillaban al hablar de ellos, de cuán espabilados son los dos. Tras una década de haber contraído el sida, con la salud deteriorada, le diagnosticaron linfoma al corazón. Sintió un gran alivio cuando se lo comunicaron. Por fin ya no iba a tener que seguir peleando para sobrevivir. Su madre no la quería en casa y la trajeron a Bi Etxeak a morir. Pero un año después, inesperadamente, con las nuevas medicinas contra el sida, su salud se había recuperado y ahora se sentía bien. Había devuelto recíprocamente el amor de Encarna, la monja que la cuidaba, sometiéndose a una especie de conversión religiosa y casándose con su compañero sentimental. Aquella mañana me sentía yo hablando con una mujer que había vuelto de la muerte. La invadía una extraña clarividencia de su pasado y de su persona. Su sonrisa franca delataba felicidad y daba un aire de *amor fati* y de inocencia a sus experiencias más atroces. Encarna le podía hablar de la resurrección de la carne y comentar la profecía de «Destruid este templo y en tres días yo lo reedificaré», pero la profecía se había hecho vida en la experiencia de Juanita.

Hablando de sus casi veinte años de prostitución, Juanita llegó a comparar, tal vez por su nueva amistad con Encarna y sin ironía alguna, el trabajo realizado por ella en los bares de alterne con el trabajo caritativo de las monjas. Ante mi gesto de sorpresa no dudó en reafirmar que su trabajo era tan necesario como la ayuda de las monjas a los moribundos. Encarna, a su vez, hablaba de la forma más romántica de su enamoramiento con Cristo; su trabajo en Bi Etxeak no es sino una forma de expresar ese amor. Encarna y Juanita, que habían dedicado sus vidas a amores tan dispares, se declaraban un amor mutuo inquebrantable.

Pero más allá de historias de sacrificio y dolor, Juanita tenía también historias de profundo enamoramiento con sus clientes mientras ejercía la prostitución. Me relató el caso relativamente reciente de un médico gallego del que se había enamorado locamente. «¿Pero no ves cómo me tiemblan las manos?», me reprochó mi escepticismo, mientras se le humedecían los ojos. Aquello no había sido sexo o juego para ella; había sido, insistía, «verdadero amor». Esta combinación de amores entre Encarna y Juanita, tanto en sus relaciones reales recíprocas como en las que cada una guardaba en su interior, tanto en las sublimadas como en las prostituidas, las espirituales como las eróticas, es un ejemplo de la complejidad irónica de un Bilbao corpóreo y amoroso.

Thomas Mann escribió del amor:

> ¿No es grandioso, no es estupendo, que el lenguaje tenga sólo una palabra para todo lo que asociamos con el amor —desde la santidad total a la lujuria más carnal? El resultado es la claridad perfecta en la ambigüedad, ya que el amor no puede darse fuera del cuerpo incluso en sus formas más santificadas, ni tampoco carece de santidad incluso en sus formas más carnales (citado en Nehamas 1998: 19).

Esta ambivalencia entre lo más divino y lo más humano nos conduce a la ironía brechtiana, haciendo referencia a la prostitución, de «la ciudad donde el amor todavía valía la pena», así como a la ironía como discurso triunfante del arte contemporáneo emblematizado en Bilbao por la escultural floral *Puppy* de Jeff Koons (Zulaika 2003).

Desde la cultura posmoderna, los problemas que tenemos para escribir sobre qué está pasando con el amor, la familia, la muerte, la religión, el arte tienen que ver con la facilidad con que, al querer convertirlas en discurso, se convierten en experiencias irónicas. Las palabras y las relaciones pierden su significado literal y ordinario al situarlas en un contexto irónico. La ironía socrática, por ejemplo, consiste en hacer tomar al interlocutor posiciones que luego se demuestra son falsas. La ironía se convierte así, para Sócrates, en método privilegiado de conocimiento, en una estructura formal que crea un marco propio de comunicación entre autor y audiencia. Así, Brecht nos dice que la sala de cabaré bilbaína era superfantástica, pero añadiendo que no está seguro si nos va a gustar. La ironía trata de enmascarar la realidad deliberadamente, de ocultarla intencionadamente para sugerir profundidad. Pero la ironía socrática atañe en el fondo a una forma de vida. Platón hizo de Sócrates el maestro moral para el que el conocimiento de la virtud era esencial para ser un hombre virtuoso incluso cuando Sócrates sostenía que él carecía de semejante conocimiento. La genialidad de los diálogos de Platón consistió en hacer de Sócrates semejante personaje irónico, fuente inagotable de enigma, sin llegar a explicar quién era en verdad semejante maestro heroico que nunca escribió y, por tanto, se mantuvo siempre en silencio.

Para Kierkegaard la ironía «se dirige no contra esta o aquella entidad sino contra la actualidad toda de una cierta época bajo ciertas condiciones» (Kierkegaard 1965: 271). En este sentido la ironía es «infinita», es decir, va en contra de toda una cultura. Y es «negativa», en cuanto que no propone una alternativa seria a lo que critica. De esta forma la ironía crea una incertidumbre esencial. La compleja ironía socrática última es que rechaza el propio conocimiento que considera necesario para vivir una vida virtuosa. Pero aun así se fía de que está viviendo una vida ejemplar, a pesar de que no sabemos cómo es eso posible. Platón nos presenta así en Socrates una figura literaria cuyo carácter le resulta incomprensible. En resumen, la ironía es el momento de la libertad subjetiva que nos posibilita siempre un nuevo comienzo. La mirada irónica elimina la actualidad y sus pretensiones de validez. Las palabras de Kierkegaard no podían ser más actuales cuando habla del «bautizo purificador de la ironía» y de que «no es posible una vida humana auténtica sin la ironía» (Kierkegaard 1965: 338-339). Para el proyecto que consiste en narrar las brutales desestabilizaciones sufridas por las diversas identidades religiosas, artísticas, nacionalistas, familiares, ciudadanas durante las últimas generaciones, los aliados irónicos imprescindibles son tanto las mitologías del posmodernismo y del voyerismo turístico concentrado en el *kitsch* de *Puppy* como también el discurso corpóreo y esencializador de los sujetos amorosos y dolientes que encontramos en la etnografía de una ciudad como Bilbao.

«Ay, ¡si yo te contara...!» suele ser la respuesta inicial cuando se le pregunta por su vida a una mujer de la calle. No hay mucho que decir de los hombres desnudos en la cama; para entonces ya todo está terminado. Lo que interesa es el contacto inicial con los ojos de un cliente potencial, el encuentro especular donde ella revela todo su poderío sexual

sobre el necesitado cliente que, expuesto a su sonrisa seductora, caerá ante ella como animal abatido. Es la sonrisa que se apoderó de Ben en la novela de John O'Brien y que dice:

> *Puedes tal vez ser capaz de salvar mi vida, sé que yo puedo salvar la tuya. Tú me conoces, yo te conozco.* Es una afirmación de fuerza; desea pero no lo necesita. Ben entiende todo ello, pero se ve incapaz de responder. Atrapado en un círculo de inaccesibilidad lógica, piensa: no soy lo suficientemente bueno para estar contigo, y porque no voy a estar contigo, no soy lo suficientemente bueno. Su mirada se hunde abatida al instante. La chica, al no recibir la orden, se marcha. Han sucedido demasiadas cosas (O'Brien 1995: 99).

Pero la que llegó a Bi Etxeak no era ya la Juanita poderosa de la sonrisa seductora y el riesgo erótico irresistible; era la mujer desahuciada, sus hijos arrebatados de ella, abandonada hasta por su madre, con el único alivio de que la muerte era inminente, y de quien sólo unas monjas podrían sentir todavía piedad. Sólo alguien como Encarna podría atreverse a mirar al rostro de Juanita y compartir el peso de sus ojos, «bajar al pozo» con ella. La amistad surgió sin límites, con la muerte como testigo implacable.

Desde que las conocí, en la canción de Brecht suenan los ecos de Juanita y Encarna: «Aquella vieja luna de Bilbao, allí donde el amor todavía valía la pena». Sus vidas son tan excesivas que la ironía resulta insuficiente. «Soy una mujer de excesos, me cuesta tomar el camino de en medio», observó Juanita sin traza alguna de hipérbole. Con todas sus sublimaciones y prostituciones, el amor define sus vidas. Nada hay remotamente más real para ellas que el amor, pero tal vez por ello, por el peligro mortal que supone el enfrentarse cara a cara con la verdad última, ambas están obligadas a tomar parte en el juego de las artes de simular, contar historias, seducir, sublimar.

Pregunto a Juanita sobre las artes de seducción que ha debido usar en su carrera. «Todo es un juego con los ojos», me dice, «con los ojos y con la boca conjuntamente». Cuando una está en el juego, hay una «transparencia completa» en los ojos, añade. E invoca la analogía del torero: estás en el juego de la seducción, intercambiando sonrisas y rostros, invitando y resistiendo, hasta que la prostituta/torera «te da la estocada... y a la cama».

«¿Para qué vas a dejar al tigre que entre en tu habitación?», se excusaba Krens ante las alusiones de haber seducido a los vascos. Ellos lo habían deseado tanto como él. Dediqué un libro al papel decisivo y afortunado que las artes seductoras jugaron en la historia del museo Guggenheim-Bilbao (Zulaika 1997). «Soy un *séducteur* profesional [...]. Soy la mayor prostituta del mundo», me confesó Krens en referencia a sus negociaciones con los vascos. Las artes desplegadas por Juanita y sus ex compañeras son por tanto el modelo adecuado para la regeneración de Bilbao. También aquí La Palanca ha sido precursora del Guggenheim. Y no se puede olvidar la pasión que tanto Gehry como Krens han puesto en su obra. Ambos han expresado a menudo su amor por Bilbao. La comparación más expresiva que Krens suele hacer del Bilbao-Guggenheim es el Taj Mahal, el templo más esplendoroso que un príncipe jamás haya construido para su amante. No sólo el obvio deseo de poder y dinero, también la exuberancia amorosa de sus promotores hizo posible las enormes dosis de fe, seducción y riesgo que fueron necesarios para construir el museo bilbaíno (Zulaika 2001).

Pero siempre hay un peligro en el juego, insistía Juanita: que se convierta en algo «real». Estás simplemente pretendiendo que te gusta, que gozas con él, que le quieres, hasta que un día te ves esperando a que aparezca por la puerta aquel «cliente especial» para olvidarte de los demás clientes. También Krens, que utiliza el deseo de las ciudades como Don Juan el de las mujeres para su juego de poder, finalmente se quedó con Bilbao como su «cliente especial». Para entonces el juego había dejado de ser mero juego. Ser profesional en las artes de Juanita implica que el juego se mantenga en juego sin dar paso a «la realidad» del enamoramiento. Tiene que ser mera seducción, simulación, arte. «La realidad» es demasiado cercana, pesada, peligrosa. El juego del amor que debe practicar la prostituta con cada cliente exige el actuarlo, no el experimentarlo. Como cualquier actriz, observa Juanita, ella tiene que ponerse en el lugar del cliente/espectador e incluso sufrir sus problemas. Pero hay veces, como en el caso mencionado del médico gallego del que se enamoró perdidamente, que ya no cabe el control de las artes de seducción y la realidad lo invade todo. O en el caso de Encarna hablándole de la resurrección de los muertos, que ya había dejado de ser mera retórica para experimentarlo en su carne. Todo era un «juego» por supuesto, pero terminaba siendo tan «real» como el limonero en flor testigo de nuestro encuentro; o como la más reciente figuración virtual y posmoderna de Bilbao que, exacerbado precisamente por sus juegos de seducción, se hace más real en la pasión de sus cuerpos amorosos y de la vieja luna de Brecht.

OBRAS CITADAS

ARPAL, Jesús (1978): «El Bilbao de la industrialización: una ciudad para una élite». En: *Saioak*, II, 2, pp. 31-68.

BASURTO FERRO, Nieves (1990): «Los ensanches y la arquitectura de una burguesía emergente». En: GONZÁLEZ CEMBELLÍN, José Manuel/RAFAEL ORTEGA, Arturo (eds.): *Bilbao, Arte e Historia*. Tomo II. Bilbao: Diputación Foral de Vizcaya, pp. 113-143.

BUSQUETS, Julio (1984): *El militar de carrera en España*. Barcelona: Ariel.

EGIGUREN, Jesús (1994): *El socialismo y la izquierda vasca (1886-1994)*. Madrid: Pablo Iglesias.

GARCÍA MERINO, Luis Vicente (1987): *La formación de una ciudad industrial. El despegue urbano de Bilbao*. Bilbao: HAEE/IVAP.

GLASS, Eduardo (1997): *Bilbao's Modern Business Elite*. Reno: University of Nevada Press.

IRIGARAY, Luce (1991): *Marine Lover of Friedrich Nietzsche*. New York: Columbia University Press.

IZARZELAIA IZAGIRRE, Arturo (2001): *Los barrios altos de Bilbao: documentos sobre la historia de Bilbao la Vieja, San Francisco y las Cortes*. Bilbao: Aldazuri Fundazioa.

KIERKEGAARD, Soren (1965): *The Concept of Irony (With Constant Reference to Socrates)*. New York: Harper and Row.

MONTERO, Manuel (1998): «Prostitutas internas y sueltas». En: *El Correo*, 12 de julio.

NEHAMAS, Alexander (1998): *The Art of Living: Socratic Reflections from Plato to Foucault*. Berkeley: University of California Press.

NORA, Pierre (1996): «Between Memory and History». En: NORA, P. (ed): *Realms of Memory: Rethinking the French Past*. Vol. 1. New York: Columbia University Press.

O'BRIEN, John (1995): *Leaving Las Vegas*. New York: Grove Press.

SMITH, Neil (1996): *The Urban Frontier: Gentrification and the Urban Frontier*. New York: Routledge.

VÁZQUEZ ANTÓN, Carmen/ANDRIEU SANZ, Rosa (1985): *Estudio sociológico de la prostitución en Bilbao*. Manuscrito.

VICARIO, Lorenzo / MARTÍNEZ MONJE, Manuel (2003): «Another 'Guggenheim Effect'? The Generation of a Potentially Gentrifiable Neighbourhood in Bilbao. En: *Urban Studies*, 40 (12), pp. 2383-2400.

ZULAIKA, Joseba (1989): *Chivos y soldados: la mili como ritual de iniciación*. San Sebastián: Baroja.

—: (1997): *Crónica de una seducción*. Madrid: Nerea.

—: (2001): «Krens's Taj Mahal: The Global Love Museum». En: *Imperial Disclosures*. Número especial de: *Discourse*, 23, 1, pp. 100-118.

—: (2003): «In Love with Puppy: Flowers, Architecture, Art and the Art of Irony». En: *International Journal of Iberian Studies*, 16 (3), pp. 145-168.

La Palanca
© Mattin

EL CINE COMO LUGAR DE LA MEMORIA EN PELÍCULAS, NOVELAS Y AUTOBIOGRAFÍAS DE LOS AÑOS SETENTA HASTA EL PRESENTE

Jo Labanyi

Tal como reconoce Jorge Marí en su reciente libro *Lecturas espectaculares* (2003), la novelística española de las últimas tres décadas se caracteriza por la referencia repetida al cine: casi siempre al cine americano clásico de los años cuarenta y cincuenta. Las referencias cinemáticas han desempeñado papeles diversos. En algunos casos han servido para insertar la novela española en los circuitos cosmopolitas del consumismo cultural, abandonando toda referencia al contexto histórico español —por ejemplo, en las primeras novelas de Javier Marías (1971), Soledad Puértolas (1980), o Violeta Hernando (1996)—. En otros casos, han servido para elaborar una visión crítica de un pasado nacional difícil —el de la Guerra Civil y la represión posterior— que no ha sido asimilado en la conciencia tanto pública como privada, y que por tanto se expresa más fácilmente a través de la referencia histórica indirecta: es decir, el cine americano que fue consumido masivamente en los años cuarenta y cincuenta, y que tanto marcó el imaginario social de la época. En este ensayo, voy a limitarme al segundo fenómeno.

Aquí hay que mencionar una aparente contradicción. Por una parte, se ha comentado la existencia de un «*boom* de la memoria» en la España actual (Herrmann 2002), con lo cual se refiere a la proliferación en años recientes de testimonios —en forma impresa (Lafuente 1999, Reverte/Thomás 2001, Elordi 2002) o audiovisual (Camino 2002, Corcuera 2002)—

y de películas sobre la Guerra Civil y la primera posguerra (Aranda 1995, Cuerda 1999, Armendáriz 2000, Trueba 2003). También habría que destacar la «industria de la nostalgia» constituida por la reproducción facsímil de libros escolares de los años cuarenta y cincuenta (Harvey 2001), y por la reedición en vídeo de películas españolas populares de las mismas décadas. Por otra parte, este «*boom* de la memoria» ha coincidido con la constante denuncia, por parte de ciertos historiadores y críticos culturales, del «pacto del olvido» concertado en los años de la transición, para facilitar el consenso democrático: un olvido que, según estas denuncias, sigue vigente en la actualidad (Aguilar Fernández 1996, Sartorius/Alfaya 1999, Resina 2000, Rein 2002, Delgado 2003). Si hay un «*boom* de la memoria», ¿por qué la insistencia en una continuada amnesia nacional? Por un lado, tenemos aquí una evidente crítica de la fabricación de una conciencia histórica falsa, a través del consumismo neoliberal. Pero por otro lado, nos encontramos con el tradicional rechazo a la memoria de parte de los historiadores, para los cuales la historiografía, como disciplina, consiste en la documentación y análisis de los datos empíricos, mientras que la memoria es una versión subjetiva de los hechos. Los historiadores que lamentan la amnesia nacional parecen proponer como antídoto, no la memoria, sino la documentación de los hechos ignorados. Los responsables de la reciente proliferación de testimonios han sido, no historiadores, sino periodistas y cineastas documentales[1]. En el caso de España, la insistencia en la necesidad de una historiografía empírica, basada en los hechos, se explica por la falta de rigor científico de la historiografía nacional anterior, desde sus orígenes a mediados del siglo XIX, pasando por los noventayochistas, Américo Castro, y por supuesto los historiadores afiliados al régimen franquista. A diferencia de los historiadores, para los cuales la historia consiste en los hechos, los novelistas y directores de cine —los que me interesan aquí, por lo menos— han sabido que la cultura popular puede dar acceso a la vivencia de la historia precisamente porque capta, no los hechos, sino las respuestas afectivas.

Con respecto a la representación del pasado en el cine, habría que comentar otro factor: el cine sobre la Guerra Civil de las últimas dos

---

[1] Una excepción valiosa es la historiadora Ángela Cenarro, quien ha recurrido a la historia oral para captar la dimensión privada de la represión franquista en Aragón (Rein 2002: 165-188).

décadas ha optado por un hiperrealismo que nos muestra el pasado «tal como fue», sin ninguna exploración de los mecanismos de la memoria, y por tanto sin examinar los procesos que determinan la transmisión (o falta de transmisión) del pasado a las generaciones posteriores (Vernon 2002)[2]. Este hiperrealismo del cine histórico español reciente se contrasta con la representación indirecta del pasado a través de una memoria traumatizada en el cine de los últimos años de la dictadura —los casos paradigmáticos serían *El espíritu de la colmena* (1973) de Víctor Erice y *Cría cuervos* (1975) de Carlos Saura, cuyos protagonistas infantiles encarnan la importancia de la transmisión del pasado a las generaciones futuras—. Si no entendemos los procesos que determinan y obstruyen la transmisión del pasado a través de las generaciones, es imposible crear una conciencia histórica que permita a los individuos y a las colectividades asumir un compromiso personal con la historia.

En este ensayo, quisiera examinar una selección reducida de textos cinematográficos, novelísticos y autobiográficos que han recurrido al cine para recrear los espacios subjetivos a través de los cuales la historia es vivida, asimilada, recordada, y por tanto transmitida. Podría haber elegido otros textos —por ejemplo, las novelas de Antonio Muñoz Molina (1986, 1991)— pero he querido centrarme en aquellos que más explícitamente recurren al cine para establecer una relación entre la memoria y el espacio. Los textos elegidos son: la película de Víctor Erice, *El espíritu de la colmena* (1973, un texto obvio); dos novelas de Juan Marsé, *El fantasma del cine Roxy* (1985) y *El embrujo de Shanghai* (1999 [1993]) —podría también haber elegido *Si te dicen que caí* (1973) o *Un día volveré* (1982)—; y las memorias del recién fallecido Terenci Moix, *El peso de la paja,* en sus dos primeros tomos *El cine de los sábados* (1993 [1990]) y *El beso de Peter Pan* (1996 [1993])[3]. Aquí me interesa, no los «lugares de la memoria» analizados por Pierre Nora (1996-1998) —es decir, los lugares de la conmemoración pública que *sustituyen* a la memoria subjetiva; percepción ésta clave de Nora— sino más bien la

---

[2] Quizá la única excepción es la película de David Trueba *Soldados de Salamina* (2003), basada en la novela de Javier Cercas, que sigue los pasos de una joven profesora de historia al reconstruir las circunstancias del fusilamiento y salvación, en la Guerra Civil, del líder falangista Rafael Sánchez Mazas.

[3] No hago referencia al tercer tomo (1998), que trata el cine de los años sesenta, puesto que este ensayo se centra en el uso de las referencias al cine de los años cuarenta y cincuenta para captar la experiencia histórica de la posguerra.

necesaria asociación de los recuerdos subjetivos con un lugar que les confiera una realidad material, produciendo una «encarnación» del pasado. Mi punto de partida es el proyecto de investigación colectivo que actualmente dirijo, «Una historia oral del público cinematográfico en la España de los años cuarenta y cincuenta», para el cual estamos entrevistando a unas ciento cincuenta personas en Madrid y Valencia, y a unas sesenta personas más en La Coruña y Sevilla, acerca de sus recuerdos de la asistencia al cine en aquéllas décadas[4]. El último apartado de nuestro análisis analizará la memoria del cine como una forma de cartografía, en un sentido múltiple: el mapa del espacio urbano trazado por la asistencia a determinados cines; el uso y experiencia del teatro cinematográfico como espacio material; y el viaje a través del espacio que es el acto de visionar una película —espacios todos conformados por la memoria—.

Lo que nos interesa aquí es la *práctica* del espacio, tal como lo ha entendido Michel de Certeau en los dos tomos de *The Practice of Everyday Life* (Certeau 1988, Certeau/Giard/Mayol 1998): es decir, un proceso interactivo de negociación entre la organización oficial del espacio y las tácticas adoptadas por los individuos para aprovechar este espacio para sus propios fines, tácticas que, en la España de la inmediata posguerra, fueron adoptadas de manera consciente para sobrevivir en un entorno marcado por la represión y, hasta para la mayoría de los vencedores, la escasez. El tema de esta charla es, por tanto, la práctica del espacio constituida por el escapismo —entendido éste como la elección de un espacio alternativo, que no niega el entorno histórico vigente, sino que se inserta dentro de él—. Con esto, propongo un concepto del escapismo que no se opone al compromiso histórico, sino que toma la forma de lo que Paul Gilroy (1993), hablando en un contexto muy diferente, ha llamado «doble conciencia»: un ir y venir entre dos espacios[5]. Para citar a uno de nuestro entrevistados: «no hay evasión sin crítica». Para citar a

[4] El proyecto, subvencionado por el Arts and Humanities Research Board del Reino Unido, y llevado a cabo por Jo Labanyi, Kathleen Vernon, Susan Martin-Márquez, Eva Woods y Vicente Sánchez Biosca, se lleva a cabo durante el período 1999-2004. Se publicarán dos libros —uno en inglés, y otro más extenso en español con CD— acompañados por unas páginas web en forma multimedia. Las entrevistas en Madrid fueron hechas por Steven Marsh y las de Valencia por María José Millán. Los responsables de las entrevistas en La Coruña y Sevilla son José Coira y Alberto Egea Fernández, respectivamente.

[5] El libro de Gilroy se refiere a la 'doble conciencia' de la cultura negra que se produce en Europa y Estados Unidos.

otra entrevistada nuestra, refiriéndose a la atracción del cine americano
en la posguerra española: «Yo no quería vivir en Estados Unidos; pero
poder estar allí durante un par de horas era maravilloso».

Mi referencia teórica principal es el libro reciente de Giuliana Bruno
Atlas of Emotion: Journeys in Art, Architecture, and Film (2002), que
desarrolla un análisis cartográfico de la experiencia cinematográfica antes
esbozado en su libro sobre la cineasta pionera italiana Elvira Notari (Bruno 1993) y en un artículo clave en la revista cinematográfica *Wide Angle*
(Bruno 1997)[6]. Para Bruno, el cine es un arte —y una práctica— espacial
íntimamente relacionada con la arquitectura, por varias razones. Primero,
porque tuvo su origen en la vivencia acelerada del movimiento que caracteriza la ciudad moderna; Bruno hace observar que los primeros cines se
situaron en, o cerca de, lugares de tránsito (Bruno 2002: 17). Segundo,
porque la arquitectura tradicionalmente exótica de los teatros cinematográficos —algo que hoy se ha perdido— «transportaba» al público a un
lugar lejano, convirtiendo la asistencia al cine en un «viaje» a otro lugar
que existía de forma *concreta* en el aquí y ahora, encarnado en la materialidad del edificio. Y tercero, porque la cámara móvil y el montaje condu-
cen al espectador a través del espacio en un continuo desplazarse que
convierte incluso la habitación de los espacios interiores en un «viaje».
Bruno se interesa por la potencia liberadora para la mujer de esta conversión del espacio interior en un constante viajar (Bruno 2002: 86-91, 103).
Pero en la España del primer franquismo, no sólo las mujeres necesitaban liberarse de la reclusión a la vida privada, sin posibilidad de acceso a
la esfera pública. (Y no hay que olvidar la casi imposibilidad de cruzar
las fronteras nacionales salvo en el cine.)

Bruno hace notar la importancia de las películas de viajes en el desarrollo del cine de ficción además de documental. También comenta la
frecuencia en el cine del movimiento de la cámara que llamamos *travelling*. Ir al cine es, sobre todo, una forma de turismo: la experiencia de la
dislocación o, mejor dicho, la reubicación en otro lugar, llevando consigo
el equipaje del lugar de origen. Lo cual nos lleva a la doble conciencia
inherente a todo proceso migratorio (y podemos notar de paso la frecuencia en el cine del protagonista viajero —turista, refugiado o inmigrante—;

---

[6] Le agradezco a Susan Martin-Márquez, investigadora para el proyecto «Una historia oral del público cinematográfico en la España de los años cuarenta y cincuenta»,
habernos familiarizado con la obra de Bruno.

además del frecuente uso de lugares de tránsito como hoteles y barcos). Porque el cine nos hace viajar, pero también, según señala Bruno, nos instalamos en los espacios cinematográficos como si fueran un «hogar». El cine, para Bruno, «es un mapa móvil —mapa de diferencias, [...] turismo transcultural. Viaje de identidades en tránsito» (Bruno 2002: 71)[7]. Es decir, una manera eficaz de evadirse de la imposición de una identidad fija «nacional», tal como lo quiso imponer —sin éxito— la ideología franquista. Las palabras de nuestros entrevistados citadas arriba suponen, precisamente, un instalarse en dos lugares al mismo tiempo. Esta doble ubicación es lo que permite la perspectiva crítica.

Para Bruno, el espectador cinematográfico también está doblemente situado porque ocupa un espacio público (el auditorio) que le permite un espacio privado imaginario. El cine le ofrece una geografía exterior que también es geografía íntima, emocional: Bruno nos recuerda que la palabra 'emoción' significa 'mover fuera': la moción produce emoción, y la emoción nos transporta (Bruno 2002: 6-7). Según Bruno, la naturaleza espacial de la experiencia cinematográfica nos afecta de manera material, táctil, corporal. Aquí Bruno corrige la insistencia de la crítica cinematográfica, dominada por el análisis de la mirada, en el cine como un medio exclusivamente visual. Según insiste Bruno, no sólo vemos la película, sino que la habitamos. Esto hace imposible la visión panóptica o voyeurista, que intenta controlar o manejar la imagen desde una posición externa, tal como postula la teoría de la mirada elaborada por críticos como Metz (1982) y Mulvey (1989: 14-38). Incluso, según insiste Bruno, puede producirse un tipo de identificación amorosa tan fuerte que dejamos de percibir la diferencia entre el yo y el espacio que «habitamos» en la pantalla. Varios de los entrevistados para nuestro proyecto de historia oral hablaron de este olvidarse de quiénes eran y dónde estaban.

Bruno también observa que este desplazarse por una serie de lugares que es la experiencia cinematográfica es una imagen de la memoria (Bruno 2002: 222-223). Es conocido el dicho «el pasado es otro país»; el arte de la memoria renacentista, basada en modelos griegos, consistía en la asociación de cada recuerdo con un lugar, permitiendo visitar los «lugares de la memoria» posteriormente. Bruno nos recuerda que fue Ramon Llull quien, en el siglo XIII, introdujo el movimiento en los lugares de la memoria, convirtiendo el arte de la memoria en un cine precoz (Bruno

---

[7] Las traducciones al español de las citas son mías.

2002: 262-263). Decir que habitamos los espacios en la pantalla como un hogar es decir que nos movemos por ellos como nos movemos por nuestros recuerdos, además de incorporarlos a nuestra memoria futura.

Todo esto lo supieron Berlanga y Bardem cuando quisieron representar la experiencia de asistir al cine en su película *Esa pareja feliz* (1951). En una secuencia autorreflexiva, que anticipa el análisis que hace Bruno de la experiencia cinematográfica como viaje a través del espacio, el protagonista Juan, al volver a casa, encuentra una nota de su mujer, Carmen, explicando: «Estoy en el Atlántico». El montaje nos lleva del primer plano que nos permite leer esta nota, a la imagen de un transatlántico. La desorientación del espectador se aclara con el plano siguiente, que enfoca a Juan al entrar en una sala de cine y desplazarse hacia la fila de butacas donde está sentada Carmen. Con esto, nos damos cuenta retrospectivamente de que el transatlántico estaba en la pantallas del Cine Atlántico —lo cual se confirma con la secuencia siguiente de planos-contraplanos—, alternando entre la imagen de Juan y Carmen mirando hacia la pantalla y la imagen del interior del transatlántico representado en aquella. En esta secuencia Juan le explica a Carmen que la toma que están viendo —y que nosotros vemos con ellos— es un *travelling;* ella, absorta en la película (y cenando un bocadillo como si estuviera en casa), exclama extasiada: «¡Qué bonito hacer un viaje como ése!». El humor producido por esta secuencia se deriva de la doble experiencia del cine como viaje y hogar a la vez.

En *El espíritu de la colmena* (1973), al representar la experiencia del cine de pueblo de la primera posguerra, Erice nos enfrenta igualmente con la materialidad de la experiencia cinematográfica, y con la creación de una doble visión, al insertarse los espacios en la pantalla en el contexto histórico concreto del presente. La emoción de Ana, al mirar las imágenes en la pantalla, la «transporta» hasta elevarse de su silla; y entrará en los espacios de la película *Frankenstein* (Whale 1931) de manera literal cuando los reproduce en su propia vida; la emoción que le induce Frankenstein se materializa al tocarla el monstruo con la mano. A pesar de sus ojos grandes, su respuesta ante la película es táctil más que visual. Paul Julian Smith (2000: 34) ha comentado el uso por parte de Erice de espacios marcados por el paso del tiempo (ruinas, muros agrietados): guardianes de una memoria que no puede expresarse en palabras. Aquí pienso en la escena en la cual Ana inserta su pie en la huella de un pie desconocido: imagen de la transmisión —y voluntad de recepción— de la memoria como proceso material y corporal, y no verbal. La escena en

la cual los habitantes del pueblo aislado se instalan en el cine improvisado para ver la película *Frankenstein* (exhibida por un cinematógrafo
ambulante, quien les ofrece cada semana su única oportunidad de viajar)
hace hincapié en el traslado de muebles (sillas, brasero) desde la casa: el
cine les hace viajar pero están en él como en su casa. El brasero introducido en el cine improvisado por una vecina, para calentarse, convierte el
cine en un «hogar» de manera literal. En esta recreación del cine de pueblo de la primera posguerra, el cine es más que un espectáculo: es un
lugar que se habita. Por ser a la vez hogar y viaje, el cine crea una doble
conciencia que permitirá a Ana desarrollar una postura crítica. El cine
—en este caso representada por una película de terror *(Frankenstein)*—
le sirve a Erice para encarnar el proceso material —es decir, corporal—
de la transmisión de la memoria de un acontecimiento traumático —la
Guerra Civil recién terminada— que no puede expresarse a través de las
palabras. La película no sólo recuerda en 1973 la experiencia del cine de
pueblo en 1940, sino que la convierte en un lugar de la memoria que permite revivir un pasado que nadie quiere ni puede contar.

Podemos entender el interés de Erice por rodar una versión cinematográfica de la novela de Marsé *El embrujo de Shanghai*[8], puesto que la
novela, ambientada también en la inmediata posguerra, recurre igualmente a las imágenes cinematográficas para evocar la memoria de lo
irremediablemente perdido: es decir, una juventud llena de ilusiones que
se vieron frustradas por las circunstancias históricas (la desaparición del
padre del narrador en la guerra; el abandono de Susana y su madre por
parte de su padre, exiliado en Francia y viviendo con la mujer e hijo de
un compañero). La imposibilidad de viajar a Francia de Susana y su
madre, a causa de la tuberculosis de la niña, se ve compensada por la
narración fabulosa (y falsa) del viaje a Shanghai de su padre exiliado,
contada por su amigo Forcat: narración explícitamente basada en el cine
de Hollywood —al parecer, mezcla de las dos películas de Sternberg
Shanghai Express (1932) y *The Shanghai Gesture* (1941)—. Según
observa Marí (2003: 14), ésta segunda película fue exhibida en España
bajo el nombre *El embrujo de Shanghai*. La parte más extensa de la narración de Forcat consiste en el viaje en barco hasta Shanghai, recreado al

---

[8] Para el guión de la película de Erice que no llegó a rodarse, véase Erice 2001. El
productor de la película, después de una serie de discrepancias con Erice, ofreció el proyecto a Fernando Trueba, estrenándose la versión de éste en 2002.

final de la novela por el narrador, ahora mayor, al entrar en el cine Mundial (el nombre es importante), donde Susana ahora trabaja de taquillera, como lo hizo su madre en los años cuarenta. En este *replay* final, el personaje que viaja a bordo ya no es el padre de Susana sino ella misma, «trémula de lejanías», vestida del traje chino que de niña imaginaba porque lo había visto en las películas: «Susana dejándose llevar en su sueño y en mi recuerdo a pesar del desencanto, las perversiones del ideal y el tiempo transcurrido, hoy como ayer, rumbo a Shanghai» (Marsé 1999: 238). De esta manera el narrador rescata de su degradación posterior a la niña tísica que se entretenía recortando imágenes de estrellas de los anuncios y de los programas de mano que su madre le traía del cine, y que soñaba con proyecciones de cine por haber sido su padre, entre otras cosas, vendedor de proyectores alemanes. La novela insiste en el nombre y lugar exactos de los cines evocados —además del cine Mundial, se mencionan el cine Rovira y el cine Roxy— y termina con la entrada del narrador en el cine Mundial, puesto que los recuerdos del pasado que se expresan a través de las imágenes cinematográficas necesitan habitar un espacio físico: un hogar, tal como nunca lo tuvieron ni el narrador ni Susana, huérfanos de padre ambos. El cine ofrece la posibilidad de escaparse de una realidad dolorosa al transformar al espectador en viajero emocional, pero éste es un viaje de exploración de la propia casa, además de un viaje al remoto Oriente: Shanghai es el nombre del baile-taxi donde, según se rumorea, la madre de Susana trabajaba cuando conoció a su padre.

En esta novela, encontramos la imagen de la nieve que también se repite en *El fantasma del cine Roxy,* y que en ambos casos representa el olvido que encubre el pasado perdido. Es imposible no pensar aquí en la imagen de Rosebud al final de la película de Orson Welles *Citizen Kane* (1941), donde la imagen del trineo bajo la nieve tiene el mismo valor. El narrador de *El embrujo de Shanghai* imagina a su padre desaparecido muerto en una trinchera bajo la nieve, imagen falsa que su madre no desmiente «porque para un niño sin recuerdos de su padre era mejor eso que nada» (Marsé 1999: 234). En *El fantasma del cine Roxy,* el narrador —dialogando con el director acerca de la película cuyo guión escribe— evoca la imagen repetida de la nieve cayendo dentro del cine Roxy, en la inmediata posguerra, o dentro del túnel de Metro que sirvió de refugio durante los bombardeos de la guerra: imagen que enfurece al director, cuyas pretensiones artísticas no le permiten caer en lo inverosímil, pero que capta sutilmente —además de la confusión temporal— la confusión de espacio exterior y espacio interior que, para Bruno, es un aspecto clave del «viaje» cinematográfico. Las secuencias del guión —que se presentan en orden no cronológico, correspondiendo a la temporalidad de la memoria— se mezclan con los recuerdos del narrador de «la época feliz de sus aventuras infantiles con la pandilla en los espesos y ardientes cines de barrio» (Marsé 1985: 17), que a su vez se remiten a los recuerdos de Marsé (uno de los chicos de la pandilla se llama Juanito Marés). Estos recuerdos están basados en imágenes cinematográficas, puesto que los años recordados están totalmente mediados por el cine: aquí tenemos otra confusión entre espacios interiores y exteriores —entre el espacio dentro de la pantalla y el espacio fuera de ella—. Así que el narrador, al recordar los cines que frecuentó de niño, se describe «mirando galopando dentro fuera de la pantalla» (Marsé 1985: 17), mientras que Marlene Dietrich sale de la pantalla para sentarse «al borde del escenario del Roxy» (Marsé 1985: 34). El guión escrito por el narrador utiliza el montaje (encadenamientos, fundidos) para crear un viaje a través de espacios diversos que, sin embargo, no sale de «casa» (Marsé 1985: 23); también insiste en el uso del *travelling*. El director se pelea con el escritor por elegir como escenario el cine Roxy —y no otro de los cines del barrio de Gracia mencionados— puesto que este cine ya no existe: «Lo derribaron» (Marsé 1985: 19). En su libro *The History of Forgetting* (1997), Norman Klein se dedica a rescatar, no sólo los edificios derribados en Los Ángeles por la especulación constructora, sino también los recuerdos que los habitaban —y los edificios que más recuerdos albergaban eran los cines—. Klein reconoce la imposibilidad de reconstruir textualmente lo que estuvo allí antes; lo único que puede hacer es trazar la historia de una serie de desapariciones. El fantasma del título de la novela —*El fantasma del cine Roxy*— es por un lado el inmigrante andaluz Vargas (otro viajero), pero por otro lado el fantasma es el cine Roxy mismo, que sigue rondando el presente después de desaparecido. Esta necesidad de rescatar el espacio físico del cine derribado, a través de la memoria, es algo que no sabe apreciar el director, más joven, cuya experiencia del cine ha sido a través del vídeo.

En las memorias de Moix —cinéfilo de por vida— tenemos una exploración sofisticada del papel del cine en la autoconstrucción del autor en la infancia y adolescencia. El primer tomo —*El cine de los sábados*— empieza en Roma en 1969, permitiendo una discusión de su afición a los viajes, y sobre todo su fascinación con el antiguo Egipto —escenario de varias novelas suyas— debida a la fuerte impresión que le produjo la primera película en color que vio a los cinco años, en 1948: *Caesar and Cleopatra* (Pascal 1945)[9]. Desde el principio, el cine tuvo la función de llevarle a países donde podía disfrutar de la sensación de ser «un extraño». Su memoria está llena de ciudades (Moix 1996: 18), como lo es de películas, puesto que ambas le proporcionan el placer del viaje. Moix también hace notar que, con el vídeo, el cine no tiene la misma relación fuerte con la memoria, puesto que ya no se asocia con el espacio físico de determinado teatro cinematográfico. Moix insiste en detallar no sólo los nombres y lugares de los cines donde vio las muchas películas mencionadas, sino también su decorado, ambiente y olor, y el recorrido del barrio o de la ciudad que tuvo que hacer para llegar a ellos: la Barcelona que recuerda es un mapa de las casas donde vivió (dos) y de los cines que frecuentó (muchos). Efectivamente, en varias ocasiones utiliza las palabras «hogar» o «domicilio» para referirse a los cines frecuentados. Su amor al melodrama lo atribuye al hecho de casi haber nacido en un cine mientras sus padres veían la primera versión de *Luz de gas* (Dickinson 1940) (Moix 1993: 56). Una de las entrevistadas por nosotros también empezó a sentir los dolores del parto en el cine, pero ella insistió en quedarse hasta el final de la película, una de Hitchcock (*Dial M for Murder*, 1953). Para Moix, la historia de su vida no puede ser otra cosa que el relato de las películas que vio, puesto que «Los amores mueren, los afectos traicionan, la propia obra envejece. Sólo el cine se queda y manda» (Moix 1993: 79). Y el cine es memorable porque es una experiencia del espacio; o, más bien, de los espacios: la experiencia, para citar a Moix, de una «geografía pródiga» (Moix 1993: 83). El cine coincide con la memoria, por ser ambos una forma de turismo, según Moix reconoce (Moix 1993: 85). Y este «viaje» que es el cine es un viaje corporal, experimentado como una subyugación (habla de las estrellas que lo «dominaron»), puesto que el espectador no mira las imágenes desde fuera, desde una posición de control, sino que la cámara, al cautivarle, le hace entrar en los espacios representados en la pantalla: por eso, el cine «manda». También el espacio arquitectónico de los teatros cinematográficos se asocia, para Moix, con el cuerpo, a causa de los dibujos de las fachadas de los cines que aparecían en las páginas cinematográficas de las revistas de moda de su madre, modista (Moix 1993: 153) —cuyos defectos le perdona por

[9] Después de su temprana muerte en 2003, las cenizas de Moix fueron esparcidas en el Valle de los Reyes, en Egipto, tal como había querido (*El Mundo* 2003).

ataviarse como Lana Turner o comportarse como Scarlett O'Hara (Moix 1993: 128, 147)—. Las entrevistas para nuestra historia oral del público cinematográfico de los años cuarenta y cincuenta confirman la influencia del cine de Hollywood en la moda, tanto masculina como femenina, tema antes comentado, con relación al público cinematográfico inglés, por Stacey (1994) y Kuhn (2002).

Para Moix, el cine se asocia con el espacio también por su costumbre infantil de recortar imágenes de los anuncios cinematográficos publicados en la prensa o exhibidos en la granja de sus padres (a cambio de lo cual la familia obtenía entradas gratis): actividad que le convirtió en coleccionista —es decir, memorialista— desde niño (Moix 1996: 41). Insiste en la ventaja de la foto sobre la imagen móvil, puesto que, en la foto, la imagen de la estrella queda fija y presa, de por vida (Moix 1993: 166). Mientras que las películas, y los cines, desaparecen. Pero, por eso mismo, son valorados. Al igual que Marsé, Moix evoca repetidamente los cines que luego desaparecieron. Incluso en la adolescencia buscaba los cines —por muy lejos que estuvieran— que ponían una película que había visto en su infancia (Moix 1996: 68). El título *El beso de Peter Pan* del tomo segundo de sus memorias hace explícito este deseo de parar el tiempo, no en el sentido de abolir la historia, sino en el de conservar la vivencia del pasado.

La modernidad ha tenido un problema con la memoria, puesto que ha supuesto que hay que romper con el pasado —la tradición— para conseguir el progreso. Los textos que hemos analizado pueden llamarse conservadores, no en el sentido de ser de derechas sino en el de querer conservar el recuerdo de lo que es amenazado por el olvido. En los tres casos, lo amenazado por el olvido es el período de la posguerra, que tanto se opone a la acelerada modernización de la España reciente. El cine ofrece una manera eficaz de recordar aquellos años duros, no sólo por su popularidad en la época, sino porque nos embarca en un viaje a través de los espacios que permite una encarnación material del pasado. Esto es una visión de la historia basada no en el empirismo —la reconstrucción de los hechos— sino en el intento de captar las huellas emocionales —corporales— dejados por un pasado que no se puede reproducir directamente. El cine no como espejo de una época, sino como historia de la subjetividad. Y la historia de la subjetividad es la memoria.

OBRAS CITADAS

AGUILAR FERNÁNDEZ, Paloma (1996): *Memoria y olvido de la Guerra Civil española*. Madrid: Alianza.

ARANDA, Vicente (dir.) (1995): *Libertarias*.

ARMENDÁRIZ, Montxo (dir.) (2000): *Silencio roto*.

BERLANGA, Luis/BARDEM, Juan Antonio (dirs.) (1951): *Esa pareja feliz*.

BRUNO, Giuliana (1993): *Streetwalking on a Ruined Map: Cultural Theory and the City Films of Elvira Notari*. Princeton, NJ: Princeton University Press.

—: (1997): «Site-seeing: Architecture and the Moving Image». En: *Wide Angle*, 19, 4, pp. 8-24.

—: (2002): *Atlas of Emotions: Journeys in Art, Architecture and Film*. New York: Verso.

CAMINO, Jaime (dir.) (2002): *Los niños de Rusia*.

CERTEAU, Michel de (1988): *The Practice of Everyday Life*. Berkeley: University of California Press.

—:/GIARD, Luce/MAYOL, Pierre (1998): *The Practice of Everyday Life*, vol. 2. Minneapolis: University of Minnesota Press.

CORCUERA, Javier (dir.) (2002): *La guerrilla de la memoria*.

CUERDA, José Luis (dir.) (1999): *La lengua de las mariposas*.

DELGADO, L. Elena (coord.) (2003): *Re/Constructions*. Número especial de: *Journal of Spanish Cultural Studies*, 4.1.

DICKINSON, Thorold (dir.) (1940): *Gaslight*.

EL MUNDO (2003): «Fallece el escritor Terenci Moix». En: *El Mundo*, 2 de abril. En: http://www.el-mundo.es/elmundo/hemeroteca/2003/04/02/m, (07/04/03).

ELORDI, Carlos (coord.) (2002): *Los años difíciles: El testimonio de los protagonistas anónimos de la guerra civil y la posguerra*. Madrid: Aguilar.

ERICE, Víctor (dir.) (1973): *El espíritu de la colmena*.

—: (2001): *La promesa de Shanghai*. Barcelona: Plaza & Janés.

GILROY, Paul (1993): *The Black Atlantic: Modernity and Double Consciousness*. London: Verso.

HARVEY, Jessamy (2001): «The Value of Nostalgia: Reviving Memories of National-Catholic Childhoods». En: *Journal of Spanish Cultural Studies*, 2, 1, pp. 109-118.

HERNANDO, Violeta (1996): *Muertos o algo mejor*. Barcelona: Montesinos.

HERRMANN, Gina (2002): «A Usable Nostalgia for Spain: Oral History and the Novel». En: *Journal of Romance Studies*, 2, 2, pp. 71-90.

HITCHCOCK, Alfred (dir.) (1953): *Dial M for Murder*.

KLEIN, Norman M. (1997): *The History of Forgetting: Los Angeles and the Erasure of Memory*. London: Verso.

KUHN, Annette (2002): *An Everyday Magic: Cinema and Cultural Memory*. London: I. B. Tauris.

LAFUENTE, Isaías (1999): *Tiempos de hambre*. Madrid: Temas de Hoy.

MARÍ, Jorge (2003): *Lecturas espectaculares: El cine en la novela española desde 1970*. Barcelona: Ediciones Libertarias.

MARÍAS, Javier (1971): *Los dominios del lobo*. Barcelona: Edhasa.

MARSÉ, Juan (1973): *Si te dicen que caí*. México: Editorial Novaro.

—: (1982): *Un día volveré*. Barcelona: Seix Barral.

—: (1985): *El fantasma del cine Roxy*. Madrid: Almarabu.

—: (1999 [1993]): *El embrujo de Shanghai*. Barcelona: Plaza & Janés.

METZ, Christian (1982): *The Imaginary Signifier: Psychoanalysis and the Cinema*. Bloomington: Indiana University Press.

MOIX, Terenci (1993) [1990]: *El peso de la paja*, Vol. I: *El cine de los sábados*. Barcelona: Plaza & Janés.

—: (1996) [1993]: *El peso de la paja*, Vol. 2: *El beso de Peter Pan*. Barcelona: Plaza & Janés.

—: (1998): *El peso de la paja*, Vol. 3: *Extraño en el paraíso*. Barcelona: Planeta.

MULVEY, Laura (1989): *Visual and Other Pleasures*. London: Macmillan.

MUÑOZ MOLINA, Antonio (1986): *Beatus ille*. Barcelona: Seix Barral.

—: (1991): *El jinete polaco*. Barcelona: Planeta.

NORA, Pierre (coord.) (1996-1998): *Realms of Memory*. New York: Columbia University Press.

PASCAL, Gabriel (dir.) (1945): *Caesar and Cleopatra*.

PUÉRTOLAS, Soledad (1980): *El bandido doblemente armado*. Madrid: Legasa.

REIN, Raanan (coord.) (2002): *Spanish Memories: Images of a Contested Past*. Número monográfico de: *History & Memory*, 14, pp. 1-2.

RESINA, Joan Ramon (ed.) (2000): *Disremembering the Dictatorship: The Politics of Memory in the Spanish Transition to Democracy*. Amsterdam/Atlanta: GA: Rodopi.

REVERTE, Jorge M./THOMÁS, Socorro (2001): *Hijos de la guerra: Testimonios y recuerdos*. Madrid: Temas de Hoy.

SARTORIUS, Nicolás/ALFAYA, Javier (1999): *La memoria insumisa: Sobre la dictadura de Franco*. Madrid: Espasa.

SAURA, Carlos (dir.) (1975): *Cria cuervos*.

SMITH, Paul Julian (2000): «Between Metaphysics and Scientism: Rehistoricizing Víctor Erice». En: *The Moderns: Time, Space and Subjectivity in Contemporary Spanish Culture*. Oxford: Oxford University Press, pp. 23-41.

STACEY, Jackie (1994): *Star Gazing: Hollywood Cinema and Female Spectatorship*. London: Routledge.

STERNBERG, Joseph von (dir.) (1932): *Shanghai Express*.

—: (dir.) (1941): *The Shanghai Gesture*.

TRUEBA, David (dir.) (2003): *Soldados de Salamina*.

TRUEBA, Fernando (dir.) (2002): *El embrujo de Shanghai*.

VERNON, Kathleen (2002): «War and Historical Memory» (conferencia inédita, dada en el King Juan Carlos I Center, New York University, 18 de diciembre).

WELLES, Orson (dir.) (1941): *Citizen Kane*.

WHALE, James (dir.) (1931): *Frankenstein*.

LA CONSTRUCCIÓN DEL TIEMPO: DOS DOCUMENTALES CREATIVOS

Paul Julian Smith

Como ya es sabido, la definición de *lieux de mémoire* ofrecida por Pierre Nora es compleja e, incluso, contradictoria. En la presentación a su obra colectiva, Nora hace unas precisiones iniciales. En primer lugar, su definición es muy extensa:

> Ces lieux, il fallait les entendre à tous les sens du mot, du plus matériel et concret, comme les monuments aux morts et les Archives nationales, au plus abstrait ou intellectuellement construit, comme la notion de lignage, de génération ou même de région ou d'*homme-mémoire* (Nora 1984: vii).

Si el lugar es más bien encrucijada *(carrefour),* está dotado de dimensiones múltiples: es historiográfico, etnográfico, psicológico, y político. Hasta tiene una dimensión «literaria». Dice Nora: «l'intérêt [littéraire] repose sur l'art de la mise en scène et l'engagement personnel de l'historien» (Nora 1984: viii). Paradójicamente la memoria no excluye el olvido: «la mémoire [...] ne s'oppose pas à l'oubli, qu'elle englobe, et ne s'identifie pas au souvenir, qu'elle suppose». Sigue Nora: «Plus qu'une exhaustivité impossible à atteindre, comptent donc ici les types de sujets retenus, la qualité du regard».

En la introducción propiamente dicha de la obra, Nora entra en el tema espinoso de la relación entre memoria e historia o «la problématique des lieux» (Nora 1984: xvii). La sociedad francesa ha sufrido una «mutilation sans retour», debida a «l'acceleration de l'histoire», cuyo ejemplo por antonomasia es «la fin des paysans». En reacción a este proceso violento «La mémoire s'enracine dans le concret, dans l'espace, le geste, l'image et l'objet [mientras que] l'histoire ne s'attache qu'aux continuités temporelles, aux évolutions et aux rapports des choses». Dicho de otra manera, más concisa, la memoria es «absoluta» y la historia conoce nada más que «lo relativo». Hay tres tipos de memoria: La memoria-archivo («précis, matériel, concret, visible»); la memoria-deber («[qui] fait de chacun l'historien de soi [et qui] pèse sur l'individu»); la memoria-distancia («non plus une continuité retrospective mais la mise en lumière de la discontinuité») (Nora 1984: xxvi-xxxi). Finalmente la memoria rechaza los grandes acontecimientos: «La mémoire s'accroche à des lieux, comme l'histoire à des événements» (Nora 1984: xxxix).

Como ya se habrá notado, aunque Nora y sus colaboradores no dan muestras de interés por el cine, el lenguaje que emplean («la qualité du regard», «la mise en lumière») se ajusta estrechamente al hecho cinematográfico. En este artículo quisiera analizar dos documentales o pseudo-documentales españoles a la luz de esta distinción de Nora, elusiva y problemática, entre memoria e historia. *En construcción* (2001) es el cuarto largometraje del catalán José Luis Guerín, cineasta más cotizado por la crítica que por el público. Ubicado en el Raval (anteriormente Barrio Chino) de Barcelona, el filme narra la construcción de un bloque de viviendas bastante lujoso dentro de un contexto urbano concentrado, empobrecido, y poblado por personas (si no personajes) variopintos: el ex-marino hombre-memoria, la joven pareja *yonqui*, el albañil marroquí. En esta «cotidianidad quebrada por el estruendo de los derribos» (la frase es de Guerín) atestiguamos una mutación del paisaje urbano y objetivo que es también un cambio humano y subjetivo. Galardonado con varios premios (entre ellos el Goya al mejor documental), *En construcción* tardó tres años en rodarse y se sirvió de una forma única de filmación: el director nominal empleó a cuatro jóvenes, alumnos suyos en el máster de documental artístico de la Universidad Pompeu Fabra (Pulido Samper 2003). Este equipo de principiantes, a diferencia de un profesional, podía permitirse el lujo de un trabajo prolongado. A pesar de la aparente neutralidad de su realización colaboradora, *En construcción* constituye una reflexión histórico-política, que propone unos comentarios bastante directos sobre problemas sociales tales como la marginación social, la relación droga-prostitución, y la explotación de los inmigrantes.

Fuente Álamo, la caricia del tiempo (2001), ópera prima del joven Pablo García, comparte mucho con *En construcción* en cuanto al proceso de producción y el carácter estético. Rodado también durante unos tres años en un pueblo de la provincia de Albacete, *Fuente Álamo* documenta un día de verano en que los habitantes (actores no profesionales otra vez) emprenden sus actividades cotidianas: una anciana (abuela del director) se hace el desayuno, un labriego conduce su tractor, unas niñas se bañan en el aljibe, y unas jóvenes trabajan en la pequeña empresa de calzados. Por la noche hay fiesta: es el baile anual de los 'gazpachos', plato típico de la localidad que en este caso se asemeja a la paella valenciana. A diferencia del casco urbano de *En construcción,* el espacio rural de *Fuente Álamo* parece idílico, desprovisto de problemas sociales y hasta de historia. Cuando tres ancianos charlan en la sobremesa, la conversación es de amoríos y chiquilladas. Si el tiempo «acaricia» al pueblo, es (según la distinción de Nora) el tiempo absoluto de la memoria, que rehuye el tiempo relativo o acelerado de la historia.

Examinemos más detenidamente las dos películas. Según las declaraciones de Guerín, *En construcción* es sobre todo improvisación. En el «terreno» urbano, el equipo buscó «convivir, conocer y rodar: así, por este orden» (*Zinema.com* 2001). Fundamental fue la forma de producción: no hubo guión previo (aunque Guerín se autodefine como «guionista y director») y el rodaje y el montaje eran simultáneos. Según la crítica, no es una obra tradicional y deductiva (derivada de un conceptualización preexistente) sino un evento innovador e inductivo (elaborado desde los materiales encontrados al azar) (Sánchez 2001). El cartel de la película reconfirma esta sensación de cotidianeidad espontánea: se ven las ventanas conocidas de Barcelona, unas con ropa tendida al aire, la más pura imagen de una colectividad anónima.

Al mirar la película el espectador experimenta unas secuencias al parecer desconectadas o unas imágenes autónomas: las palomas al vuelo y las excavadoras que crujen, la chica hermosa y recatada que tiende la ropa y el joven albañil que la saluda; la tertulia de los ancianos (añorando «el sabor del pa-la-dar») y el hogar de los jóvenes *yonquies* (maquillándose ella para hacer la calle). Como dice Nora, aquí el arte de la memoria está en la elección de los sujetos retenidos (Nora 1984).

Pero, como dice el director, esta realidad es «espectáculo»: «la cotidianeidad es un material de primer orden». Y si el objetivo primordial de la película es ser memoria-archivo (documentar la transformación urbanística y humana), paulatinamente se percibe su intención ulterior: la memoria-deber. Historiadores de sí mismos, los personajes de Guerín, sienten el peso de la historia de la forma más literal. Entre las secuencias más emocionantes, e incluso inquietantes, está aquella en que la joven prostituta lleva a su pareja a hombros, transportándolo a lo largo de la calle. La ciudad se ha acelerado, pero sus habitantes tropiezan con la carga de su propia historia, una carga de la que no pueden desprenderse. El ritmo lento de tales planos-secuencias, que ha desanimado a más de un espectador, acerca el filme al llamado *real time,* el tiempo absoluto de la filmación y, según Nora, de la memoria. Más concretamente, este ritmo pausado aleja la obra ya consagrada de Guerín de la llamada «polución» televisiva y hollywoodiana, notoriamente rápida, según la crítica catalana (Casas 2001).

Al final de *En construcción* entra en vigor el último tipo de memoria, la de la distancia. Guerín nos propone, irónicamente, dos puntos de referencia cronológica. En una secuencia nocturna típicamente sugerente, vislumbramos por las ya conocidas ventanas del barrio pantallas de televisión. Todas muestran la misma película, *Valley of the Pharaohs* de Howard Hawks, en la que los osados arquitectos de las pirámides se ven aniquilados por los imponentes monumentos erigidos por ellos mismos. El comentario político sobre el nuevo bloque peca de obvio. Pero también nos propone Guerín escenas de los futuros propietarios de las nuevas viviendas, jóvenes profesionales catalanoparlantes que no tienen nada que ver con el lumpen hispano con quienes hemos convivido durante 120 minutos. En estos interiores blancos y estériles se anula la continuidad retrospectiva de los vecinos ancianos y se concreta la «puesta en luz» (la frase es de Nora) de una discontinuidad radical.

Al derribar la primitiva vivienda se descubre un cementerio romano. Los comentarios ingenuos de los vecinos dan muestras de esta pérdida de memoria histórica: cuando un anciano comenta que los romanos no hablaban castellano, su amiguete pregunta si era catalán lo que hablaban; y una dama preocupada sugiere que los esqueletos son víctimas de la Guerra Civil. La ciudad, encrucijada del olvido y de la memoria, se presta entonces a una mirada etnográfica, psicológica, y hasta política, característica del cine de autor de Guerín.

En cambio, el espacio rural de Pablo García parece no participar en ningún proceso arqueológico. *En construcción* yuxtapone el fluir del tiempo (la construcción de la vivienda) con la concentración del espacio (la superimposición de capas históricas que persisten a pesar de la aceleración del cambio). *Fuente Álamo,* centrado en un solo día (aunque rodado durante tres años), nos confronta con un presente eterno en el que la historia ni siquiera interviene. Según las declaraciones del director, hijo y nieto de vecinos, la intención es sencillamente «reflejar la vida de un pueblo desde amanecer hasta anochecer». Es una «película cotidiana» cuya realización fue basada en «la relación cercana» del director a sus personajes, quienes tienen confianza en él (*Cine por la Red* 2003, Smith 2002).

Sin embargo (y como en *En construcción*), *Fuente Álamo* tiene guión, escrito por el mismo director, y revela una planificación y montaje sutilmente elaborados. Pablo García emplea una cámara habitualmente inmóvil por la que entran y salen los habitantes del pueblo; y construye secuencias a base de planos paralelos. Las niñas se bañan y las obreras disfrutan de su exigua comida; o bien el pastor llama a su perro, mientras que el tractorista labra la tierra. La banda sonora es muy trabajada, caracterizada por *sound bridges* o «puentes sonoros», como en la secuencia en que la abuela riega las plantas en su casa mientras se oyen los gritos alegres de los niños que juegan al fútbol en la calle. La yuxtaposición de personajes de edades diferentes, tan consciente, sugiere que el objetivo de la película (como lo describe García otra vez) es «la reflexión: hablar sobre el tiempo». Es un ritmo lento que se contrasta no solo con la vida acelerada y amnésica de la ciudad sino con la televisión que es, según García, «continuamente imagen» (Smith 2002).

No es de extrañar, entonces, que tanto Guerín como García citen entre sus influencias al mismo director: Ozu, el maestro japonés de la cotidianeidad y del fluir del tiempo. Con su puesta en escena artística y su compromiso personal (él mismo se ve de niño en una foto en la casa de la abuela), García coincide con la dimensión «literaria» de la memoria histórica propuesta por Nora. Forrado de objetos y gestos concretos (el entretejer del esparto, el preparar de un «gazpacho» de conejo), *Fuente Álamo* alude también a elementos más abstractos de los lugares de memoria: el linaje, las generaciones, y la región. Y como en *En construcción,* el arte está en la elección de los objetos y la calidad de la mirada, elementos imprescindibles de la memoria histórica.

Sin embargo, a diferencia de Guerín, García ensalza las continuidades. Aunque se hable alguna vez de «los turistas», no se les ve: el enfoque son los ritos localistas (la fiesta) e incluso el lenguaje típico del lugar («un vinete dulcete»; «una chica bonica»), la película rechaza los grandes acontecimientos que han traumatizado el campo e impuesto en muchos sitios un final a la vida campesina tan definitivo como en la Francia de Nora. En este pueblo lleno de niños no se percibe la despoblación tan típica de la demografía española. Es notable que en la fiesta final intervienen todas las generaciones: las parejas maduras aventuran unos pasos de baile; los adolescentes se animan con el sonido más rockero de los Cronopios. Al parecer no hay conflicto entre las generaciones que comparten tanto el encuadre como la mezcla sonora. Sorprende descubrir que *Fuente Álamo* es en realidad enclave de varias urbanizaciones alemanas y heredero de múltiples restos arqueológicos. Cuando las niñas van en bicicleta al lado de unos edificios ruinosos, no se sabe qué son estos restos arquitectónicos, ni de dónde vienen. En el cartel se ve a dos chicos semidesnudos tomando al sol, disfrutando de un día de verano que parece eterno (y que fue, de hecho, reconstruido con tres años de rodaje).

Pero si se niegan las señales de la «mutilación» histórica (nadie en este pueblo pacífico y aseado menciona la guerra o el franquismo), *Fuente Álamo* es sin embargo una suerte de encrucijada en la que la mirada etnográfica y comunal se cruza con la mirada psicológica y personal. A pesar de las transparentes diferencias entre ellos, entonces, estos dos documentales artísticos comparten una característica final. El lugar de memoria es para Nora *templum* (en el sentido etimológico de 'espacio cortado o apartado'):

> *Templum*: découpage dans l'indeterminé du profane —espace ou temps, espace et temps— d'un cercle à l'intérieur duquel tout compte, tout symbolise, tout signifie. En ce sens, le lieu de mémoire est un lieu double; un lieu d'excès clos sur lui-même [...] mais constamment ouvert sur l'étendue de ses significations (Nora 1984: xli).

A la vez abierto y cerrado, calado en el fluir del tiempo y la extensión del espacio, el *templum* es una buena imagen de la pantalla cinematográfica en general y de estos documentales en particular. De hecho las dos horas de *En construcción* se concentraron de unos centenares de horas de rodaje. Y los acontecimientos más mínimos de *Fuente Álamo* (la abuela que da de comer a sus tortugas y pajaritos) se benefician o se consagran por medio de su separación formal *(découpage)* del fluir indeterminado de la vida cotidiana o «profana» que los envuelve. Las dos películas dan muestras incontrovertibles de la «frágil felicidad» propia del arte para Nora, la cual surge de la renovación de la relación al objeto («le rapport à l'objet refraichi») (Nora 1984: xlii). Aunque al parecer la vida no ha cambiado nada para las personas o personajes, sean como sean, de *En construcción* o *Fuente Álamo* (aunque el albañil poético y revolucionario magrebí aceptó el Goya por Guerín), las dos películas demuestran de forma magistral que la memoria es captada por la historia, que la memoria ya es la historia (Nora 1984: xxv).

OBRAS CITADAS

CASAS, Quim (2001): «José Luís Guerín: un cinema construït». En: http://www.bcn.es/publicacions/b_mm/bmm57/bmm57_124.htm, (01/09/03).

CINE POR LA RED (2003): «Ficha técnica de *Fuente Álamo*». En: http://www.porlared.com/cinered/cine/peliculas/p03_138.html, (01/09/03).

GARCÍA, Pablo (2001): *Fuente Alamo, la caricia del tiempo.*

GUERÍN, Jose Luis (2001): *En construcción.*

NORA, Pierre (1984): *Les Lieux de mémoire.* Tomo I. Paris: Gallimard.

PULIDO SAMPER, Javier (2003): «Piedra sobre piedra». En: http://www.cinestrenos.com/cartelera/critica/construccion/construccion.htm, (01/09/03).

SÁNCHEZ, F. J. (2001): «En construcción: pistas que se brindan». En: http://www.arrakis.es/~maniacs/Con02.htm, (01/09/03).

SMITH, Paul Julian (2002): «Entrevista con Pablo García, director de *Fuente Álamo*» (realizada el 16 de noviembre).

ZINEMA.COM (2001): «Ficha técnica de *En construcción*». En: http://www.zinema.com/pelicula/2001/enconstr.htm, (01/09/03).

CARLOS Y CAROLUS: DOS MEMORIAS

José Luis Villacañas Berlanga

1. PRIMER LUGAR DE LA MEMORIA: UN INVIERNO EN ÚBEDA

Hay un lugar casi borrado en mi memoria que sólo emergió a la conciencia ante la necesidad de escribir este ensayo. Quizá esa circunstancia lo haya salvado de quedar sepultado para siempre. Y aunque se trata de un recuerdo personal, no sé por qué lo juzgo significativo de algo que me trasciende, que tiene relevancia política. Al recordarlo, nos aproximamos a un pasado arcaico que es mucho más profundo de lo que puedo atisbar al identificarlo como un hecho real de mi vida privada. No es un recuerdo siniestro, aunque por un extraño mecanismo haya quedado sepultado desde mi infancia hasta ahora. Y ahora, cuando regresa, no lo juzgo como si hubiera debido quedar oculto, sino como un gesto feliz de reapropiación. Es curioso que Freud no tenga un concepto para este fenómeno de lo que retorna como un don. Describo algo parecido a lo que le sucede al personaje de *Fresas Salvajes*. Sueña el viejo Isak Borg con un reloj sin agujas, un reloj inútil por el que no pasa el tiempo, un reloj que también se ha parado, como la vida. El doctor Borg, en el viaje hacia Upsala, donde ha de recibir un sentido homenaje, hace una breve visita a su madre. Allí descubre que ese reloj con el que sueña fue el regalo de su padre. No es una irrupción de lo siniestro, sino de algo que ahora ilumina la vida común y une a las dos personas en una misma obsesión, que en el caso de Bergman no es sino la muerte. En ese momento, sabemos que el personaje ha cargado con el alma de su padre, conformada por la caricia permanente de esa obsesión por la parálisis final. El gran egoísta que siempre ha creído ser Borg, allí se revela como el hombre concentrado que ha perseguido sus recuerdos con la obstinación de un hombre fiel a la memoria de su padre.

Es un invierno lluvioso en la lejana Úbeda, una tierra honda de olivos, en Andalucía. Cuando el invierno venía bien, y se presentaba temporal, las lluvias se prolongaban por semanas. No recuerdo haber escuchado nunca a ningún campesino decir que hubiera llovido bastante. No sé de dónde venía esta ansia de lluvia, nunca satisfecha, pero desde luego debía venir de siglos, pues no se calmaba jamás. Esa sed también es la mía, desde luego, y observo en mí una felicidad que no es enteramente mía cuando llueve. En esos temporales, los viejos campesinos se entregaban, como los pescadores, a reparar los aperos y a tejer con esparto los cestos, las sogas, las espuertas. Aquel invierno, sin embargo, mi padre no hizo pleita, que es como se llamaba a esta faena. Había regresado un viejo amigo de Toulouse, un tal Quintana. No sé por qué, este nombre resuena todavía en mí con los ecos de la educación y el refinamiento. No era raro encontrar campesinos elegantes, pero Quintana venía de Francia y se notaba. En realidad, nadie sabía muy bien por qué se había ido ni por qué había vuelto. Desde luego, era socialista y, lo que sonaba a nuestros oídos de forma mucho más impactante, protestante. Animaba a mi padre a ir a los oficios de la pequeña iglesia reformada de Úbeda, que tenía siempre los cristales rotos por las piedras que tiraban los chiquillos. «Protestante» era en mi infancia un insulto entre los escolares, que gritaban una y otra vez esta palabra contra los supuestos herejes, quizá por el placer salvaje de poner en sus labios algo misterioso y peligroso. En realidad, un misterio era que hubiera protestantes en Úbeda, algunos de cuyos hijos eran reconocidos como tales en mi escuela de los padres jesuitas, gracias a las maledicencias de los vecinos. Recuerdo cómo se llegaba a hacer llorar a uno de ellos, que apenas tendría una idea de lo que significaba aquel insulto con el que, a su pesar, cargaba.

El caso es que Quintana le dejó a mi padre aquel temporal un libro. Nosotros teníamos en casa un viejo ejemplar del *Quijote,* que no tenía pastas, y que en los inviernos se releía una y otra vez. En realidad, aquella nueva lectura de temporal era algo más que un libro. Era una serie entera, de varios volúmenes. Lo recuerdo muy bien: formato muy grande, tapas muy duras, rojas, grandes letras capitulares, magnífica letra y papel satinado, sin duda una de esos monumentos tipográficos de la imprenta catalana del siglo XIX o principios del XX. Ese libro era la biografía de

Carlos V. No puedo saber quién era el autor. No era Sandoval[1], pero puede que sea Santa Cruz[2]. El caso es que la placidez de aquella lluvia de poniente, lenta y callada, se vio rota por la vergüenza, el escándalo, la perplejidad, la furia de mi padre, que no daba crédito sencillamente a los crímenes del emperador. Era la respuesta de un alma sencilla ante la inhumana abyección de los poderosos. Nada de lo que había visto en su vida, y era vida atravesada por las pesadillas de la Guerra Civil, que todavía le robaban el sueño mucho tiempo después de vivirlas, podía compararse con aquella historia terrible. Lo recuerdo bien: los estallidos de las exclamaciones, doloridas y asqueadas, los gritos incrédulos, los insultos constantes ante una vida que siempre superaba los abismos de su propia perdición moral. Luego, cuando la gota corroía el cuerpo del Káiser, cuando los gusanos empezaban a disputarse las carnes todavía en vida, cuando la amargura dominaba su alma, cuando la soledad y el abandono entristecían sus días finales, recuerdo cómo mi padre celebraba la justicia eterna que daba su merecido a aquel hombre que había desafiado todos los criterios morales a la hora de ejercer su poder.

Quintana era un viejo enlace que conectaba Andalucía con el centro de Toulouse, el más activo del exilio en sus relaciones con el interior. Pero no pasaba propaganda política a los campesinos amigos. En el fondo, es dudoso que aquellos hombres hicieran propiamente política, como es dudoso que hubieran hecho una guerra *política*. En realidad, deseaban liberarse de algo más profundo, calmar una sed de dignidad que tampoco se apagaba nunca. Por una asociación de ideas, que ahora se me torna luminosa, Quintana mantenía la conciencia de aquellos humildes campesinos amigos dándoles a leer la historia de Carlos V, como si en el fondo hubiese una profunda afinidad entre el poder de Franco y el poder del emperador. Los hombres como Quintana creían que si despertaban la ira contra el viejo Austria en el alma de alguien, ése estaría bien dispuesto para mantener su hostilidad de base al régimen de Franco. No podría decir cuál era la mediación operativa en este razonamiento. Tampoco estoy muy seguro de que el efecto deseado se alcanzara. Tiendo a creer que, a pesar de todo, se imponía una consecuencia inevitable. Aquella

[1] Fray P. de Sandoval: *Historia de la vida y hechos del emperador Carlos V*. Madrid: Seco Serrano, 1956.
[2] A. de Santa Cruz: *Crónica del emperador Carlos V.* 5 Vols. Madrid: Imprenta del Patronato de Huérfanos de Intendencia e Intervención Militar, 1920-1925.

asociación de poder y religión era tan fuerte, tan inhumana, tan demoníaca, que testimoniaba con toda claridad que no se podía luchar contra ella. La asociación con Franco se daba entonces, pero tenía influencias letales: la suya era la victoria de lo mismo, de lo que regresaba siempre, de lo que nunca se había ido, de los poderes ante los que sólo cabía una defensa: pasar desapercibido. Ésa fue la decisión consciente de muchos. ¿Había una diferencia cualitativa entre la decisión de mi padre y la de los moriscos cuatro siglos antes, la de los judíos, cinco siglos antes, la de los iluminados, la de los erasmistas, la de los ilustrados, los afrancesados, y tantos y tantos otros, siempre necesitados de ocultarse? El mismo hombre que rompía la paz de la casa y exclamaba escandalizado todos los insultos frente al emperador, y celebraba la valentía de Lutero en Worms, o festejaba con entusiasmo las victorias de los príncipes alemanes, tenía que callar ante los avisos discretos de mi madre de que lo iban a oír. Tiendo a creer que esa cautela brotaba de la sangre y resonaba desde siglos atrás. La ira quedó sepultada entre las anchas paredes de la casa. Ellos no serían señalados por un poder terrible que, si no había sido fulminado desde su origen, si no había dejado de disfrutar del mando a pesar del crimen, se debía sencillamente a que era el verdadero soberano de la historia. Ante él, sólo se podía responder con el vivir oculto.

2. PRÓLOGOS OFICIALES

En el año 2000 se celebró el quinto centenario del emperador. A tal efecto, se creó una sociedad estatal para la conmemoración de los centenarios de Felipe II y Carlos V. Es muy curioso que el Estado español, desde el mismo título de la fundación de esta sociedad, no llame a Carlos por su número entre los reyes hispánicos, el primero de su nombre, sino por su número de emperador alemán, que nada tiene que ver esencialmente con el Estado español. De esta manera, se ha querido conmemorar sobre todo al emperador, dejando caer la falsa idea de que ese imperio era el español. Jurídicamente, desde luego, nunca ha sido así. Nunca hemos sido titulares de imperio alguno. Sólo accidentalmente, y por los avatares del régimen patrimonialista, el monarca español coincidió una vez con el titular del imperio germánico. Luego, ese mismo patrimonialismo vinculó los derechos a dirigir el imperio con los descendientes de los Austrias que no gobernaban en la monarquía hispánica. Así que tenemos aquí un lapso de la memoria que no puede ser olvidado. J. H. Elliott

(1965) lo fijó con su libro, gracias a cuyo rótulo fue bien acogido por la doctrina oficial franquista. Al fin y al cabo le daba la clave de lo que ella quería ser: una España imperial[3].

Es posible que este lapso fuera el síntoma de un intento: el de mostrar la dimensión europea de España en la primera mitad del siglo XVI. Para dar una idea de una España líder en una nueva Europa moderna y liberal, de una España que ya no deseaba ir detrás de Francia y de Alemania, de una España amiga de Inglaterra[4], nada mejor que recordar aquel momento de la hegemonía continental de los Austrias *españoles*. Cuando el historiador oficial del emperador propuso un título para la edición popular de su estudio, se vio inclinado a llamarlo: *Carlos V, un hombre para Europa* (Fernández Álvarez 1999)[5]. Las muestras que había de organizar aquella sociedad, de hecho, debían exponerse en Gante, en la patria de Carlos, en Bonn, en Viena[6], y en Bruselas, la cuna de la nueva Europa. Luego, para simbolizar esta síntesis de lo nuevo y lo sustantivo, una gran muestra debía realizarse en Toledo, la ciudad imperial por excelencia. En sí mismo era un momento decisivo. La nueva Europa, construida

---

[3] Téngase en cuenta que el libro se editó en Barcelona. Allí sin duda resonarían con otros ecos la cita final de Elliott a Ortega: «Castilla ha hecho a España y Castilla la ha deshecho» (Elliott 1965: 149).

[4] Para las relaciones de Carlos con Enrique VIII *cfr.* el texto de M. J. Rodríguez Salgado (2001).

[5] En su prólogo, dice Fernández Álvarez: «Por el contrario, podemos afirmar que Carlos V fue el infatigable viajero que trató de mantener unida la Europa de su tiempo en paz y armonía, el que no se cansaba de decir que no quería nada que no fuera suyo y el que puso una y otra vez su vida al tablero por defender aquella Europa. Todo ello con un particular sentido de que la política no podía estar desligada de la moral. Y de ahí que Carlos V siga teniendo tanto que decirnos a los hombres del año 2000. Porque en la historia común de esa Europa que tenemos precisión de escribir, la figura del emperador se alza como una referencia imprescindible. Pues el que gastó toda su vida en pro de la Europa de su tiempo ya no puede ser olvidado. Siempre tiene un mensaje válido que mandarnos, de coraje, de honradez y de esperanza. Y ésa es su grandeza» (Fernández Álvarez 1999: i). Con admiración, Fernández Álvarez aprecia «el espíritu abierto de nuestras autoridades» por haber invitado a los actos oficiales de conmemoración a Elliott, Joseph Pérez y Alfred Kohler. Kohler es el autor de *Karl V, 1500-1558. Eine Biographie*. 3.ª ed., München: Beck, 2001.

[6] Desde luego, las exposiciones de Bonn y Viena llevaban un título bien característico de las reservas de los organizadores: *Kaiser Karl V (1500-1558). Macht und Ohnmacht Europas (Katalog der Ausstellung in der Kunst und Ausstellungshalle der Bundesrepublik Deutschland 2000)* Bonn y Wien, 2000.

sobre las estrategias federales invocadas por Inmanuel Kant en su obra *Zum ewigen Frieden*, se enfrentaba desde España al primer gran ensayo hegemónico de su pasado moderno, el primero que habría de sembrar la violencia y la destrucción, la división y la guerra en las tierras de Europa. Nadie contrastó las diferencias entre los dos procesos: el hegemónico y violento de Carlos y el federal y equilibrado de nuestra Europa. Era el momento de hacer pedagogía histórica, pero nadie la hizo. Era la oportunidad de llevar a masas enteras de ciudadanos europeos, aficionados al turismo cultural, la vieja lección del camino viejo e inviable de Carlos. Alguien, que ni siquiera al más conservador de los líderes europeos podría resultar sospechoso, aquel Ludwig Dehio, el discípulo de Ranke, recién terminada la Segunda Guerra Mundial, había escrito en su libro *Equilibrio o Hegemonía* lo siguiente:

> Con la elección del monarca español como emperador, las cosas tomaron un rumbo nuevo. El equilibrio, que entraba en acción justo por aquel entonces, fue destruido no sólo en Italia sino en Occidente en general. Apenas había dado el primer paso en su vida, el sistema de equilibrio de Estados se vio sometido a la prueba de resistencia más dura: fue amenazado por el espectro de la hegemonía que en los siglos siguientes debía reaparecer a menudo como un *revenant* (Dehio 1996: 47).

En la serie de estos regresos, Dehio sitúa los intentos hegemónicos de Luis XIV, Napoleón y Hitler, mientras que Bismarck aparecería como el intento más consciente de recrear el equilibrio del sistema de Estados europeos.

Así que, al celebrar la memoria del emperador Carlos V, la sociedad estatal deseaba subrayar la imagen y dimensión europea de España, aun cuando esta imagen fuera la de una hegemonía cuyo sentido resulta radicalmente contrario a los equilibrios federales de unidad y diversidad que son constitutivos de la Unión. De ahí que los celebrantes españoles se enfrentaran a un dilema: ¿cómo dar una imagen europea pasando de puntillas sobre el sencillo hecho de que la Europa soñada por el emperador era una anacrónica restauración del sistema de poder medieval, cuyo último referente mítico era la Europa carolingia? A fin de cuentas, sobre las mismas tierras patrimoniales de Austria había crecido la familia carolingia y la nueva casa reinante. Pero la celebración de la figura de Carlos I no era menos problemática desde otro punto de vista. Resultaba claro, en todo caso, que tampoco se podía usar al rey Carlos para ese otro programa político, tan complementario de esta deseada dimensión imperial española, el programa de la construcción nacional. A fin de cuentas, y como dice el mismo Ludwig Dehio,

> la razón de la casa familiar de los Ausburgos, formada en las grandes ocasiones, desplegaba como ninguna otra una misteriosa energía para jugar un papel de importancia histórica mundial como fuerza operante que se halla en oposición a aquellas energías de los Estados nacionales ligados a lugares determinados. [...] En esto venía reforzada y consagrada por la alianza natural por ellos pactada con las antiguas ideas universales de *imperium* y *sacerdotium*, que siempre carentes de raíces flotaban sobre occidente (Dehio 1996: 47).

Así que, no sin cierta paradoja, Carlos V era recordado como emperador, lo que era un despropósito desde el punto de vista de la política oficial de la Unión Europea. Pero además, este recuerdo era impulsado como la marca distintiva de la dimensión europea de España, lo que era un despropósito nacional, pues nadie como Carlos I había forjado una política tan lejana y hostil a las aspiraciones de construcción nacional de los pueblos hispanos. A fin de cuentas, los poderes nacionales siempre, desde la lejana casa de Sajonia, en el siglo IX, se habían construido impugnando los poderes imperiales de los que habían formado parte.

¿Cómo se podía escapar a estar paradojas? En sus palabras de prólogo a la magna exposición *Carolus*, celebrada en Toledo, desde octubre de 2000 a enero de 2001, la ministra Pilar de Castillo encontraba el camino para evadir estas paradojas. De entrada, las palabras eran de rigor. Se trataba de inaugurar una serie de grandes exposiciones «which aim to contribute to our understanding of the historical figure, the reign, and indeed the entire period of Emperor Charles V» (Checa 2000: xi). Luego venían las proclamas de corrección académica y política: se aspiraba en ese catálogo, y en los propios de las otras exposiciones que habían de exhibirse por España, como Granada y Madrid, «to provide the public with access to the most recent work of historians who, from a multidisciplinary basis, are striving to understand the reality of the past by transcending national barriers». Teniendo en cuenta esta confesión, era fácil pensar en una aproximación plural, donde se midieran las complejas distancias que nos separan de un proyecto político, de una forma de entender el poder, y de una configuración de la cultura que nos resultan completamente ajenos y contrarios a nuestros valores básicos actuales. Así era preciso tomar la decisión: construir la memoria desde alguna forma de crítica o proponer una memoria que llevase a la autoafirmación. La opción oficial fue esta última. A la hora de la verdad, sin embargo, las contradicciones materiales entre los recuerdos y nuestros valores son tan fuertes que cualquier aproximación a la historia, si ha de cumplir las aspiraciones de identificación, orgullo y autoestima, debe integrar algunas, si no todas las formas posibles de coacción y represión de la memoria. Desde hace mucho tiempo, sin embargo, sabemos que la mejor forma de lograr que determinadas operaciones de coacción de la memoria pasen desapercibidas, consiste en concentrarse en el brillo del fetiche.

Algo de eso nos anticipaba la propia ministra cuando nos confesaba que en este *Carolus* se iba a poner «special emphasis on the Spanish Renaissance, and in particular on the use of the artistic image». Ésta era la pista. Dado que desde el punto de vista político era demasiado evidente que Carlos no podía servir ni a la promoción de los intereses nacionalistas, ni podía ponerse el énfasis en su idea medieval de Imperio, la única manera de presentar su figura sin tener que entrar en una crítica capaz de formar el presente, era obviar este aspecto político de su actuación y centrarse en la relación entre la imagen artística y la representación del poder. El poder, así, aparecía como un fenómeno estético. Al aproximarnos al poder a través del arte, se oculta su ejercicio real. Con ello, la memoria queda exonerada de cualquier tipo de comentario crítico y de compromiso con los valores inspiradores de la crítica. Como desde hace mucho tiempo saben los poderes dispuestos a usar de la propaganda para ocultar las decisiones del presente, también la exposición *Carolus* hace soportable ese vacío de memoria política mediante la estetización de la vida del pasado.

Así que el europeísmo del emperador, y la grandeza de su idea de poder, se debían estudiar sobre todo alrededor de su reflejo glorioso en el arte. Sólo así se podían ofrecer aspectos aceptables para el presente de una realidad histórica que, en cualquier otro ámbito de la vida social, no podría sino producir los más radicales efectos de repulsa. Y en verdad, sólo en el arte era posible afirmar «the cosmopolitan and multinational character of his [de Carlos] house and court». Repárese sin embargo en la retórica. Construida la frase con el uso de adjetivos propios de lo políticamente correcto, como multinacional y cosmopolita, se quiere dar la impresión de una cercanía de modernidad entre nosotros y el emperador. El uso de estos adjetivos para referirnos a Carlos, sin embargo, comporta un anacronismo. Es verdad que los Austrias eran incapaces de la comprensión de los procesos nacionales, pero esto no quiere decir que tuvieran una idea cosmopolita y multinacional. No se puede estar hablando continuamente del «*emperador* Carlos» y calificar su política como «*cosmopolita y multinacional*». En cierto modo, los imperios tienen que tener ciertos aspectos que parecen identificarse con estos adjetivos. Pero el imperio, y sobre todo, el imperio patrimonializado por una casa familiar, es otra cosa. Cosmopolita y multinacional es el proyecto europeísta y federal de Kant. El imperio medievalizante de Carlos, por el contrario, ofrece una manera de trascender los límites nacionales, desde luego, pero basada en la hegemonía militar y en la unidad de la fe católica. Ni una ni otra son afines al cosmopolitismo, y desde luego sólo de manera restrictiva se puede hablar de multinacional cuando nos referimos a un mundo previo a la rotundidad de los sentimientos nacionales y en el que se insiste, sobre todo, en la unidad religiosa del catolicismo. Desde luego, no cabe duda de que estos hombres estaban en condiciones de usar cualquier artista europeo y cualquier tradición estética en la medida en que representara bien su poder y su gloria. Su pulsión más básica, sin embargo, era unitaria, no cosmopolita. Por lo demás, las tradiciones artísticas que se concitaron en su corte eran de naturaleza europea, desde luego, pero no esencialmente de naturaleza multinacional, sino prenacional, propias de una forma de trabajo que unía a todos los artesanos y artistas en una única colegiatura, algo así como sucedió en la posterior «République des lettres». Decir que esta *Académie des savants* era multinacional, implica emplear este adjetivo de una manera anacrónica. Cuando lo calificamos así, con demasiada evidencia dejamos claro que nuestra intención reside en defender que ese poder se anticipaba al presente. Entonces se obvia la pregunta acerca de si en su ejercicio efectivo no se empeñó en resistir todo aquello que ya era nuevo en su tiempo.

En todo caso, es verdad que esta corte ambulante por toda Europa puso en circulación «tastes, ideas and artists», y es verdad que las especiales condiciones ideológicas y sociales del Renacimiento «converted artists in[to] privileged interpreters of the requeriments of power» (Checa 2000: xii). Lo hicieron desde que los Medicis y los grandes de Florencia encargaron a Ficino y a Botticelli nuevas representaciones de su status capaces de derivarse del nuevo universo mental de la época. Así que, verdaderamente también, todo este movimiento extraordinario sólo podía describirse desde una «multidisciplinary, international collaboration». Estas palabras de la ministra Pilar del Castillo permitían mantener abiertas las expectativas acerca del índice del monumental catálogo. Si entramos en las palabras de Juan Carlos Elorza Guinea, el director de la sociedad, no hacemos sino confirmar estas expectativas. «This task of reconstruction demands integrated efforts, a new questioning of ideas and an opening up of frontiers in an exercise of collective memory and cultural action which will transcend national borders and disciplinary divisions» (Checa 2000: xvi). Todavía más se amplía nuestro horizonte cuando leemos el prólogo común de los cuatro *curators* de las grandes exhibiciones europeas. Ellos han dado a sus palabras una dimensión europea. Sin embargo, es muy relevante reconocer que han hablado de «European Community», despreciando el nuevo esquema que emerge de Maastricht y que habla de una «European Union». Cierto, los prologuistas reconocen que Europa actualmente pone en marcha pulsiones de equilibrio entre la unidad y la diversidad. Sin embargo, una cosa es equilibrar estas pulsiones contrarias por una institución de corte federal y, otra, organizarlas a la manera de *imperium*. Aquí, una vez más, el presente, que es reconocido como el destinatario de estas exposiciones, no es identificado en sus opciones y valorado en sus posibilidades, sino que es presentado en línea de continuidad de quien, bien mirado, es su peor enemigo. Pues si efectivamente, «it has yet to be determined exactly what our situation is today», y si debemos aspirar a «to try to reflect our future from the past», resulta claro que debemos confrontarnos críticamente con la idea de imperio. A fin de cuentas, estamos celebrando a un emperador. Pensar que lo que sucede bajo Carlos es un anticipo de «a grand alliance between the peoples of all corners of Europe» (Checa 2000: xviii), es dejar pasar la oportunidad de estudiar un ejemplo de lo que verdaderamente no conduce a ella. Sintomática, en este sentido, es la justificación de la exposición de Viena, «the city which, under the Emperor, became a symbol of resistance to the Turks as well as being the centre of the dynastic policy of his successors in that Mitteleuropa, which is increasingly at the heart of our concerns» (Checa 2000: xviii). En esta pequeña frase, por ejemplo, hay implicados conceptos que son internamente ajenos a la construcción de Europa, que no puede contrastarse con la vieja idea de Mitteleuropa, ni con la vieja contraposición entre Europa y Turquía, cuya función interna en el equilibrio europeo de la época Ludwig Dehio ha analizado de forma tan magistral, pero cuyo mero nombre evoca dos cosas a la vez: la insistencia de Austria, Polonia y España en el reconocimiento de la naturaleza cristiana de Europa y la consiguiente consideración de Turquía como una potencia extraeuropea. ¿Qué ha quedado entonces de la multiculturalidad? Cuando llegamos aquí nos damos cuenta del hecho clave: la insistencia en la línea de continuidad entre aquella Europa del emperador y esta Europa actual determina sobre todo la exigencia de su continuidad cristiana y su naturaleza anti-islámica. Aquí la contemplación estética, por debajo de su propuesta impolítica, avala una decisión política en la medida en que hace natural la diferencia ellos-nos-

otros constituyente. Tal decisión política, sin embargo, no queda tematiza-
da como parte del discurso, sino únicamente sugerida como un elemento
natural del pasado.

3. LA MEMORIA REAL: LA EXPOSICIÓN

Vemos así que, con verdad, los prólogos oficiales insisten en las viejas
divisas de «historia magistra vitae» y que están decididos a utilizar el
recuerdo «Carolus» como elemento de iluminación del presente y sus dile-
mas. Lo que importa de esa enseñanza, al parecer, no son los modos de
Europa —imperio o unión federal—, sino las fronteras, lo que en todo caso
debe quedar fuera, Turquía, el Islam. La naturalidad de la repetición impone así su poder coactivo, en un automatismo que la crítica no detiene. En
todo lo demás, la muestra *Carolus* y su catálogo se sitúan más allá de las
buenas intenciones. Las manifestaciones oficiales apelan a las consignas
del cosmopolitismo y multinacionalidad, de cooperación entre los diferentes ámbitos científicos y especialidades académicas, y se supone que eso es
lo que sucede en la práctica que nos ofrece la muestra. ¿Pero es así?

Veamos el índice del catálogo *Carolus:* La parte expositiva se organiza en una serie de bloques temáticos. El primero se dedica a los orígenes
de la imagen del poder en Carlos, centrada en las imágenes del futuro
emperador como niño, en las que se refuerza la presencia de la dinastía
y el sentido de la casa familiar, así como la recepción por parte del joven
emperador de los símbolos medievales de Carlomagno y de la caballería
borgoñesa del Toisón de Oro, tal y como quedó recogido en los relatos
de Olivier de la Marche sobre su bisabuelo Carlos el Calvo[7]. Las piezas
se muestran con una cuidada identificación artística. Sin duda, se ofrece
en las notas información relevante para el análisis histórico[8], y algunas,

---

[7] Como es evidente, la segunda edición del libro de Olivier de la Marche, *El Caballero determinado*, se expone en la muestra. Fue traducido por Hernando de Acuña. La
primera edición se realizó en 1553, y auxilió al emperador en las horas difíciles de Yuste, pues en el fondo se trataba de un libro dedicado al arte del buen morir.

[8] Como las características de la caballería borgoñesa del Toisón de Oro, fundada en
1431, el sentido de la divisa creada para el emperador por Luigi Marliano, centrada en la
vieja idea medieval de la cruzada y la extensión del cristianismo en el nuevo mundo
(Checa 2000:192); así como en la idea de la monarquía universal; los tapices de Pierre
van Aelst de la fortuna y la justicia, son quizá los monumentos iconológicos más repre-
sentativos del mundo mental de Carlos, claramente medieval, basado en la fe, la prudencia,

como el ejemplar de la *Institutio Principis Christianus*, de Erasmo, tienen gran importancia para la historia de las ideas políticas. Sin embargo, rara vez estas noticias comunican algo sin las ambigüedades propias de una pasajera referencia. Así, al hablar del libro de Erasmo, se nos dice que era una respuesta a Maquiavelo, pero que Carlos «gradually he had to renounce the idea of becoming a wise and pacifist Prince in the face of political difficulties and strive to become a modern governor, defender of the authoritarian state» (Checa 2000: 197). El pasaje supone, primero, que Carlos alguna vez quiso ser el príncipe cristiano de Erasmo; segundo, que alguna vez renunció a serlo por las dificultades políticas de la época; tercero, que esas dificultades despertaron en Carlos el deseo de ser un gobernante moderno y, cuarto, que esto era la misma cosa que defender un estado autoritario. Esta gradación de supuestos no podría aceptarse sin reservas desde la historia política. En el formato propio de las notas a un catálogo, sin embargo, no se precisa coherencia intelectual, sino un texto tan impactante como la propia imagen. Así, al comentar unas medallas de Carlos el Calvo, se nos dice que los ideales de la caballería borgoñesa inclinaban a la exaltación de la personalidad del caballero «in artistic representation as opposed to requiring a solid intellectual formation» (Checa 2000: 191). Es muy posible, por tanto, que Carlos nunca quisiera ser el príncipe cristiano de Erasmo, ni el gobernante moderno, ni que su actividad no tuviera una base intelectual sólida, sino únicamente el mimetismo que en él producía el vago ideal de caballero de la orden del Toisón, ya más bien un ideal estético que realista. Así que, al aceptar la representación estética del poder, la muestra *Carolus* da por buenas las ilusiones propias del Káiser. El que recorre el catálogo y lo lee con atención, descubre la heterogeneidad profunda entre el cuidado estético puesto en la representación del poder carolino, con la eficacia de su propaganda (Checa 2000: 206)[9], tal y como Durero mismo lo confirmó en la coronación de Aquisgrán, en 1520 (Checa 2000: 205), y el descuido político a la hora de configurar conceptos capaces de ejercer el mando. En todo caso, esto no preocupa a los organizadores, que se dan por satisfechos con una presentación historicista

la justicia, la nobleza y la sabiduría gobernada por la divina sabiduría, el honor y la fama (Checa 2000: 208 ss.). Las referencia a los reyes bíblicos David y Salomón, que configuran la autoconciencia del emperador, son abundantes (Checa 2000: 215).

[9] Se presenta aquí el escrito anónimo «Vivat rex Carolus» para defender su candidatura al imperio.

de los elementos expositivos. De todas las noticias, el lector y visitante no se puede hacer una idea del régimen político básico, el patrimonialismo, ni de sus dificultades extremas para mantener un sentido del poder enraizado en el territorio. Al no cuestionar estos aspectos, al asumirlos como meramente descriptivos, el visitante se enfrenta a una naturaleza pasada respecto a la cual es inoportuno juzgar. La imagen que se desea proyectar es la de una gloria indiscutible, hecha a la medida de un poder que también se desea indiscutible. La exposición así es electivamente afín a la idea del poder como gloria e imagen que no se cuestiona. El visitante, de esta manera, es invitado a ponerse sin reservas y desarmado ante esa misma gloria, como el súbdito previsto por el propio emperador hace ahora 500 años.

Esta impresión se confirma en el segundo bloque, dedicado a la España que recibe a Carlos V. Las noticias que se citan, lejos de invocar los estudios científicos más recientes sobre la convulsa España que encuentra el rey, se centran en los viejos *reports* de Lorenzo Vital, *Relación del primer viaje de Carlos V a España* (1517-1518) y a las ideas de fray Prudencio de Sandoval, los más viejos elementos narrativos sobre el rey. ¿Qué quedó de las proclamas de atender la última investigación histórica? Ésta es la respuesta: ni una sola investigación reciente sobre las Germanies o las Comunidades. Pero no sólo eso: la España que recibió a Carlos se reduce a las obras de arte que tienen que ver con Carlos. Todavía los organizadores se sienten obligados a pedir excusas por el hecho de que la muestra «logically enough, do[es] not include the buildings» (Checa 2000: 222). La sección incorpora tres partes: «Spain, from the end of the 15th century to 1510, Flanders and Italy». Aquí se pone el acento sobre la heterogeneidad del arte propia de los territorios españoles de Carlos. De otras heterogeneidades no se dice nada. La España que recibe a Carlos es sólo un territorio de arte, no de política, de economía, de movimientos sociales, de colectivos religiosos. El visitante que llega a la muestra, por tanto, no recibirá ninguna indicación acerca de la vida histórica y social, religiosa y económica de aquella España. No tendrá una idea de las predicaciones apocalípticas valencianas, del bullicio de las ciudades castellanas, de las diferencias entre Cisneros y Carlos V, de las difíciles cortes de Santiago. España es un territorio del arte, con su brillo renovado, con su paz extática. No sólo es problemática esta manera de exponer y recordar la figura del hombre más decisivo de la historia política de España. Es problemática igualmente la forma de exponer los elementos de la historia del arte.

El tercer bloque promete más: se trata de «Political Power and Classical Language». Es lógico que se centre en la simbología que encarna el palacio de Granada, y que se compare con las residencias imperiales en el palacio de Coudenberg de Bruselas. También lo es que la muestra se centre en la coronación de Bolonia en 1530. Los más conocidos símbolos del emperador se proponen en esta sección, desde la estatua de los Leoni, que recoge los viejos motivos mitológicos de Alejandro Magno, tan cercanos al mundo de la orden del Toisón, pasando por el busto de los Leoni que imita el modelo del emperador Cómodo, aunque convenientemente cristianizado; o las narraciones secuenciales de batallas según las formas de la columna de Trajano, tanto para la batalla de Pavía como para la conquista de Túnez; o los cortejos procesionales de la entrada en Bolonia para su coronación, o el emperador triunfante en la batalla de Viena, en la que por cierto nunca estuvo[10]. Desde luego, nada sorprendente resulta la reproducción de los lenguajes del imperio romano para ofrecer la gloria de un emperador renovado. Más curioso es que no se muestren los motivos de imitación con la estatua ecuestre de Marco Aurelio del Palatino, estudiada hace mucho tiempo por Yates[11]. La dimensión cristiana del mismo se puede identificar igualmente por doquier, aunque quizá el breviario de Bernardino de Canderroa, al citar el pasaje de II Corintios, 10:4, nos ofrezca la mejor definición: «arma nostrae militiae carnalia non sunt» (Checa 2000: 297). También claramente restauradores del imperio romano son el grabado de los *Sermones adventuales* de Friedrich Nausea, en que aparecen el emperador y su hermano Fernando como *defensores fidei* bajo la figura de un crucificado, todo dominado por la divisa de Constantino «Hoc signo vinces», así como algunas cerámicas de Bergara, que lo presentan como el Sol que anima la vida de la tierra, siempre según la vieja identificación solar del poder. Esta será la temática de la sección «The Heroic Years», centrada en la transmisión de la imagen de la majestad y en la renovación de la gesta de Escipión en la conquista de Túnez (Checa 2000: 418). Pero, ¿y los testimonios de los que en su tiempo impugnaron el lenguaje del imperio? De ellos no se dice nada. Pero fueron muchos. No sólo los textos de ese viejo Maquiavelo, al que deseaba

---

[10] Dirck Volkertsz Coonhert: *Liberación de Viena por Carlos V,* 1556. (Checa 2000: 292).

[11] Frances W. Yates: *Astraea. The imperial Theme in the Sixteenth Century.* London and Boston: Routledge & Kegan Paul, 1975. Utilizo la edición italiana (Yates 2001: 5-36). Para el motivo de Marco Aurelio, *cfr.* pp. 29-30 y figuras 3 y 4.

responder Erasmo. Sino también los de alguien tan «español» como Luis Vives, con aquella exposición sobre la pérdida de las libertades romanas en *Declamationes syllanae*[12], o el irónico comentario que sobre Guevara, el autor de *Marco Aurelio o el Reloj de Príncipes,* lanza Alfonso de Valdés (Bataillon 1966: 620). Para los propios contemporáneos aquella retórica era un montón de mentiras. ¿No tienen los espectadores del año 2000 derecho a saberlo también? ¿Y no había sido Luis Vives quien en *De Concordia et discordia in humano genere,* un tratado cosmopolita de verdad, el que había dicho: «qué otra cosa es crear un potente imperio sino amontonar materiales para un colosal hundimiento. A poco que reflexiones, convendrás en ello»?[13] No debemos olvidar que este tratado fue dedicado a Carlos, el 1 de julio de 1529. Acaso ese hundimiento no fuese significativo para ofrecer una imagen del poder, pero ¿lo era para transmitir al público una idea del poder?

La siguiente sección se dedica a «The Question of Images» y viene presentada de esta manera: «In this section, two profoundly different worlds of images and words are juxtaposed: the satirical and critical atmosphere of Luther's Europe and the exalted and commemorative character of Catholic Spain. Imperial policy and the Spanish State, in opting to defend the papacy, made a choice that was to have profound consequences for the artistic image» (Checa 2000: 312). La pretensión de la sección, por lo tanto, consiste en exponer los dos campos de la «ideological battle». En este sentido, la muestra confiesa su voluntad de romper con los clichés habituales, según los cuales el mundo protestante valoraría sobre todo la palabra como expresión de la fe, mientras que el mundo católico se centraría en la imagen. Sin embargo, por mucho que estos sean los fines de la sección, sólo desea valorar las consecuencias de esta batalla en el campo de la imagen artística. La batalla ideológica se reduce así a la batalla entre diferentes tipos de imágenes. Por eso, no es de extrañar que la sección que afecta de manera profunda a las ideas religiosas, y a éstas en la medida en que expresan el mundo social y lo transforman,

---

[12] *Declamationes syllanae,* edición crítica y traducción inglesa por E. V. George. Louvain: E. J. Brill, 1989.

[13] Joan Lluis Vives, *De Concordia e discordia in humano genero, Libro III.* (Sobre la concordia y discordia en el género humano) (Vives 1997). Modestamente, éste fue el lema de la exposición que sobre Carlos se celebró en la Biblioteca Valenciana, bajo el título *Carolus Valentiae Rex, Els Valencians i l'imperi.* A fin de cuentas, también se supo proponer una imagen para este hundimiento del imperio; *cfr.* p. 153.

sea rotulado no como «The Question of Ideas», sino precisamente «The Question of Images», como si la batalla ideológica que se pretende describir sólo tuviera un contenido artístico. Su contenido conceptual y sus ideas materiales acerca de la concepción del mundo quedan situadas en un paisaje de eterno pasado, cuya revisión es naturalmente irrelevante por sí misma. La impresión que se impone es que la batalla que decidió el estatuto católico o protestante de las tierras europeas se coloca en un pasado en el que no tiene sentido volver a entrar, como si reabrir la cuestión religiosa escapara a la inteligencia y a la voluntad del presente.

En todo caso, cuando vamos a las piezas expuestas obtenemos las primeras ediciones de los textos principales de Lutero, desde luego, pero apenas escuchamos su voz. Los textos que se citan de Lutero son estos dos: «He oído que se han preparado bulas papales contra mí. Este ataque es mi retractación». Pertenece a la *Cautividad de Babilonia.* El otro pertenece a la obra *An den christlichen Adel deutscher Nation,* y dice: «Cualquier cosa que el papa ha introducido y ordenado busca exclusivamente incrementar pecado y error. A menos que sean completamente reformadas, qué son las universidades sino gimnasia de los efebos y de las glorias griegas». Con estos pasajes, Lutero se nos presenta más bien como un hombre obstinado y dogmático, lo que viene confirmado por la exposición de la edición príncipe de *Sieben Köpffe Martin Luthers* de Johann Cochlaeus, de 1532 (Checa 2000: 326), basada en la relación de Lutero con el dragón de la siete cabezas de Revelación 13: 1-8. Nada semejante se concede a la propaganda contra Carlos. Melachthon aparece de manera muy central, y son resaltados sus esfuerzos ecuménicos. El tratamiento de los anabaptistas es muy expreso, ofreciendo imágenes que resaltan sus aspectos inmorales (Checa 2000: 329). Alguien que no conociera absolutamente nada de lo que se debatía en esa batalla, no alcanzaría a descubrir contenido alguno de la misma. Al parecer, la batalla era sólo interna al campo luterano, atormentado por las disputas entre sectas y sectores. ¿De la parte católica? Se muestran las tallas de la quema de los libros de San Gregorio, de Juan de Juni, que están en León. Quizá sea lógico que nos preguntemos qué tiene que ver esta talla, que narra la historia de la difamación de Gregorio III y la quema de sus libros, con el problema de la batalla ideológica entre protestantes y católicos. En realidad, todo el debate se ha conducido en la exposición a la impugnación de la figura del Papa. Así es normal la centralidad en la muestra de Clemente VII, con el retrato de Sebastiano del Piombo, o la serie de sátiras de los sucesores de Cranach el Viejo, todas ellas de un grotesco populismo.

Sólo así se entiende que se propongan como parte central de la batalla religiosa las dos obras de Alfonso de Valdés, la dedicada al saco de Roma y el *Diálogo de Mercurio y Carón*. Al parecer, en España no hubo batalla religiosa, y no puede citarse el caso del arzobispo Carranza y su condena como ejemplo de la batalla religiosa, sobre todo cuando la muestra *Carolus* llega a su propia ciudad metropolitana[14]. Aún más sorprende que la participación española en la polémica sea la presencia de la traducción del Arcediano del Alcor del *Enchiridion* de Erasmo, una obra de 1506, ajena por completa a la polémica con Lutero y a la batalla ideológica posterior, dejando sin narrar el destino de la verdadera obra de la reforma española, *De subventione pauperum*, de Vives, cuya traducción por obra de Pérez de Chinchón quedó significativamente inédita hasta el presente. Con estos elementos, la cuestión de las imágenes es un mal título para exponer la cuestión religiosa, pero es un título que finalmente encubre la arbitrariedad expositiva. Esa arbitrariedad, la peor deformación del historicismo, es por sí misma ya una ideología histórica. Al fin y el cabo, la estructura que reúne a las imágenes es la yuxtaposición, refractaria a toda idea de coherencia y, en este mismo sentido, inmune a la crítica.

Sin duda, pasaré por alto los aspectos estrictamente relacionados con la historia del arte, como esa destinada a mostrar las internacionalización del gusto entre la nobleza española, para centrarme en la sección dedicada a la «Reformed Piety». Habitualmente, se entiende por piedad reformada aquella que surge tras la *devotio moderna*, luego de la irrupción de Erasmo. Como es sabido, esa *devotio moderna* se radicalizó en la Reforma propiamente dicha, la luterana y la calvinista, que afectó al cosmos social, político, cultural y económico de Europa. Sus características han sido estudiadas desde hace tiempo, aunque tengo la impresión de que el proceso por el cual se sustituyeron las elites erasmistas de la corte de Carlos tras 1530 no ha sido bien identificado. La posición de la Iglesia católica frente a esta reforma cristalizó en la fundación de los Jesuitas y en la propuesta de Trento, todo lo cual determinó esa época histórica del Barroco, que no estuvo exenta de grandeza. En la introducción a su módulo, Palma Martínez-Burgos dice que «this crisis unleashed a fever of reform whose response was a long way from being homogenous».

---

[14] A fin de cuentas, incluso en este aspecto, los primeros problemas de Carranza con la Inquisición proceden de la puesta en duda del poder del Papa y la superstición interna a las ceremonias de la Iglesia (Bataillon 1966: 518). Es preciso recordar que estos primeros hechos se remontan a 1530.

Esto es verdad. Pero lo nuevo es que también España conoció esa fiebre de reformas. «During the first sixty years of this century, Spain embarked on a new route with a marked determination to innovate especially in artistic matters» (Checa 2000: 449). Una vez más, la fiebre de innovación, la reforma específicamente española, es artística. Pero la reforma era un hecho religioso. Ahora, sin embargo, lo decisivo es la expresión estética que conquista, justo lo mismo que antes sucedía con el poder. La experiencia religiosa, al margen de la experiencia estética, no merece ser recordada ni recogida. No debemos olvidar que no se trata de historicismo. No se trata de asegurarnos de que en aquella época el arte tuviera un función religiosa, «devotional, catechistic, didactic and moralising». Se trata de que la exposición no desea introducir distancias conceptuales en relación con esas funciones, que ahora se nos presentan naturales, históricamente normales, capaces de ser vinculadas al presente con plena continuidad. Los fines de este arte, «to achieve an artistic image that would display emotion and pathos in harmony with the religious experience», no son cuestionados desde una comprensión de la experiencia religiosa que podría invalidarlos o relativizarlos. Aquí únicamente se contraponen la «Catholic gaudium so antithetical to the severity of the Protestants». ¿Pero era «gaudium» la palabra determinante aquí?

Martínez-Burgos (en Checa 2000) cita a Émile Mâle, que por cierto no viene recogido en la bibliografía del final, para decir que toda la *devotio moderna* es Buenaventura, Ludolfo de Sajonia, el Cartujano, y Kempis. En verdad, todos son importantes. Pero entre ellos y la verdadera Reforma están Erasmo y Lutero, Moro y Vives, Pérez de Chinchón, Cordero, y tantos otros. Martínez-Burgos cita a Francisco de Osuna[15] y Alonso de Orozco, ejemplos de la mística española más ortodoxa. Y luego, sin continuidad acerca del erasmismo español ni sobre la fractura del mismo a partir de 1535[16], se lanza al mundo del arte, especializado en hallar el camino para expresar las emociones en la escultura y en mantener el sentido de la «sumptuosity of ceremonies and liturgical ornaments». Pero ambos eran elementos denunciados por el humanismo y la reforma como insistencias anacrónicas y supersticiosas en una religiosidad externa vacía de verdadero sentido espiritual, viciada por un paternalismo que

---

[15] *Tercer abecedario espiritual*, editado en Toledo en 1527, en casa de Ramón Petras.

[16] Reconocida de pasada en la ficha de los libros de la *devotio moderna*. Cuando se refiere a Osuna y a Orozco, Palma Martínez-Burgos dice que «who did not escape the ideological restrictions rigorously applied from the 1540s onwards» (Checa 2000: 455).

ofrecía en imágenes la *Biblia pauperum* que negaba a todos como texto escrito. Que ni una sola cita haga memoria del *Bonomia* de Furió i Çeriol[17], tratado que muestra la necesidad de la traducción de la Biblia en lengua romance, ni de la propia exhortación del tratado *Sobre la Lengua* de Erasmo, traducido por Pérez de Chinchón, permite considerar que nunca nadie en España pensó de otra manera la religión ni el arte, ni creyó necesario hacer relativo el peso de las imágenes sobre la conciencia religiosa. Cuando Martínez-Burgos dice que «from almost all points of Catholic orthodoxy, one was reminded that the first and most important aim was for the image to serve as a permanent lesson to the illiterate, familiarising the audience with the scripture» (Checa 2000: 451), debemos señalar que esta actitud reposó sobre la infame decisión política y eclesiástica de separar a los fieles del texto escrito de la Biblia. La opción por mantener iletradas a las gentes dio sentido a este arte. Cuando se establece, con razón, que éste a su vez dependió de la voluntad de asegurar el templo como «symbolic representation of the celestial Jerusalem», se olvida decir lo demás: que esta era una voluntad de mantener la estructura misma de la espiritualidad medieval. Reforma, desde luego, no lo era en modo alguno.

Como podemos suponer, con esta justificación, la exposición llega a confundirse con la más célebre y digna de estudio sobre «Las Edades del Hombre», por la cual el Estado español ha financiado la rehabilitación de buena parte del patrimonio eclesiástico español. En este caso, los comisarios no han perdido jamás de vista que el motivo de la muestra es claramente catequístico. Así lo han comunicado en intervenciones públicas destinadas a explicar al público la muestra. Lo mismo sucede aquí. Las piezas son las que uno se puede encontrar en los museos diocesanos o catedralicios españoles. Pero no debemos olvidar que la sección fue llamada «Hacia la piedad reformada». Con ello, se impone la idea de que la religiosidad católica española hizo a su manera la Reforma, y que, también a nuestra manera, gozamos de una modernidad específica y apropiada a nuestro espíritu.

Llegamos al fin de la exposición *Carolus*. La sección final es «Europe in Conflict». Una vez más podemos presumir el planteamiento. Después de asumir que «the final years» de la vida de Carlos —habría que

---

[17] Ahora editada en *Bononia sive de libris sacris in vernaculam linguam convertendis libri duo*, ex editione Basileensi, An. 1556, Lugduni Batavorum. Ahora editada en *Obra Completa*, València: IVEI, 1996.

preguntarse por los años iniciales, y por qué no sabemos nada en esta exposición del saco de Roma, ni de los escritos de Vives sobre las guerras europeas, ni de los hermanos Valdés, ni de Guerrero y los intentos de convocar un concilio—[18], el autor, Fernando Checa, concluye lo relevante, a saber: que «The victorious war against the Schmalkaldic League (1547) had important consequences for the arts»(Checa 2000: 487). Aquí, Checa, otrora director del museo del Prado, recuerda las importantes manifestaciones artísticas de esta victoria, sin mencionar en absoluto que acabó en una derrota cuyas consecuencias políticas fueron decisivas para entender el nuevo principio de ordenación política de Europa, la famosa sentencia «cuius regio eius religio». Estas manifestaciones artísticas de la *pax carolina* son, sobre todo, el retrato de Ticiano en Mühlberg, basado como dijimos en el modelo de Marco Aurelio, la estatua de Leoni en la que Carlos domina las furias y los retratos, traspasados de melancolía, de Isabel de Portugal. Pero por encima de todos los esfuerzos artísticos, Checa reconoce el valor del magnífico cuadro de Tiziano *La Gloria*. Quizás con esto llegamos al final de nuestra memoria del emperador.

4. *LA GLORIA*

De este inmenso cuadro, dice Checa: «At the next diet, in 1551, Titian began work on *The Glory,* an enormous canvas embodying a complicated theology that Charles thought of reserving for his tomb» (Checa 2000: 487). Desde luego, se trata de una teología muy compleja, pero quizá se debieran hacer esfuerzos para penetrarla. Pues el cuadro que el emperador pensó para su tumba no puede ser despedido como si encerrara una compleja teología de la que no deseamos saber nada más. Cierto, no se trata del juicio final ni tiene nada que ver con la glorificación de los muertos.

---

[18] Se trataba de una óptima ocasión para hacer una edición actual del libro *Tratado del modo y forma que se ha de tener en la celebración del general concilio y acerca de la Reforma de la Iglesia* que el doctor Alonso Guerrero ofrece al «invictissimo católico emperador Augusto protector y amparo de la Religión cristiana», editado en Génova en el año 1537 en casa de Antonio Bellono, donde se podrían ver las ideas de un muy católico autor español acerca de lo que entendía por la reforma de la Iglesia, que acaba así: «[¿]No es menos crimen denegar a los pobres lo que abunda? que quitarlo a los que lo tienen, y dice más: de los que han hambre es el pan que tu tienes y de los que andan desnudos es el vestido que tu tienes guardado y redenption es de los miserables el dinero que tu ascondes». Página final. Es sorprendente que este libro y este autor no sean conocidos por Bataillon.

Pero, ¿tiene que ver con lo que dice Checa?; a saber: «In the painting, the Emperor and his family are depicted pleading for entrance into heaven; it therefore shows a kind of personal final judgement, before eternal salvation» (Checa 2000: 487). A pesar de todo, el cuadro no se mostró en la exhibición. Lo ha hecho, de nuevo, puesto que está en el Prado, en la magna exposición dedicada a Tiziano que se abrió en el verano de 2003. En su lugar estuvo el gravado de Cort Cornelius. En la ficha correspondiente, Mateo Mancini dice que «poses a number of difficulties as far as its interpretation is concerned» (Checa 2000: 509). Una vez más, ante un problema decisivo, interpretar el cuadro que el emperador quiere colocar sobre su tumba, los organizadores ceden. Hope[19] es invocado y la iglesia de Santa María del Carmine en Venecia, donde se halla *San Nicolás en Gloria con San Juan Bautista y Santa Lucía*, de Lorenzo Lotto. Esto, naturalmente, puede ser cierto, pero no nos ilumina sobre el sentido de este cuadro y su relevancia en la vida del emperador. Así que, finalmente, una muestra que desea mostrar la imagen del poder no está en condiciones de explicar la imagen bajo la cual el hombre poderoso quiso cubrirse en el momento de su muerte, en el lejano Yuste, el cuadro que miraba con ansia, tanta que los médicos se angustiaban por ello, tanto que luego su hijo Felipe II se lo llevó junto con las cenizas de su padre a El Escorial (von Einem 1960: 22-34). Una exposición dedicada a las relaciones entre el emperador y el arte, no tiene más remedio que detenerse ante el misterio. En realidad, cuando los elementos intelectuales e ideales del mundo histórico carolino se reprimen con un gesto autoritario, es muy difícil interpretar incluso el mundo de imágenes que le daba expresión.

Y sin embargo, lo que obsesionaba a Carlos y lo que continuamente le angustiaba al contemplar este cuadro tiene que ver con la historia de la imagen, aunque no sólo con ella. En cierto modo, se sabe que Tiziano tomó la idea para la configuración de la escena del *Juicio Final* de Miguel Ángel (Rosenauer 2001: 63). Tiziano debía conocer los esbozos, porque su composición tiene más parecido con ellos que con el desarrollo final[20].

---

[19] Sin duda Hope supo del mínimo interés de Carlos por la pintura, lo que vendría a cuestionar la voluntad misma de la muestra *Carolus*. Pero sin embargo, tuvo afición por ese cuadro dedicado a la gloria (*cfr.* Hope 1981: 78).

[20] Rosenauer cita a Charles de Tolnay, *Corpus dei disegni di Michelangelo*. Vol. 3: *Disegni dal periodo del 'Giudizio Universale' (1534-1541) fino alla morte (1564)*. Presentazione di Mario Salmi. Novara: Istituto Geografico de Agostini 1978, pp. 21 ss., número de catálogo 347.

A su vez, sirvió para inspirar el *Juicio Final* de Rubens que se exhibe en Múnich. De hecho, el Káiser siempre se refirió a él como *El Juicio Final*. Sólo Felipe II pasó a llamarle siempre *La Gloria* y, sin ninguna duda, este cambio de nombre tenía que ver con el fragmento del testamento de Carlos en el que pedía a Dios que «lo acogiera en su sagrada Gloria». Desde este punto de vista, sin embargo, se altera la representación clásica del Juicio Final en la que el difunto, presente ante el trono celestial, es conducido ante Dios por la intercesión de algún mediador. La Virgen y San Juan Bautista, los dos mediadores principales del cristiano, sin embargo, no están del lado del Káiser. Él es conducido ante la Trinidad por ángeles extasiados, que animan a los familiares de los Austrias a presentarse ante el lugar del Juicio. A pesar de las variaciones, no cabe duda de que estamos en una atmósfera espiritual tardo-medieval. Esta obra de Tiziano, por tanto, servía a los deseos teológico-conservadores del Káiser, acreditado en el hecho de que el modelo de Trinidad que en el cuadro se presenta es propio de la iconología nórdica.

Con acierto, Miguel Falomir (2003: 220-223) ha podido decir que la obra no es la plasmación de la doctrina oficial de la Trinidad, sino que fue interpretada como un «juicio particular de Carlos». Un testigo de la época, el inquisidor de Venecia Valerio Faenzi sentenció, con cierto conocimiento de causa, que en ella se mostraba «la esperanza de salvación eterna del emperador». Cuando miramos el cuadro, descubrimos que esta esperanza no debía ser extrema. Ha sorprendido a los críticos de la escena el extremo realismo del retrato de Carlos. De él ha desaparecido toda grandeza y es un viejo despojado de todo poder, pálido, descompuesto y captado en tensión. Cuando comparamos su presencia con la de su esposa, difunta desde hacía años, vemos la distancia que hay entre la serenidad y la inquietud. El viejo emperador sólo implora animado por el ángel. Todo en el cuadro es movimiento interno de las figuras, pero en el caso de Carlos es más bien un cuerpo inerte en su sudario. Hay una apuesta por el desvalimiento y en el rostro tenso del anciano apunta desde luego el miedo. ¿Qué escena es ésta, en la que los mediadores tradicionales del Padre andan lejos, en el otro lado, y ya han vuelto la cara, como la Virgen, o se tensan extasiados y sorprendidos, como ese Juan Bautista que abre las manos, como no dando crédito? ¿Qué ha dicho el Juez supremo que haya sorprendido a Juan y que ha determinado que la Virgen baje la cabeza? Y si el Padre ha pronunciado alguna sentencia, ¿qué hace el emperador, todavía implorando?

La última imagen que vieron los ojos del emperador quedó detenida en este cuadro y es fácil pensar que todo lo que pensaba del mundo y de la vida, del más acá y del más allá quedara reunido en ella. Pero no lograremos interpretarla si no nos introducimos en la teología medieval y, más concretamente, en la forma en que era habitual representarse la relación entre el poder y el juicio final. Pues desde antiguo se sabía que el ejercicio de la espada ponía el alma en peligro. Por eso, los poderosos, los príncipes de este mundo, tenían claramente comprometida la salvación eterna. De ahí la angustia con la que se representaban el momento final. De estas evidencias parte el cuadro del Tiziano. Sin embargo, la tradición medieval era sutil y profunda y sin entender la compleja mecánica del Juicio Final, tal y como ella lo entendió, no se interpretará bien el momento justo de esta escena de Tiziano, ese momento terrible, pero al mismo tiempo esperanzado, en el que se ha pronunciado una sentencia y sin embargo, más allá de todo mediador y de todo abogado, todavía tiene sentido implorar. A ese nuevo recurso ante el tribunal de la Trinidad animan los ángeles al viejo emperador, a pesar de que la primera palabra ya ha sido pronunciada.

La historia, la lejana historia que ilumina este cuadro la cuenta Carl Schmitt en su viejo libro sobre *Römischer Katholizismus und politische Form*, de 1925. Allí se plantea el problema de una justicia que esté separada de todos los códigos mundanos y que se mantenga en directa relación con las fuentes originarias de la justicia. Schmitt argumenta que un concepto fuerte de representación permitiría exactamente esto: producir nuevo derecho más allá del establecido en los códigos. A su parecer, éste sería el caso si alguien pudiera ejercer en este mundo los poderes que Cristo tiene en el otro. Al representar a Cristo, la Iglesia puede producir nuevo derecho, mientras que el poder basado en la jurisprudencia es sólo una mediación del derecho ya válido (Schmitt 1925: 50). Esto sería así porque la existencia de ese poder implicaría la representación inmediata de la idea en la que vive el espíritu mismo de Cristo. Por eso, la iglesia sería una instancia originaria y universal. Mas, para integrar perfectamente una representación completa de la divinidad, se requiere algo más que integrar el *ethos* de un poder y de una justicia. También se requiere —dice Schmitt— algo ulterior: el momento del brillo, de la honra y de la gloria (*«Glanz, Ehre und Ruhm»*). Pues sólo en estos últimos elementos reposa el prestigio eminente de la representación. Sólo encarnando la gloria en la tierra se pueden romper los códigos jurídicos, como la misma gloria de Dios puede romper los códigos de sus propios mandamientos. De hecho, sólo aquí, en la gloria, se supera la eterna oposición entre la justicia y el poder. Pues no existe ningún poder que no pueda ser acusado de haber violado la justicia y, por tanto, que pueda ser impugnado como injusto.

Llegado aquí, en su intento de identificar un poder que pueda ser realmente representativo, Schmitt tiene necesidad de organizar la idea de ese poder perfecto, infalible. Éste sólo puede ser el poder de Dios. Sólo quien imite ese poder divino podrá dotarse de forma política plena. Así pues, Dios debe integrar la *complexio* de esas tres dimensiones. Entonces, Schmitt dice que esta imagen la encontró un católico franciscano en su representación del Día del Juicio. La imagen la ha transmitido el católico francés Ernest Hello, el verdadero punto de enlace entre Joseph De Maistre y el Charles Maurras de *Action Française*. Esta imagen es sorprendentemente cercana a la que pintó Tiziano. En ella, un condenado que ha pasado la vida en el crimen está delante de la corte de Dios. Y cuando ha sido condenado sigue en pie todavía y dice: «Apelo». Hello nos recuerda que con esta palabra se cegaron todas las estrellas, pues según la idea más habitual del Juicio Final la sentencia se pronuncia sin posibilidad de apelación. Pero no es así. El poder verdadero no es la mera aplicación de la justicia, dice Schmitt. Por encima de ese poder justo hay algo más. «A quién apelarás tú de mi corte», le dice Cristo al condenado, sabiendo que ya se han acabado los mediadores. Entonces el condenado grita: «Yo apelo de tu justicia a tu gloria» (Schmitt 1925: 56). No es un azar que esta escena del Juicio Final particular de Carlos se llamara el *Juicio Final*, primero, y *La Gloria*, después. No es un azar que, clausurado el momento de la mediación, Carlos todavía implore, en una actitud insistente, pero angustiosa. No es un azar que esa relación sea ya directa con Dios y que vaya más allá de una justicia que ha pronunciado su última palabra. Tiziano ha pintado al rey en el momento en que, a pesar de la condena por la Justicia, apela a la Gloria. Ése es el secreto de ese pesado movimiento al que los ángeles le animan. Finalmente, la conciencia del emperador sabía qué miraba cuando se despidió de la vida con los ojos puestos en este cuadro. Al fin y al cabo, ese juicio sobre su pasado no podía dejar de albergar una duda sobre su salvación. Pero la gloria de Dios todavía podía salvarle. Al reconocer este hecho, Carlos en el fondo manifestaba la mejor comprensión de su propio poder, al fin y al cabo él mismo también representación del poder de Dios. Su obra no se podía justificar como representación de la justicia, pero sí como brillo de su gloria.

Así que, finalmente, todos los lugares de la memoria coinciden en un consenso que es la conclusión de este trabajo. Ese consenso acoge también la conciencia de Carlos sobre su propio pasado y situación escatológica. Mi padre, por las calles de Úbeda, que tantas veces recorriera también el secretario de Estado, Francisco de los Cobos, sólo tenía la perspectiva de la justicia y desde ésta Carlos quedaba condenado. Los realizadores de la exposición *Carolus,* que se mueven instintivamente en el viejo catolicismo, tienden a salvarlo ofreciéndonos una estetización de su reinado que sólo reconoce la perspectiva de la gloria. Pero un catolicismo profundo, como el de Hello y Schmitt, sabe que la Gloria sólo puede ser la ultima instancia tras la condena moral. Antes de la Gloria, todavía el Juicio Final tiene que pronunciar su sentencia de justicia. El Carlos de Tiziano, como era inevitable, alberga la experiencia más profunda: la que se sitúa en ese instante eterno, ese instante de terror apenas disuelto, en que comienza a encenderse de nuevo la luz de las estrellas, en el instante en que la apelación de la Gloria es escuchada.

OBRAS CITADAS

BATAILLON, Marcel (1966): *Erasmo y España*. Trad. A. Alatorre. México D. F.: Fondo de Cultura Económica.

CHECA, Fernando (dir.) (2000): *Carolus: Museo de Santa Cruz, Toledo, 6 de octubre de 2000 a 12 de enero de 2001*. Madrid: Sociedad Estatal para la Conmemoración de los centenarios de Felipe II y Carlos V.

DEHIO, Ludwig (1996): *Gleichgewicht oder Hegemonie, Betrachtungen über ein Grundproblem der neueren Staatengeschichte*. Zürich: Manesse Bibliothek der Weltgeschichte.

ELLIOTT, J. H. (1965): *La España Imperial. 1469-1716*. Barcelona: Vicens-Vives.

FALOMIR, Miguel (2003): *Tiziano. 10 de junio-7 de septiembre de 2003*. Madrid: Museo Nacional del Prado.

FERNÁNDEZ ÁLVAREZ, Manuel (1999): *Carlos V, un hombre para Europa*. Madrid: Espasa.

HOPE, Charles (1981): *Titian*. London: Jupiter Book.

KOHLER, Alfred/HAIDER, B./OTTNER, Chr. (eds.) (2001): *Karl V. 1500-1558. Neue Perspektiven seiner Herrschaft in Europa und Übersee*. Wien: Verlag der Österreichischen Akademie der Wissenschaften.

RODRÍGUEZ SALGADO, M. J. (2001): «Good Brothers and perpetual allies: Charles V and Henry VIII». En: KOHLER, A./HAIDER, B./OTTNER, Chr. (eds.): *Karl V. 1500-1558, Neue Perspektiven seiner Herrschaft in Europa und Übersee*. Wien: Verlag der Österreichischen Akademie der Wissenschaften, pp. 611-655.

ROSENAUER, Arthur (2001): «Karl V und Tiziano». En: KOHLER, A./HAIDER, B./OTTNER, Chr. (eds.): *Karl V. 1500-1558. Neue Perspektiven seiner Herrschaft in Europa und Übersee*. Wien: Verlag der Österreichischen Akademie der Wissenschaften.

SCHMITT, Carl (1925): *Römischer Katholizismus und politische Form*. München: Theatiner Verlag.

VIVES, Joan Lluis (1997): *De Concordia e discordia in humano genero. Libro III: Sobre la concordia y discordia en el género humano*. Trad. y notas de F. Calero, M. L. y P. Usable. Valencia: Ed. Ayuntamiento de Valencia.

VON EINEM, Herbert (1960): *Tizian und Karl V*. Köln/Opladen: Arbeitsgemeinschaft für Forschung des Landes Nordrhein-Westfalen.

YATES, Frances A. (2001): *Astrea: l'idea di impero nel cinquecento*. Trad. E. Basaglia. Torino: Piccola Biblioteca Einaudi.

LA DECONSTRUCCIÓN DE LA MEMORIA. EL ARGUMENTO PERVERSO SOBRE LA REPRESIÓN FRANQUISTA

Agustí Colomines

RESUMEN

El malogrado profesor Ernest Lluch acuñó el concepto de «nacionalismo español cañí» para designar a algunos ensayistas españoles que mantienen que en la España franquista no se quiso uniformar a la gente en español. Como intentaré demostrar, su obstinación revisionista acerca de la naturaleza de la represión franquista contra las culturas no castellanas, representa un preocupante ejercicio de deconstrucción de la memoria, cuyo efecto es, de entrada, sustituir el relato histórico por un obsesivo discurso ideológico que roba la verdad a las generaciones presentes y futuras. Los acervos documentales que en su día acumularon los historiadores Francesc Ferrer i Gironés y Josep Benet en sus obras *La persecució política de la llengua catalana* y *L'intent franquista de genocidi cultural contra Catalunya*, publicadas en 1985 y 1999, respectivamente, nos sirven de base para demostrar la existencia de una política represiva planificada cuyo objetivo era, en primer lugar, eliminar las instituciones catalanas de autogobierno y, al mismo tiempo, «españolizar» Cataluña idiomática y culturalmente.

Decía Javier Tusell en un artículo que publicó en julio de 1998 que «nada proporciona más autosatisfacción a un historiador que el ejercicio de descubrir supuestas causas ocultas y poco confesables en la presentación, por parte de otro, del pasado» (Tusell 1998). Es verdad, aunque también lo sea que la tarea de desenmascarar al supuesto historiador villano pueda acabar por ser una tarea superficial y poco comprometida que, como apuntaba Tusell, a base de despachar como «políticamente correcto» la versión ofrecida, peque de exactamente lo mismo que reprocha y aun de cosas peores. Algo parecido ocurre con la cuestión de la memoria, puesto que su elogio incondicional, opuesto a la condena ritual del olvido, acaba siendo problemática. Sin embargo, como nos recuerda Tzvetan Todorov, lo que la memoria pone en juego es demasiado importante para dejarlo a merced del entusiasmo o la cólera (Todorov 2000: 15). Pero cuando los acontecimientos vividos por un grupo o una sociedad son de naturaleza excepcional o trágica, como lo fue la represión ejercida por el franquismo en contra de las culturas no castellanas de España, nada debe impedir la recuperación de la memoria. El deber de testimoniar, de acordarse de lo sucedido, se torna entonces un «lugar de memoria», en el sentido que dio a este concepto Pierre Nora, donde lo esencial ya no son las causas sino sus efectos, la huella que dejan estos, además de su construcción o deconstrucción en el tiempo, lo que provoca la desaparición o el resurgimiento de su significado en una especie de juego, a veces perverso, cargado de simbolismo (Nora 1993: 24). No se trata de sumarse a la «era de la conmemoración del pasado» que nos invade desde hace años (fenómeno que el propio Nora rechazaba), pero sí que existe un imperativo de la memoria, tomado desde la perspectiva historiográfica, que no puede desaparecer bajo el manto del «derecho al olvido» que reclaman ciertos historiadores, filósofos, sociólogos y periodistas (Ferenczi 2002). Caer en la tentación de conjugar una desmemoria impuesta sólo nos conduciría a edulcorar la sordidez y desolación que impuso el franquismo en toda España y, muy especialmente, en los territorios con una lengua y cultura propias. En fin, a la celebración de la barbarie.

Jon Juaristi, combativo ensayista vasco donde los haya y ex director del Instituto Cervantes, cae a menudo en ese tipo de tentaciones. No es el único, puesto que otros ensayistas, por ejemplo Juan Ramón Lodares, comparten la obstinación revisionista acerca de la naturaleza de la represión franquista contra las culturas no castellanas de España. El libro de Lodares *El paraíso políglota. Historias de lenguas en la España moderna contada sin prejuicios* (Lodares 2000) y la reseña que Juaristi publicó de este libro en el diario *El País* (Juaristi 2000) son, pues, dos de las manifestaciones más claras y extremas —debería decir extremistas y radicales— de la distorsión interesada de la memoria histórica. Como intentaré demostrar, las opiniones vertidas por Lodares y Juaristi representan un preocupante ejercicio de deconstrucción de la memoria de la represión, cuyo efecto es, de entrada, robar la verdad a las generaciones presentes y futuras.

Detractores y defensores del nacionalismo, pues, a menudo omiten en sus desproporcionados análisis los hechos, sustituyéndolos por un relato obsesivo de sus asideros ideológicos y enconamientos, que es el principal talón de Aquiles del libro de Juaristi, *Sacra Némesis. Nuevas historias de nacionalistas vascos* (Juaristi 1999) al realizar una crítica total y sin matices a la cultura vasca, que, sea dicho de paso, asocia siempre al nacionalismo. Su extremismo le lleva a olvidar la responsabilidad intelectual básica del científico social: la obligación de acercarse tanto como le fuere posible a la realidad del pasado para comprender el fenómeno del nacionalismo en su concreción histórica. Más que establecer leyes generales, tarea a la que están acostumbrados los sociólogos, el historiador debe preguntarse por qué aparece un conflicto y cómo ha podido ocurrir[1]. La condena o la exaltación del pasado no aporta nada al conocimiento, puesto que la hostilidad hacia un fenómeno histórico no borra los efectos de éste ni nos permite conocerlo mejor, a lo sumo nos dice algo sobre nosotros mismos, los interlocutores del presente (Smith 1992).

El empeño en demostrar a toda costa la artificialidad de las naciones, lo que es una característica común a muchos investigadores sociales, a menudo se acompaña de otro empeño aún mayor: el de la «deconstrucción de la memoria». Éste es el gran defecto del comentario de Juaristi acerca de la persecución lingüística en la España franquista a partir de la lectura del libro de Lodares. Para él, este libro demuestra dos cosas que adquieren casi el rango de tautología. En primer lugar, «que el tópico del español como lengua imperialista es, además de falso, de reciente factura» (Juaristi 2000); y, en segundo lugar, que la represión de las lenguas nacionales de Euskadi, Galicia y los Países Catalanes no fue tanta como la historiografía nacionalista de estas naciones hispánicas ha sostenido desde los años de la transición. A fin de corroborar su primera premisa y

---

[1] En un comentario sobre la misma reseña que aquí comentamos, Ernest Lluch decía que los argumentos de Juaristi se basan «en unas lecturas numerosas pero propias del desorden del autodidacta» (Lluch 2000).

al mismo tiempo desmentir la prohibición del eusquera en la España de
Franco, descrita por el periodista norteamericano Mark Kurlansky en su
último libro (Kurlansky 1999), Juaristi afirma que a comienzos de la
década de los setenta él recibía clases en eusquera en la universidad y
escribía artículos en esa lengua para semanarios perfectamente legales.
Y concluye:

> Lo grave no es que los anglosajones consuman las tonterías de Kur-
> lansky, sino que las últimas generaciones de escolares vascos hayan sido
> adoctrinadas con estas que Lodares llama «medias verdades», peores que las
> mentiras a secas, y que buena parte de sus coetáneos de otras regiones de
> España padezca la misma desinformación (Juaristi 2000).

Lo más sintomático de su argumentación es, sin embargo, lo siguiente: «Lo que nos está costando en partidas presupuestarias la *destrucción
sistemática y deliberada de la comunidad lingüística española en aras
de la conservación del paraíso políglota* no nos será reembolsado por
los lectores de Kurlansky» (Juaristi 2000). Como se ve, su preocupación
no es la prohibición o no del eusquera, sino lo que a su juicio presupone
una deliberada y sistemática destrucción de la comunidad lingüística
española. Pero esta legítima preocupación le lleva a contravenir la lógica del historiador, menospreciando la realidad, la cronología e incluso la
naturaleza de la dictadura franquista. Enunciado de otra manera, la inefi-
cacia de la represión lingüístico-cultural de las autoridades franquistas, y
aun la anécdota de que el español no estuviese reconocido como idioma
oficial de España por ninguna de las leyes fundamentales del régimen
(lo que ya fue destacado por Josep Melià), no debería llevarle a negar
que uno de los objetivos del franquismo fuese la españolización castellanizante de los pueblos hispánicos con lengua propia (Melià 1970, Melià
1976). No es así como se escribe la historia.

La lectura de dos informes sobre el «problema regionalista en España» presentados a los plenarios del Consejo Nacional del Movimiento
de 1962 y 1971, junto al informe político sobre el mismo tema que ela-
boró en 1973 el vicepresidente del gobierno, Luis Carrero Blanco, para
que fuese discutido en la misma instancia de poder, ofrecen datos más
que suficientes para darse cuenta de que, aun en fechas tan tardías como
las aquí indicadas, el franquismo seguía dándole vueltas al asunto del
«regionalismo» y cómo ponerle coto. Un reciente libro del profesor Carles Santacana, da cuenta del calado de lo que allí se discutió, quién propuso qué y cuál era la filosofía compartida por los allí reunidos. Su

conclusión es inapelable. Según nos dice, los consejeros discutieron largo y tendido por qué resurgía el catalanismo, a pesar de la dictadura implacable y represiva, y se convertía una vez más en un problema político (Santacana 2000). Esa perplejidad de los consejeros del Movimiento no cuestiona en absoluto, antes bien al contrario, el hecho de que bajo el franquismo existiese la represión lingüística, lo que, por otro lado, se puede comprobar a partir de los documentos que analiza y transcribe Francesc Ferrer i Gironès en su monumental estudio sobre la persecución política del catalán (Ferrer i Gironés 1985). Otra cosa sería plantear el *tempo* y la intensidad de dicha represión. Pero incluso así, la represión cultural bajo el franquismo, que fue un fenómeno general español, tuvo sus casos especiales. Así lo afirman, por ejemplo, los autores de un libro, recientemente reeditado, sobre diez años de censura de libros, de 1966 a 1976, durante el tiempo de vigencia de la Ley de Prensa. Según cuentan, para evitar los rigores de la censura franquista, algunas editoriales recurrieron a la artimaña de publicar libros con pie de imprenta en Barcelona, pero fechados en años anteriores a 1936:

> La edición clandestina de libros descrita fue realizada —dicen— antes de la Ley de Prensa, y especialmente, en los años cuarenta, en el caso de la literatura catalana, que había sufrido una dura represión al término de la Guerra Civil. En un primer momento fue prohibida la publicación de libros en esta lengua y sólo al cabo de muchos años, y de forma paulatina, se tendió a ir autorizándola (Cisquella/Erviti/Sorolla 2002: 114).

Hasta qué punto fue aberrante la política franquista sobre esta cuestión se demuestra mediante el hecho que la permisividad en la publicación de libros en lengua catalana empezó cuando el régimen comprendió que los aliados iban a ganar la Segunda Guerra Mundial. Hasta la aprobación de la Ley de Prensa, los libros autorizados en catalán consistían en reimpresiones de autores clásicos —como los de Verdaguer— en su modalidad original, es decir, sin la normalización lingüística que los hiciese populares; y poemarios. La prosa no fue autorizada hasta mucho tiempo después, casi al mismo tiempo que se levantó la prohibición expresa de editar traducciones de otras lenguas. Además, en el caso de los libros catalanes hay que decir que la censura se cebó durante años en las palabras o los conceptos tabú. Por ejemplo, las palabras *nacional* o *nacionalidad* aplicadas a Cataluña eran sistemáticamente tachadas por la censura, así como el concepto Países Catalanes referido al ámbito cultural de los países de lengua catalana (Cisquella/Erviti/Sorolla 2002: 113-117).

Si los que niegan la naturaleza genocida de la represión franquista fuesen historiadores, enseguida se darían cuenta de cuán importante es la cronología para determinar el desarrollo de los hechos históricos. Al leer lo que algunos de ellos plantean sobre la permisibilidad del régimen en cuanto al uso del eusquera o del catalán en la España de los años setenta, siempre me acuerdo de la escena que Alberto Oliart detalla en sus excelentes memorias sobre la Barcelona de posguerra, cuando él era todavía un chaval. El relato es el siguiente:

> Y así fue como una mañana, cruzando la Rambla Cataluña, camino de casa, oí a un hombre de edad más que madura, de apariencia normal y muy apoyado en el brazo de la que parecía ser su mujer, al mismo tiempo que un grupo de tres o cuatro militares, oficiales por las botas altas que calzaban y las estrellas de sus gorros cuarteleros y hombreras del Ejército Nacional, les alcanzaban y sobrepasaban, justo cuando el hombre le decía a la mujer en catalán, hablando en tono normal, lo que fuera; y entonces uno de los oficiales se volvía hacia el hombre, que ya había terminado su frase, y le daba, en plena cara, una tremenda y sonora bofetada, digo sonora porque me sonó como un disparo, y el hombre se tambaleaba, y no cayó al suelo porque la mujer, su mujer, le sujetaba, mientras el oficial le gritaba: «¡Aquí sólo se habla el idioma del Imperio!», y mientras la mujer, ahora llorando, medio en castellano, medio en catalán, imploraba: «Señor, no le haga nada al *meu marit*», el oficial, al que los otros cogían por los brazos para llevárselo con ellos, seguía gritando insultos a esos «cochinos separatistas catalanes que no habían aprendido la lección» [...] El grupo de oficiales se alejó riendo y bromeando, como si una vez aplicado el correctivo lo hubieran olvidado, o como si el miedo de la pareja les hubiera causado la hilaridad porque se había puesto de manifiesto su temida, indiscutible y total superioridad (Oliart 1998: 102).

Nadie en su sano juicio puede pensar que lo que cuenta Oliart, ex ministro de Defensa con Suárez, sea producto de la invención de un político con veleidades nacionalistas catalanas. Es evidente que esta escena podía haber tenido lugar perfectamente en Bilbao, Santiago, Valencia o Palma.

Retomando el hilo de lo que denomino el «argumento perverso», que el régimen franquista evolucionase e incluso que fuera ineficaz al ejecutar su voluntad represiva, no puede servir para negar la naturaleza totalitaria del franquismo ni aún menos para obviar el intento manifiesto de llevar a cabo un auténtico genocidio cultural. Sería como si por el simple hecho de que CC.OO. pudo organizarse inicialmente como un movimiento paralegal, los historiadores acabasen por asegurar que en la España franquista existía la libertad sindical. ¡Absurdo! Como escribió Josep Benet en el capítulo final del su conocido libro sobre la represión cultural en Cataluña, la pretensión de algunos sectores políticos e historiográficos de hoy en día, que se sentirían ofendidos si se les calificase de franquistas, de silenciar o minimizar la represión franquista de la lengua y la cultura catalanas se inscribe en la «moda» revisionista al uso que, al relativizar los efectos de dicha represión, lo que hace es, paradójicamente, edulcorar los motivos que provocaron el alzamiento militar (Benet 1995). Benet, a diferencia de otros analistas, es historiador por vocación, aunque no tenga la licenciatura, y las 500 páginas de su libro no son en modo alguno un *a priori* ideológico, sino más bien la trascripción minuciosa de una documentación de primera mano que, si algo demuestra, es el empeño nacionalista del franquismo, cuya determinación pasaba por eliminar las instituciones catalanas de autogobierno y, sobre todo, a efectos de lo que aquí estoy exponiendo, por «españolizar» Cataluña idiomática y culturalmente.

La represión sobre el mundo universitario catalán es un buen ejemplo para evaluar su dimensión en un sentido cuantitativo y cualitativo. Tomo prestados los datos recopilados por el profesor Santacana, quien nos dice que en la Universidad de Barcelona la depuración incoada en 1939 supuso la expulsión de 135 profesores, lo que representaba más de la mitad del cuadro docente de 1936. De estos expulsados, 55 habían emprendido el camino del exilio (entre ellos el rector Pere Bosch Gimpera, los médicos docentes August Pi Sunyer, Nicolau Battestini, Francesc Duran y Reynals, Emili Mira y los hermanos Joaquim y Antoni Trias i Pujol; los filósofos Jaume Serra Húnter, Joaquim Xirau, Joan David García Bacca y Josep Ferrater Mora; el jurista Miquel A. Marín o el latinista Joaquim Balcells). Cinco docentes que permanecieron en Cataluña fueron encarcelados: los decanos de Farmacia y Derecho (Josep Deulofeu i Poch y Josep M. Boix i Raspall), y los profesores de análisis químico (Antoni Colomer), de botánica (Pius Font i Quer) y de neurología (Belarmí Rodríguez Arias). Lo que quiero resaltar es que un exilio de estas dimensiones y calidad dejó descabezada una universidad, que además debió someterse a una nueva legislación absolutamente rígida, centralista y castellanizante: «La sangría entre el profesorado —concluye Santacana— también supuso que el impulso cultural y científico catalán de la época volvió a reproducir un esquema del pasado, en que se suponía a la universidad como ajena o claramente contraria a la cultura catalana» (Santacana 2002: 117).

El objetivo, pues, estaba claro desde el primer momento, aunque los franquistas no fueran capaces de rematar la faena. Con tres ejemplos pienso que quedará suficientemente probada la determinación de Franco y el franquismo en relación con la cuestión de las nacionalidades. Primero, la declaración de Franco a la prensa extranjera, el mes de febrero de 1937, que ya me sirvió tiempo atrás para replicar a las tesis «revisionistas» de Andrés de Blas sobre las razones argüidas por los rebeldes del 18 de julio, y que respecto a Cataluña decía lo que sigue: «En cuanto a la suerte futura de Cataluña, hemos de decir que *ésta es precisamente una de las causas fundamentales de nuestro levantamiento*. Si abandonásemos Cataluña a su propio destino, llegaría a ser un grave peligro para la integridad de la Patria»[2]. Segundo ejemplo, otra declaración de Franco del tiempo de la guerra en la que exponía con claridad meridiana qué iba a hacer:

> España se organiza en un amplio concepto totalitario, por medio de ins-
> tituciones nacionales que aseguren su totalidad, su unidad y continuidad. El
> carácter de cada región será respetado, pero sin perjuicio de la unidad nacio-
> nal, que la queremos absoluta, con una sola lengua, el castellano, y una sola
> personalidad, la española[3].

El tercer ejemplo, es un fragmento del editorial del periódico *El Correo Español-El Pueblo Vasco* de 25 de enero de 1939, cuyo título ya era toda una declaración, «España una e íntegra», que al dar noticia de la toma de Manresa en 1939 recordaba el episodio acaecido en dicha ciudad en la fecha, entonces ya lejana, de 1892, cuando los catalanistas aprobaron allí el «mítico» documento que se conoce por el sobrenombre de *Bases de Manresa:* «Ha sido tomada Manresa. ¡Cuántos recuerdos trae a la memoria este nombre! Las famosas bases de Manresa no han sido ajenas al deplorable proceso político que estamos ahora liquidando a punta de bayoneta».

Cuando las tropas franquistas ocuparon Barcelona el 26 de enero de 1939, la cultura catalana sufrió la persecución más dura desde 1714, incluso superior a la ejercida durante la dictadura de Primo de Rivera. Fíjense en lo que escribió Antoni Rovira i Virgili en julio de 1939 refiriéndose a su libro de memorias:

> Un libro catalán que se publica en el extranjero mientras los libros cata-
> lanes son perseguidos y destruidos en nuestra patria, significa que la guerra

[2] Reproducidas en Benet (1995: 92).
[3] *Palabras del Caudillo. 19 abril-31 diciembre 1938* (Barcelona, 1939), reproducidas en Benet (1995: 142).

no ha terminado, que la guerra sigue, que la guerra no se acabará hasta que Cataluña recupere toda su libertad nacional: la del régimen político, la de la lengua y la del espíritu (Rovira i Virgili 1999: 8).

Ciertamente, los libros en catalán fueron destruidos y convertidos en pasta de papel, así como se ilegalizaron las instituciones de cultura. Aunque el Institut d'Estudis Catalans (IEC) no figuraba explícitamente entre las instituciones y asociaciones prohibidas por los vencedores porque lo consideraban ya extinguido, los ataques contra esta prestigiosa academia creada en 1907 son un buen ejemplo de la consideración que la cultura catalana le merecía al franquismo. El 19 de febrero de 1939, Luis Galinsoga (un periodista que pronto se convertiría en director de *La Vanguardia Española*) declaraba a *El Heraldo de Aragón:* «El Centro de Estudios Catalanes, cuya obra nefasta y traidora urge arrancar, fue el encargado de manufacturar con avisado ingenio de mercachifle que asegura mercados a sus productos, la 'tradición catalanista', desgajada de la tradición hispánica» (Balcells/Pujol 2002: 318-328)[4].

Con todo, si cualquier persona está interesada en conocer por qué fue posible pasar de este intento innegable de genocidio cultural a la supervivencia más o menos tolerada de las culturas nacionales no castellanas, deberá tomarse la molestia de leer los dos tomos, extensos y documentadísimos, elaborados por Joan Samsó con la ayuda de la «factoría Benet», cuando éste dirigía el Centre d'Història Contemporània de Catalunya (Samsó 1994, Samsó 1995). Es evidente que el franquismo no logró completar el objetivo que se había propuesto cuando los militares se alzaron en armas contra la República. A pesar de la claudicación de aquellos catalanes que podríamos calificar de colaboracionistas (que ahora resultan simpáticos a según quién porque aparecen en la radio o en las pantallas de TV y publican memorias para autojustificarse), la lengua

---

[4] Acerca de por qué el IEC no fue prohibido explícitamente, Martín de Riquer dio su versión en un informe que presentó al noveno Consejo Nacional del Movimiento, que se celebró en 1964: «Después de la Liberación, la situación del Institut d'Estudis Catalans adquirió un singular aspecto. Así como todas las academias e instituciones similares fueron 'depuradas', el Institut no lo fue, sea por olvido de los encargados de la depuración, que debían creer que había desaparecido por sí solo, sea por interés de los propios miembros del Institut en no someterlo a depuración. Fue una especie de 'muerte civil' del Institut, que, sin saberse exactamente por qué, quedó desvinculado de la Diputación y convertido en una sociedad, más o menos clandestina que, poco a poco, fue reorganizándose y volviendo a dar señales de vida» (cit. por Melià 1970: 234-235).

siguió viva entre la gente normal y corriente que durante mucho tiempo tuvo que aguantar las cornadas de los energúmenos que describe Oliart en su relato. Al principio se refugió, como casi todo, en la privacidad, que es tanto como decir en la clandestinidad. Y clandestinamente inició la tarea de *'salvar el mots'* ('salvar las palabras'), por decirlo a la manera del poeta Salvador Espriu, de la misma manera que la reconstrucción de los movimientos socio-políticos y sindicales antifranquistas y democráticos se forjó en la clandestinidad y, pasados los años más siniestros de la posguerra, en la década de los setenta, logró establecer lo que antes hubiese sido inimaginable: aquellos «espacios de libertad», como los llamaban los comunistas, que permitieron roer las entrañas del franquismo en su propio terreno.

Pero el «argumento perverso» que acaba por distorsionar la historia de los fenómenos nacionalistas en España no afecta sólo al análisis del franquismo y de su política lingüística represiva. Aquellos que defienden la tesis de la débil nacionalización española durante el siglo XIX como la causa que propició la aparición de los nacionalismos periféricos, también hacen uso de él. Digamos de entrada que Borja de Riquer, que fue uno de los historiadores que lo puso de moda en una comunicación presentada en un congreso convocado por la Asociación de Historia Contemporánea (De Riquer 1994)[5], hace ya algún tiempo que matizó y rectificó los excesos de su planteamiento (De Riquer 1996a), sustituyéndolo por otro que de hecho recupera el sólido esquema interpretativo elaborado por el profesor Josep Termes en 1974 y que ahora vuelve a circular a través de las páginas del libro *Les arrels populars del catalanisme* (Termes 1999). Así pues, la mayoría de historiadores catalanes han asumido su justísima ponderación de que el nacimiento del catalanismo político fue el resultado de la mayor modernidad de la sociedad catalana respecto al resto de España.

Para poder avanzar en el conocimiento de lo que ha sido históricamente y cómo se ha desarrollado el nacionalismo catalán, ahora, en todo

[5] La ponencia se titulaba «Nacionalidades y regiones en la España contemporánea. Reflexiones, problemas y líneas de investigación sobre los movimientos nacionalistas y regionalistas», aunque inicialmente fue publicada en catalán bajo el título «Reflexions entorn de la dèbil nacionalització espanyola del segle XIX», *L'Avenç*, 170, 1993, pp. 8-15. Existe una versión en castellano de dicho artículo en *Historia Social*, 20, 1994, pp. 97-114. Más tarde la incluyó en *Escolta Espanya. La cuestión catalana en la época liberal*, Madrid, Marcial Pons, 2001. Aquí se ha utilizado la versión de 1994.

caso, deberíamos propiciar una investigación exhaustiva, sin maniqueísmos presentistas, sobre la importancia que tuvo en dicho proceso y en aquel nacimiento la fidelidad de la gente normal y corriente a su identidad natural, lo que propició la recuperación creciente de la catalanidad a partir de 1833, y que es un ingrediente básico y previo a la constitución consciente de un movimiento político alternativo entre aquellos sectores burgueses y conservadores que con entusiasmo se habían comprometido con la monarquía española y la política de notables. En este sentido, es posible que no les falte razón a los que afirman que el conservadurismo catalán aliado del españolismo borbónico tardó mucho en darse cuenta de que las concesiones arrancadas al gobierno de Madrid más bien fueron consecuencia del potencial interno catalán y de su voluntad de plantarle cara que de la política benefactora del Estado al que ellos se habían supeditado. Eso, y no otra cosa, explicaría con mayor acierto el giro catalanista que efectuó la burguesía catalana en el convulso y crítico fin del siglo XIX.

El carlismo y los republicanos federales, dos tendencias ideológicamente antagónicas, pero que tenían un componente anticentralista similar, supieron conectar mejor, cada uno a su manera, con lo que Jordi Casassas llama el «trasfondo vital que animaba la persistente voluntad catalana de no integrarse en el proyecto de Estado liberal español», sin que tal cosa comportase alimentar las filas de la reacción (Casassas 1993). Un trasfondo vital, que también podríamos llamar catalanidad, basado en la reivindicación historicista de las libertades individuales y colectivas suprimidas al llegar al trono la dinastía borbónica. Al fin y al cabo, 1714 no les quedaba tan lejos. Porque, como sostiene Pere Anguera, la constatación de que un cierto espíritu catalán, orgulloso de serlo, se mantuviese fuerte entre 1842 y 1856 se basa en el reconocimiento y aceptación generalizada por parte de la mayoría de la gente del imaginario patriótico catalán, símbolo de su forma de ser (Anguera 1997). Ese imaginario patriótico sólo se pudo mantener apoyándose en el trasfondo vital que indica Casassas, que desde la Renaixença se reforzó vinculándose con el Romanticismo a través de la identificación de la Edad Media catalana con la época de plenitud durante la cual el poder político de matriz catalana iba acompañado de la riqueza material y artística del país.

En un brillante artículo de Salvador Cardús podemos leer lo siguiente: «Al contrario de lo que pudiera parecer, la memoria no es tanto una interpretación del pasado como una justificación del presente vivido de acuerdo con unas determinadas perspectivas de futuro» (Cardús 2000: 23).

Así pues, en un sentido estricto podemos afirmar que es la modificación
de las perspectivas de futuro lo que nos impulsa a mirar hacia atrás y
recordar. Pero, por encima de la memoria individualizada que nos justifica en el presente, ¿quién tiene la potestad de fijar estas perspectivas
colectivamente? La respuesta nos la da Cardús: «La posibilidad de fabri-
car una memoria social es una potestad genuina de cualquier manifestación de poder» (Cardús 2000: 23), lo que ya nos advierte del hecho que
la memoria colectiva de los vencidos siempre tiene dificultades para
trascender y se convierte, al menos inicialmente, en patrimonio de las
minorías resistentes. Además, la selección de la memoria se parece
mucho al proceso de selección de los fenómenos históricos que los historiadores deciden explicar. Ahora bien, la complejidad de la transición
española, pero también las renuncias, ha provocado el problema de
cómo se debe gestionar la memoria. El profesor Joan Ramon Resina nos
indica que durante la transición todo el mundo lo sabía todo de todos y
que precisamente porque lo sabía, se callaba (Resina 2002: 26). Este
silencio se ha consolidado con los años hasta el punto de «contribuir a la
pérdida de la memoria colectiva y esconder los atributos más horribles y
perversos» del régimen franquista, que innegablemente condicionaron la
evolución de la nueva democracia (Aracil/Segura 2000).

No querer entender la profundidad de este proceso, intentar forzar los
argumentos anteponiendo la ideología y los deseos de cada cual a los
hechos históricos es, a mi entender, la mayor de las perversiones que hoy
puede invalidar una parte de la literatura sobre los nacionalismos bajo el
régimen de Franco. Y lo que es más grave, sumir a las ciencias históricas
en un descrédito injusto. Desde que en 1984 Pierre Nora empezó a publicar la inmensa obra, dirigida por él, *Les lieux de mémoire,* uno de los
fenómenos culturales y políticos más sorprendentes ha sido, precisamente, el resurgir de la memoria. Pero fue el mismo Nora quien, en el artículo final del último tomo publicado en 1993, expresó su irritación por «la
tiranía de la memoria» que acompañaba a la pasión de conmemorar centenarios, bicentenarios o cualquier hecho remoto, por insignificante que
fuese (Nora 1993: III, 977-1012). No le faltaba razón, porque es bien
cierto que en esta obsesión por el pasado o en los alardes conmemorativos hay mucho de espectáculo que difumina lo que pudiera haber en
ellos de «lugar de memoria». En este sentido, cuando los historiadores
reclamamos que se aborde el estudio de la represión franquista desde la
«justa memoria», por decirlo a la manera de Paul Ricœur, es porque
deseamos evitar que esta historia —entendida, ahora sí, como «lugar de

memoria simbólico»— se convierta en un discurso social invisible para las generaciones presentes y futuras. La idea de «justa memoria» debería ser hoy uno de los temas cívicos de obligado cumplimiento, pues al fin y al cabo forma parte de las condiciones que posibilitan la práctica democrática (Ricœur 2003: 13).

OBRAS CITADAS

ANGUERA, P. (1997): «Catalanitat i anticentralisme a mitjan segle XIX». En: AA.DD.: *El catalanisme d'esquerres*. Girona: Quaderns del Cercle, pp. 7-29.

ARACIL, R./SEGURA, A. (2000): *Memòria de la Transició*. Barcelona: Edicions de la Universitat de Barcelona.

BALCELLS, A./PUJOL, E. (2002): *Història de l'Institut d'Estudis Catalans, 1907-1942*. Barcelona: IEC-Editorial Afers.

BENET, J. (1995): *L'intent franquista de genocidi cultural contra Catalunya*. Barcelona: Publicacions de l'Abadia de Montserrat.

CARDÚS, S. (2000): «Politics and the Invention of Memory. For a Sociology of the Transition to Democracy in Spain». En: RESINA, J. R. (ed.): *Disremembering the Dictatorship: The Politics of Memory in the Spanish Transition to Democracy*. Amsterdam: Rodopi, pp. 17-28.

CASASSAS, J. (1993): «Descentralización y regionalismo ante la consolidación del estado liberal». En: D'AURIA, E./CASASSAS, J.: *El Estado Moderno en Italia y España*. Barcelona: Publicacions de la UB, pp. 175-202.

CISQUELLA, G./ERVITI, J. L./SOROLLA, J. A. (2002): *La represión cultural en el franquismo. Diez años de censura de libros durante la Ley de Prensa (1966-1976)*. Barcelona: Anagrama. (¹1977).

DE RIQUER, B. (1994): «Reflexiones entorno a la débil nacionalización española del siglo XIX». En: *Historia Social*, 20, pp. 97-114.

—: (1996a): «Modernitat i pluralitat, dos elements bàsics per a entendre i analitzar el catalanisme». En: AA.DD.: *El catalanisme conservador*. Girona: Quaderns del Cercle, pp. 7-23.

—: (1996b): «Per una història social i cultural del catalanisme contemporani». En: AA.DD.: *Le discours sur la nation en Catalogne aux XIXᵉ et XXᵉ siècles*. Paris: Éditions Hispaniques, pp. 153-163.

EL CORREO ESPAÑOL-EL PUEBLO VASCO (1939): «España una e íntegra». En: *El Correo Español-El Pueblo Vasco*, 25 de enero.

FERENCZI, T. (dir.) (2002): *Devoir de mémorie, droit à l'oubli*. Paris: Complexe.

FERRER I GIRONÈS, F. (1985): *La persecució política de la llengua catalana*. Barcelona: Edicions 62.

JUARISTI, J.(1999): *Sacra Némesis. Nuevas historias de nacionalistas vascos*. Madrid: Espasa Calpe.

—: (2000): «La incómoda memoria histórica». En: *Babelia*, suplemento cultural de *El País*, 29 de abril.

KURLANSKY, M. (1999): *The Basque History of the World*. New York: Walker.

LODARES, J. R. (2000): *El paraíso políglota. Historias de lenguas en la España moderna contada sin prejuicios*. Madrid: Taurus.

Lluch, E. (2000): «Nacionalismo español cañí». En: *La Vanguardia*, 25 de mayo.

Melià, J. (1970): *Informe sobre la lengua catalana*. Madrid: Magisterio Español.

—: (1976): *Cataluña en la época franquista*. Barcelona: Destino.

Nora, P. (dir.) (1993): *Les lieux de mémoire*. Tomo iii. Paris: Gallimard.

Oliart, A. (1998): *Contra el olvido*. Barcelona: Tusquets.

Resina, J. R. (2002): «La transició i la gestió de la memòria». En: *El Temps*, 956, p. 26.

Ricœur, P. (2003): *La memoria, la historia, el olvido*. Madrid: Trotta.

Rovira i Virgili, A. (1999): *Els darrers dies de la Caralunya republicana*. Barcelona: Proa. (1.ª ed.: Buenos Aires 1940).

Samsó, J. (1994): *La cultura catalana entre la clandestinitat i la represa pública (1939-1951)*. Vol. i. Barcelona: Publicacions de l'Abadia de Montserrat.

—: (1995): *La cultura catalana entre la clandestinitat i la represa pública (1939-1951)*. Vol. ii. Barcelona: Publicacions de l'Abadia de Montserrat.

Santacana, C. (2000): *El franquisme i els catalans. Els informes del Consejo Nacional del Movimiento (1962-1971)*. Catarroja-Barcelona-Palma: Editorial Afers.

Santacana Torres, C. (2002): «La desaparición de un modelo de intervención. Intelectuales, profesionales y científicos en la posguerra: el caso catalán». En: Chaves Palacios, J. (coord.): *Política científica y exilio en la España de Franco*. Badajoz: Universidad de Extremadura-Diputación de Badajoz, pp. 113-128.

Smith, A. (1992): «Nationalism and the Historians». En: *International Journal of Comparative Sociology*, xxxiii, 1-2 (enero-abril), pp. 58-80.

Termes, J. (1999): *Les arrels populars del catalanisme*. Barcelona: Empúries.

Todorov, T. (2000): *Los abusos de la memoria*. Barcelona: Paidós.

Tusell, J (1998): «El uso alternativo de la Historia». En: *El País*, 23 de julio.

EL PATRIOTISMO CONSTITUCIONAL
O LA DIMENSIÓN MNEMOTÉCNICA DE UNA NACIÓN

H. Rosi Song

> 'La patria es vuestra Madre', les decía el sargento. Y ante las dudas conceptuales de los reclutas, añadía: 'Os lo voy a explicar de una vez para siempre. ¿A que cuando veis a un francés os da rabia? ¿Sí? Pues *eso* es la Patria'.
>
> Juan BENET, *Otoño en Madrid hacia 1950.*

Conmemorando el vigésimoquinto aniversario de la Constitución de 1978, el rey Don Juan Carlos se congratuló en su discurso ante las Cortes Generales del espíritu integrador de este documento que selló la reconciliación y aseguró el futuro de una España diversa, plural y solidaria[1]. El rey reconoció que sin esta Constitución, cuya vigencia significó una estabilidad política, social y económica, el Estado no hubiera podido vivir sus profundas transformaciones: su conversión en un país dinámico, moderno, plenamente integrado en la Unión Europea y en constante desarrollo[2]. Sobre todo, su gran logro había sido el entendimiento de «la unidad nacional en la diversidad solidaria y justa» y el establecimiento de un

---

[1] Cito de la reimpresión del discurso real que apareció en *El País* el 7 de diciembre de 2003 con el título «No dilapidemos el caudal de entendimiento acumulado» (*El País* 2003a: 18). Quiero agradecer a los editores su detallada lectura del ensayo. En particular, a Joan Ramon Resina, cuyas observaciones han destilado muchas de las ideas aquí expuestas.

[2] Una estabilidad, según el discurso, «basada en la convivencia pacífica de los españoles, en el ejercicio democrático y equilibrado de los poderes del Estado y en la vertebración territorial de España» (*El País* 2003a: 18).

«marco sólido, estable y flexible» como «referente básico de [la] convivencia» (*El País* 2003a: 18). La Constitución, concluyó el rey, garantiza que España siga progresando y afrontando sus problemas en el futuro, siempre y cuando se eviten «planteamientos que puedan poner en peligro la estabilidad y la seguridad de todos» (*El País* 2003a: 18).

Esta advertencia final resulta curiosa en medio de esta celebración ya que, por un lado, contradice la garantía de estabilidad previamente reconocida y, por otro, pone en duda la referida flexibilidad del espíritu integrador y conciliador del documento. No obstante, el recuerdo de las circunstancias en este homenaje en torno a la redacción de este texto justifica esta actitud preventiva, especialmente cuando la Constitución se valora precisamente por la capacidad de asegurar el porvenir para que «España siga progresando en paz, democracia y libertad» (*El País* 2003a: 18). Ante la referencia a un pasado cargado de desastrosas consecuencias para el país, la Constitución no se conmemora como un evento político sino como un acontecimiento histórico que ha marcado el destino del país, y cuya vigencia resulta imprescindible para su bienestar. Lo que finalmente comunica este discurso conmemorativo es una firme oposición a las propuestas de reforma de la Constitución debatidas recientemente por políticos e intelectuales con relación a la organización estatal del país. Es más, su expresión coincide con el previo planteamiento del Partido Popular sobre el significado histórico de la ratificación de la ley fundamental de 1978, arbitrado por el concepto de «patriotismo constitucional», para guardarla de cambios que podrían perturbar la prosperidad del país.

Anticipando la conmemoración de la Constitución, el PP había incluido durante su XIV Congreso Nacional, en enero del año 2002, una ponencia titulada «El patriotismo constitucional del siglo XXI». Este discurso había servido, asimismo, como respuesta al debate político en torno a la futura identidad española como nación. A través de la adopción del concepto de «patriotismo constitucional», Josep Piqué —de Cataluña— y María San Gil —del País Vasco—, presentaron una visión metaforizada de la Constitución como la solución apropiada para resolver la disputa sobre la identidad nacional de España[3]. En su ponencia argumentaron

---

[3] El concepto de «patriotismo constitucional», desarrollado por los filósofos alemanes Dolf Sternberger y Jürgen Habermas, se incorporó en el vocabulario político de la izquierda española en los primeros años de la década de 1990 siendo luego apropiado por el PP (Núñez 2004: 17). Para una lectura comprensiva del uso de este término, consultar Velasco Arroyo (2002).

que, al enmarcar la integridad del territorio nacional garantizando al mismo tiempo su pluralidad, la Constitución era la única capaz de invitar a una abierta reflexión sobre «la idea de España» (Piqué/San Gil 2002: 1)[4]. El concepto de «patriotismo constitucional» que moderaría esta reflexión —abierta y delimitada de forma simultánea— se criticó y defendió en los medios de comunicación. Algunos, como Francesc de Carreras, lo consideraron una idea transversal «válida y adecuada para la España y la Europa actual» y «útil desde muchos sectores e ideologías» (Carreras 2001:19); otros, como John Müller, lo denunciaron como un «magnífico parche conceptual para el contrabando ideológico» y una manipuladora 'patrimonialización' de la Constitución por parte del PP (Müller 2002). Felipe González, por su parte, criticó la instrumentalización de la Constitución como espacio de disputa política para, finalmente, utilizarla como herramienta de exclusión (Cebrián/González 2001: 60).

Para el Partido Popular, el proceso de la redacción de la Constitución de 1978 y su ratificación, mediada por el concepto de «patriotismo constitucional», forma parte de una memoria nacional que no se debe ignorar. La codificación de esta memoria se fundamenta, como la misma Constitución, en «la indisoluble unidad de la Nación española, patria común e indivisible de todos los españoles» que declara parte de su segundo artículo. A diferencia de la ley fundamental, que reconoce y garantiza seguidamente la pluralidad del Estado, esta memoria insiste en la recuperación de un discurso patriótico español que sea compatible con la democracia, claramente discernible del previamente cultivado bajo el franquismo, y que permita la preservación de la unidad nacional[5]. Para ello, el PP se esfuerza por explicar la Constitución como parte de una memoria colectiva que merece la lealtad incondicional de todos los españoles por sus valores universales y sus logros democráticos. Pero la fidelidad expresada en el concepto de «patriotismo constitucional» no se aplica a los principios sostenidos por la Constitución. Este documento se erige como

---

[4] La ponencia tiene un total de 52 artículos. Esta frase proviene del primer artículo. Se puede acceder al texto en su totalidad a través de la siguiente dirección: http://www.iblnews. com/varios/pon_cons.pdf.

[5] El segundo artículo de la Constitución de 1978 reza: «La Constitución se fundamenta en la indisoluble unidad de la Nación española, patria común e indivisible de todos los españoles, y reconoce y garantiza el derecho a la autonomía de las nacionalidades y regiones que la integran y la solidaridad entre todas ellas» (*Constitución Española* 1978).

destinatario de una obligada devoción porque encarna la vigencia de una coherencia y unidad nacional que antecede al reconocimiento de la pluralidad de España. En esta vinculación hecha por el PP de las ideas de patriotismo y Constitución, justificada por los valores universales que simboliza la ley fundamental, se descubre una confluencia entre memoria e historia que revela una paradójica —y problemática— comprensión de la pluralidad española y su tolerancia.

Cualquier invocación de la memoria debe antes que nada someterse, según Natalie Davis y Randolph Starn, a las siguientes preguntas: quién la invoca, dónde, en qué contexto, y contra qué (Davis/Starn 1989: 2). Estos interrogantes sugieren que la memoria opera bajo presión. Su propia historia revela nuestras diferentes relaciones con el pasado, desde una recepción orgánica de la memoria como una verdad irreprochable, hasta equipararla con la historia y ver tanto la una como la otra como «heavily constructed narratives, with only institutionally regulated differences between them» [narrativas construidas extensivamente, con sólo diferencias reguladas institucionalmente entre ellas] (Davis/Starn 1989: 2)[6]. En esta «historia» de la memoria colindan sus variantes, desde la memoria individual y subjetiva concebida por Henri Bergson hasta la colectiva, argumentada por Maurice Halbwachs como una memoria construida socialmente y orientada hacia el presente, un instrumento de reconfiguración y no de reclamación o recuperación (Davis/Starn 1989: 4). Y entre ellas, la memoria histórica que, aunque en la interpretación de Halbwachs queda entretejida con la colectiva, conviene distinguir de la misma «for their discreet mechanics, protocols, and scope» [por sus mecánicas, protocolos y esfera diversos] (Resina 2000: 84). La memoria colectiva, según Halbwachs, presenta los síntomas de una estructura socio-política porque su producción depende de un contexto social que participa en los mecanismos de una estructura socio-política concreta (Halbwachs 1992: 53-54). Sin embargo, Joan Ramon Resina señala que la memoria histórica es mucho más reciente que la colectiva y consiste, sobre todo, en «a more specialized kind of 'recollection'» [una clase más especializada de 'recolección'] (Resina 2000: 85). Esta diferencia es importante de considerar en la crítica del tratamiento del pasado autoritario de España y su transición a la democracia. Resina observa que el debate sobre la amnesia histórica del posfranquismo raramente reconoce que la distorsión y el olvido son igualmente

---

[6] A lo largo del ensayo las traducciones del inglés al castellano son mías.

necesarios para la memoria (Resina 2000: 85). Es decir, la discusión sobre la amnesia histórica no debe enfocarse tanto en la pérdida del pasado como en la política de la memoria: «the dispute is really over which fragments of the past are being refloated and which are allowed to sink» [en realidad, la disputa tiene que ver con qué fragmentos del pasado se sacan a flote y cuáles se dejan hundir] (Resina 2000: 86).

Desde este punto de vista interesa constatar cuáles son los conductores de esta memoria y qué intereses influyen en la estratégica codificación del pasado «in view of present or anticipated needs, which are themselves layered in memory, affecting the sense and depth of retrieval» [en vista de las necesidades presentes o anticipadas, a su vez injeridas en la memoria, afectando el sentido y la profundidad de la recuperación] (Resina 2000: 88). La manipulación de la memoria en torno a la transición española no nos debe sorprender cuando, como apunta Resina, «the concept of political transition is meaningful only to the extent that it combines a genuine recreation of the state, which perforce will also transform the oppositional strategies that brought about the change» [el concepto de la transición política es significativo sólo cuando combina una genuina recreación del Estado, que forzosamente también transformará las estrategias de oposición que generaron el cambio] (Resina 2000: 88)[7]. En España, la reforma social que conlleva un verdadero cambio de Estado nunca se produce, quedando, en su lugar, una distorsión del pasado. La mirada selectiva hacia el pasado se traduce en la suposición de que las ideas relacionadas con el antiguo régimen fueron superadas. En cambio, un examen detallado de las aparentemente superadas prácticas del pasado prueba su permanencia, reformulada en diferentes expresiones[8]. De

---

[7] Pero, como apunta Paloma Aguilar, en el caso español esta transición nunca significó una profunda transformación política: «Es bien sabido que en España, tras la muerte de Franco, no se purgaron las principales instituciones civiles y militares heredadas de la dictadura. Tampoco se crearon «comisiones de la verdad» que investigaran las violaciones de derechos humanos que habían tenido lugar bajo el franquismo» (Aguilar 2002: 136). Paradójicamente, el caso de la transición española —aunque cuestionado— se convirtió «en el paradigma indiscutible de transformación pacífica de un régimen autoritario en otro democrático» (Aguilar 2002: 138).

[8] Una práctica que se considera mayoritariamente superada es el nacionalismo español. Sobre la permanencia, la transmutación y las paradojas del discurso nacionalista español en la democracia resulta revelador el análisis (y la documentación) del ensayo de Xosé-Manoel Núñez, «What is Spanish Nationalism Today? From Legitimacy Crisis to Unfulfilled Renovation (1975-2000)» (Núñez 2001).

hecho, se podría argüir que, en la España posfranquista, la memoria histórica sirve para preservar y continuar las experiencias del pasado, especialmente en lo que se refiere a la identidad española y la visión de su
organización política. La política de la memoria de estos temas es importante porque su práctica determina el presente y regula las contingencias
del futuro. Ésta encuentra su mejor ejemplo actualmente en la manipulación del concepto de «patriotismo constitucional» para debatir el porvenir de la identidad nacional del Estado español. En este debate, más allá
de la discusión sobre la supuesta superación del modelo nacional en el
Estado democrático español, lo que interesa es la construcción de la
memoria de la nación española como garantía de la integridad de su territorio. De hecho, el patriotismo avalado por el PP sólo se interesa en la
Constitución al convertirla en un *lieu de mémoire,* que conmemora el
momento de la gestación de un Estado democrático indivisible y la preservación de una identidad nacional cohesionada.

Pierre Nora articula el concepto de «lugar de memoria» desde una lectura en que se confrontan memoria e historia. La primera, siempre orgánica, evolutiva y permanente, deja paso, con la modernidad, a la historia,
siempre construida, incompleta y problemática, con un impulso archiva-
dor y regulador, transformando para siempre nuestra relación con el pasado y la naturaleza de la misma memoria (Nora 1989: 9-11). En este relevo
se sitúan los *lieux de mémoire,* al final de la tradición de esta primera
memoria, que sobrevive «only as a reconstituted object beneath the gaze
of critical history» [solamente como objeto reconstituido bajo la mirada
de la historia crítica] (Nora 1989: 12). Para Nora, en estos lugares, una
vez agotada la memoria quedan sus símbolos. Y en ellos se combinan las
herramientas más elementales de la historia y los objetos más simbólicos
de la memoria, que refuerzan un mundo desritualizado, «producing,
manifesting, establishing, constructing, decreeing, and maintaining by
artifice and by will a society deeply absorbed in its own transformation
and renewal» [produciendo, manifestando, estableciendo, construyendo,
decretando y manteniendo mediante artificio y voluntad una sociedad
profundamente concentrada en su propia transformación y renovación]
(Nora 1989: 12). En este esfuerzo, los lugares de memoria quedan sujetos
a una voluntad del recuerdo que desea, sobre todo,

> to stop time, to block the work of forgetting, to establish a state of things, to
> immortalize death, to materialize the immaterial —just as if gold were the
> only memory of money— all of this in order to capture a maximum of mea-

ning in the fewest of signs, it is also clear that *lieux de mémoire* only exist because of their capacity for metamorphosis, an endless recycling of their meaning and an unpredictable proliferation of their ramifications. (Nora 1989: 19)

[parar el tiempo, obstruir el trabajo del olvido, establecer un estado de las cosas, inmortalizar la muerte, materializar lo inmaterial —como si el oro fuera la única memoria del dinero— todo esto para capturar el máximo de significado en la mínima cantidad de signos, es también claro que los lugares de memoria sólo existen por su capacidad de metamorfosis, un reciclaje interminable de su significado y una proliferación impredecible de sus ramificaciones].

La ilusión de capturar el pasado, aun a través de una memoria reconstruida y transformada, refleja en parte la mecánica de la memoria histórica, siempre mediada y protocolar, que responde, a su vez, a intereses de las instituciones políticas y sociales. A partir de este punto de vista, el análisis de estos lugares de memoria, como depositarios de una interpretación intencional de la memoria, siempre proyecta una visión particular del pasado.

En el planteamiento del PP, la dimensión mnemónica de la Constitución, que se instrumentaliza a través del concepto de «patriotismo constitucional», es conflictiva. Primero, porque se aleja del significado original de este concepto; segundo, porque su vínculo con la ley fundamental por sus supuestos valores universales resulta cuestionable. Para empezar, el patriotismo constitucional, término apropiado de Jürgen Habermas, se explica por la apelación a los derechos del ciudadano, que trasciende teóricamente la identidad nacional, así como las tradiciones culturales, a favor de valores universales garantizados por la constitución[9]. Este concepto se presenta como medida de prevención ante los excesos históricos cometidos en nombre de discriminaciones étnicas, nacionales y culturales. Habermas prevé que, a largo plazo, el modelo

[9] Esta idea proviene del trabajo teórico de Habermas quien declara que un orden democrático no necesita estar mentalmente arraigado en la «nación» —entendida como una comunidad pre-política con un destino común—, ya que el vigor de un Estado democrático y constitucional reside precisamente en su habilidad de neutralizar la carencias de la integración social a través de la participación política de sus ciudadanos. Es decir, una sociedad puede construir legalmente una solidaridad que se reproduzca a través de su participación política y no por categorías esencialistas como la nación, la cultura, etc. (Habermas 2001: 76).

de ciudadanía que otorga derechos humanos básicos y participación política será el único que podrá proporcionarle a sus ciudadanos un sentido de colectividad y una justa distribución de los derechos (Habermas 2001: 76-77). El modelo «posnacional» de Habermas surge, pues, de la convicción de la caducidad del Estado nacional como modelo de organización política dentro de la dinámica de la globalización, en una situación donde lo único que prevalece son los principios democráticos garantizados por la Constitución[10]. Sin embargo, como apunta Xosé-Manoel Núñez, este reconocimiento no se aplica al caso español, que tampoco comparte el problema alemán, donde existe una patria sin discusión y se intenta «'civilizar' el patriotismo haciéndolo compatible con los valores constitucionales» (Núñez 2003). En cambio, el patriotismo constitucional se entiende en España como la necesidad de «recuperar valores históricos comunes de los que sentirse orgullosos, enfatizar las grandezas de la cultural española presente y pasada», y no para ratificar los valores universales que se expresan en la Constitución (Núñez 2003).

Por otra parte, según Joseba Gabilondo, «un posnacionalismo coherente tiene que partir de que el nacionalismo no es una estructura humana racional, que persiste de manera desplazada y mutante más allá de la institución del estado moderno» (Gabilondo 2003: 13)[11]. Es decir, la ausencia de modelos no debe distraer del reconocimiento de la continuidad de los principios organizadores de la realidad nacional que, a pesar de sus reformas, sigue funcionando a base de un principio nacionalista. El planteamiento del PP asume esta paradoja, ya que su interpretación del concepto de «patriotismo constitucional» se fundamenta en la afirmación del Estado nacional que busca una coartada para asegurar su preservación. El

---

[10] Max Pensky en su introducción al libro de J. Habermas *The Postnacional Constellation* (Habermas 2001: xii).

[11] Para Gabilondo, la propuesta de Habermas proviene del reconocimiento de la crisis de la cultura homogénea frente a la globalización y el multiculturalismo que, para garantizar el desarrollo de una política de reconocimiento, debe, «en cierto modo vaciar el estado de contenido nacional» (Gabilondo 2003: 6). Sin embargo, el humanismo democrático del filósofo alemán que se enfoca en un sujeto autónomo capaz de avalar este reconocimiento, «contradice y pone en crisis al estado como institución soberana» (Gabilondo 2003: 12). En otras palabras, la paradoja del patriotismo constitucional no es sino un esfuerzo por articular una nueva ideología que legitime al estado alemán o, mejor dicho, «es una nueva forma de nacionalismo o para ser más precisos, de neonacionalismo, que al intentar negar su naturaleza nacionalista bajo nuevos universalismos multiculturalistas, corre el peligro de repetir todos los errores del nacionalismo estatal del que intenta separarse» (Gabilondo 2003: 12).

patriotismo que el PP dirige a la Constitución de 1978 no expresa una lealtad a sus valores sino a su proyección de una identidad nacional que reproduce el objeto del nacionalismo tradicional. Como señala Resina, el PP utiliza el «patriotismo constitucional» como un mito funcional que ejercita un patriotismo de coerción (Resina 2002: 381). Además, la articulación de la respuesta al problema de las minorías (ya sean étnicas o nacionales dentro de un Estado multinacional) a través de la doctrina de los derechos humanos es incapaz de resolver sus dificultades. La referencia del PP a la Constitución de 1978 no sirve para destacar la pluralidad del país sino para comunicar la necesidad de utilizar el texto como fundamento para el cumplimiento de los designios de su ideología política.

La exposición del concepto de «patriotismo constitucional» en la ponencia del PP establece la base para un proyecto de coherencia nacional. Este proyecto asume, ante todo, «la idea de España con naturalidad y sin complejos históricos» (Piqué/San Gil 2002: 4)[12], y manifiesta primordialmente su «ambición global de estar presente en todo el mundo de una u otra manera, conforme a nuestras propias posibilidades y [...] asumir más protagonismo cada día y más responsabilidades» (Piqué/San Gil 2002: 8)[13]. A partir de esta elucidación, la negociación de la pluralidad y las diferencias dentro del Estado español se desplaza para dejar paso a la declaración de las medidas que se deben tomar para lograr una colectividad que permita al gobierno cumplir con su destino global. La necesidad de una imagen nacional coherente que proyectar hacia el exterior promueve la integración solidaria de las diversas partes de España. Sin embargo, esta solidaridad interesada no sirve, al final, para atender las diferencias del país. La adopción del «patriotismo constitucional» —conjuntamente con la asimilación de la idea de España «sin complejos históricos»— es imperativa, primero, para prevenir la incertidumbre sobre el futuro del país[14]; segundo, para el futuro de España y sus propósitos

---

[12] Este fragmento proviene del artículo 13.

[13] Este fragmento proviene del artículo 28.

[14] En el artículo 9 se declara: «Cuestionar cada veinticinco años el modelo de Estado no conduce sino a la incertidumbre y, en consecuencia, a dificultar el desarrollo social, político y económico de España» (Piqué/San Gil 2002: 3-4). La referencia a la incertidumbre a la que puede enfrentarse el país se transforma a lo largo de la ponencia en una advertencia sobre la posible inestabilidad que puede causar el no asimilar «sin complejos históricos» la idea de España. Esta posición, al final, solamente puede entenderse como una forma de coacción.

globales[15]; tercero, como parte de la aportación a la «Historia» y «Cultura» universales[16] y, por último, como conmemoración de la victoria de la democracia en España[17].

Como se ha apuntado, el propósito de este planteamiento es la percepción exterior de la unidad nacional e identidad colectiva de España —asumidas como obligatorias— para el cumplimiento de lo que el PP identifica como la aspiración del país en el siglo XXI. Para ello, comienza articulando la vigencia de la nación española en la democracia gracias a la reiteración de los valores proclamados en la Constitución de 1978. Estos valores, que se consideran como la superación de la práctica autoritaria del franquismo, expresan la idea de una nación concebida estrictamente en términos contractuales. La ponencia elabora la idea de que el «contrato» de la nación española lo forjaron los constituyentes de 1978 que lograron «un marco de convivencia aceptado por todos, en el que pudiera integrarse el pluralismo de la moderna sociedad española» (Piqué/San Gil 2002: 2)[18]. El resultado de este contrato —la nación española— se anuncia desde el principio de la ponencia del PP de la siguiente manera: «Partimos de la convicción de que España es una nación política forjada a lo largo de una dilatada trayectoria histórica y cuya pluralidad es uno de sus rasgos constitutivos» (Piqué/San Gil 2002: 1)[19]. Proclamando que «nadie es dueño de la idea de España», la presentación invita a una reflexión sobre ella y su trayectoria, no para cuestionarla sino para «reforzar los fundamentos de [la] convivencia» de los españoles (Piqué/San Gil 2002: 1)[20].

---

[15] Dice parte del artículo 29: «La globalización no ha hecho sino ampliar este reto y plantea, todavía con mayor pertinencia, el interés por reforzar la presencia de España en el mundo, en un esfuerzo colectivo que abarca no sólo al conjunto de los poderes públicos sino también a los nuevos actores: empresas, entidades culturales y organizaciones no gubernamentales» (Piqué/San Gil 2002: 9).

[16] En el artículo 13: «Una nación plural con una identidad no étnica, sino política, histórica y cultural, surgida de su aportación a la Historia y Cultura universales, de su propia pluralidad constitutiva, y de su proyecto enraizado en dos mundos, el europeo y el americano» (Piqué/San Gil 2002: 4).

[17] Declara el artículo 3: «La Constitución de 1978 es el mejor paradigma de un proyecto colectivo de libertad, crecimiento y convivencia para todos los españoles y para todas las nacionalidades y regiones de España, y supone un pacto histórico sin precedentes a la idea básica de España» (Piqué/San Gil 2002: 2).

[18] Este fragmento proviene del artículo 5.

[19] Este fragmento proviene del artículo 1.

[20] Este fragmento proviene del artículo 1.

La afirmación de la «idea de España» contradice el carácter contractual de la nación española que intenta destacar el discurso de Piqué y San Gil. Como observa Brian Singer, la nación contractual puede concebirse como el producto de una asociación de voluntades individuales que, a partir de discusiones racionales, ha llegado a un implícito o explícito consenso colectivo en torno a un conjunto de principios públicamente reconocidos, así como a sus instituciones representativas (Singer 1996: 310). Así, la interpretación que hace el PP de la nación española, al concentrarse en el proceso constituyente de la democracia, la distingue de su pasado y de la crítica de una nación cultural concebida en términos particularistas y organicistas, que ve su origen en la combinación de la memoria histórica, la geografía, la tradición, los valores morales, la religión y el lenguaje[21]. Sin embargo, a pesar de las diferencias entre lo que denominamos una nación cultural y otra contractual, existe entre ellas una relación de complicidad ya que la nación está compuesta tanto por el elemento político como por el social y los dos dependen el uno del otro para poder sostenerse (Singer 1996: 309-312). Lo problemático del planteamiento del texto comisionado por José María Aznar y el PP es que, sin reconocer esta complicidad, insiste en invocar los valores universales adoptados por la democracia española y fundamentados en el «contrato» de la Constitución. El contexto histórico que hace comprensible el documento establece para España un modelo de nación cultural que va más allá del individuo, sus diferencias y, por extensión, sus derechos. Así, el PP vincula la idea de patriotismo constitucional a una nación cultural, recuperando la memoria de una identidad nacional, so pretexto de lealtad a la Constitución.

La recuperación de la memoria desde la cual se interpreta y explica el texto de la Constitución de 1978 refleja la relación que describe Nora entre historia y memoria; esta última paradójicamente ocultada por su

---

[21] Esta idea de nación se critica por su naturaleza ficticia y visión esencialista. Entre los trabajos que desarrollan esta crítica se encuentran *Nation and Nationalism* (1983) de Ernest Gellner y *Nations and Nationalisms since 1780* (1990) de Eric Hobsbawm, como ejemplos. Gellner nos recuerda precisamente que es el nacionalismo el que genera la nación y no al revés, y hay que considerar cómo utiliza selectivamente las preexistentes culturas y sus legados, a veces incluso transformándolas radicalmente: «Dead languages can be revived, traditions invented, quite fictitious pristine purities restored» [Las lenguas muertas pueden revivirse, las tradiciones inventarse, las purezas ficticias restaurarse] (Gellner 1983: 55-56).

meticulosa reconstitución. Como una mera huella del pasado, la memoria existe «only through its exterior scaffolding and outward signs» [solamente a través de su andamio exterior y sus signos externos] (Nora 1989: 13). La Constitución, como lugar de memoria, se convierte en un espacio susceptible a la elaboración más abstracta, cumpliendo una función material, simbólica y funcional (Nora 1989: 18-19). El dictado de la memoria histórica la convierte en un instrumento ideal de la historia, como *lieu de mémoire* inscribe lo que Nora llama «a neat border around a domain of memory» (Nora 1989: 21). La Constitución de 1978 demarca, precisamente, un espacio dentro del cual se preserva la memoria de la integridad nacional y territorial que reclama, instrumentada por el patriotismo constitucional, su preservación dentro de la estructura estatal de España. En este espacio metaforizado se gesta el estado nacional, y en su dimensión mnemónica queda encarnada la centralidad de la organización nacional[22].

La Constitución, lugar de memoria, expresa su utilidad como entidad material, simbólica y funcional[23]. Así, primero, como documento histórico, segundo, como símbolo del logro de la democracia y, finalmente, como objeto de articulación de una identidad colectiva mediada por el patriotismo constitucional. Es así como la ponencia del PP construye el andamiaje histórico de un documento político que, desde su memoria, impone la necesidad de reproducir la voluntad colectiva que un día lo materializara:

> La Constitución fue fruto del esfuerzo colectivo de todos los españoles. No fue, y no es, la Constitución de los unos contra los otros. [...] Los artífices de la Constitución fuimos todos los españoles que supimos integrar nuestras legítimas discrepancias políticas y nuestros sentimientos de identidad, en un proyecto común y compartido (Piqué/San Gil 2002: 2)[24].

Lo que enmarca esta Constitución, como «lugar» de todos los españoles, es la memoria de una nación cultural que inserta una visión nacionalista de la idea de España en términos esencialistas a través de la «culturalización» de un evento político. Desde el patriotismo constitu-

---

[22] No hay que olvidar que la redacción del documento se llevó a cabo en la capital, Madrid.

[23] Así describe Nora cómo funcionan los *lieux de mémoire* (Nora 1989: 18-19, 21-22).

[24] Este fragmento proviene del artículo 4.

cional, la proyección de esta Constitución como modelo para una presente y futura España plural se valora como un monumento histórico: «La Constitución recoge lo mejor de la historia liberal y constitucional española [...]. La Constitución es herencia de las voluntades constitucionalistas de nuestra historia contemporánea» (Piqué/San Gil 2002: 2)[25]. O bien, «La Constitución tiene un momento histórico fundacional» (Piqué/San Gil 2002: 3)[26]. Precisamente, como fruto de un momento histórico, se presenta como «marco de estabilidad que garantiza la libertad, la democracia y la pluralidad» (Piqué/San Gil 2002: 3)[27].

La memoria, al instalarse en espacios y objetos concretos, los convierte en generadores de significado (Nora 1989: 9). Así, la memoria de un pacto histórico, que se perpetúa a través de la conmemoración de la Constitución de 1978 como *lieu de mémoire,* se inunda de significados. Además, la capacidad de esta memoria para metamorfosearse revela la posibilidad de su manipulación. Los *lieux de mémoire,* en última instancia, constituyen el producto de la interacción lúdica entre memoria e historia, cuya consecuencia es la sobredeterminación de ambas o, mejor dicho, la preservación simultánea de la memoria y la historia (Nora 1989: 19). La insistencia en el significado histórico de la Constitución, y especialmente en su memoria, invierte el valor de su texto: más que sus principios lo que importa es su capacidad de referencia histórica. Y el contexto que produce esta memoria impone, a través de su manipulación, una visión para el futuro de España que recupera sus rasgos más esencialistas. La superación del nacionalismo se demuestra a través del concepto de «patriotismo constitucional», porque se asimila el primero a un pasado rechazable. Sin embargo, explotando la dimensión metafórica de la Constitución a través de su memoria, el PP manipula su significado para recrearla como digno receptor de la fidelidad de una nación y sus constituyentes. En esta recreación prevalece una memoria específica de lo que Núñez denomina «la condición nacional de España», que admite «una existencia histórica común que data desde al menos el siglo xv», aceptando «que el *demos* que constituye el ámbito territorial de ejercicio de soberanía está *predeterminado* por factores supuestamente objetivos, como así lo reconoce la propia Constitución» (Núñez 2003).

---

[25] Este fragmento proviene del artículo 5.
[26] Este fragmento proviene del artículo 9.
[27] Este fragmento proviene del artículo 9.

Esta condición, portadora de una visión específica sobre la realidad
española y su futuro, es la que intenta preservarse en el enlace entre
patriotismo y Constitución que establece el PP.

Finalmente, la propuesta de ese patriotismo constitucional referido a
la Constitución de 1978 conlleva un elemento de coerción. En la presentación de la Constitución como «marco de estabilidad», el PP prevé una
«incertidumbre» respecto al futuro del país. Como la velada advertencia
en el discurso del rey, la ponencia del PP señala que la modificación de
este marco constitucional podría crear un desequilibrio capaz de amena-
zar la seguridad de los españoles. Esta vulnerabilidad, según el partido
de Aznar, debe remediarse con un esfuerzo colectivo para proteger el
país de sus enemigos interiores. Por ello exhorta a realizar un trabajo
colectivo y solidario, ya logrado anteriormente con la creación de esta
Constitución, cuyos frutos se trata ahora de defender[28]. Esta protección,
fundamentada en el patriotismo constitucional que sanciona su propuesta de unidad nacional, se instituye como salvaguardia del futuro del país.
Resina acierta al puntualizar que, desde esta posición, «nationalism is
not optional. It is omnipresent, not only as a theme that has been displa-
ced to the periphery and serves a projective function, but also as the
interpretative frame for all sorts of data» [el nacionalismo no es opcio-
nal. Es omnipresente, no sólo como tema que se ha desplazado a la periferia y sirve una función proyectiva, sino también como el marco
interpretativo para todo tipo de datos] (Resina 2003: 384-385). En la
Constitución, erigida como espacio dentro del cual caben todos los españoles, la memoria de la nación española excluye a todos aquellos que no
comparten su visión de coherencia nacional.

En la institucionalización de la memoria de la Constitución de 1978,
convirtiéndola en lugar de memoria y depositaria del discurso patriótico,

---

[28] El supuesto carácter colectivo de la elaboración del la Constitución que propaga el
PP se descubre como una construcción narrativa para naturalizar la posición nacionalista ante la idea de España. Según el testimonio de Manuel Fraga en 1982, la elaboración
de la Constitución de 1978, «estuvo condicionado por acuerdos previos, compromisos
ideológicos y una situación general llena de prisas y tensiones» (Fraga 1982: 141). La
supuesta voluntad colectiva y consecuencia lógica del proceso democrático de España
queda desmentida por el ex ministro que había participado, como Secretario General de
Alianza Popular de su preparación. Asimismo, en el reciente suplemento conmemorativo de El País «La Constitución del XXI», a pesar del énfasis en articular una historia de
consenso, quedan ilustrados sus diferentes y numerosos conflictos (El País 2003b).

la propuesta del PP y la idea del patriotismo constitucional reflejan el problema de la memoria histórica. Los *lieux de mémoire* resultan, hasta cierto punto, del violento cruce entre la historia y la memoria. Nora comunica la impetuosidad de esta relación al observar que si la primera no asediase a esta última, deformándola y transformándola, penetrándola y petrificándola, no existirían lugares de memoria (Nora 1989: 12). El culto a la Constitución entraña una manipulación de la recolección del pasado que, al final, refleja una política de la memoria interesada más en reformular una idea de España que nunca ha dejado de existir que en sancionar los valores constitucionales del Estado. Una política cuya estrategia parte de un discurso de superación del pasado, pero que, en nombre del progreso, la seguridad, y la continuación del bienestar nacional, recupera veladamente prácticas anteriores como única solución para el futuro del país. La borradura ideológica que implica esta práctica debe examinarse críticamente, especialmente cuando en ella confluyen memoria e historia, porque, como advierten Davis y Starn, «history and memory, like credit, are both expansive; they are extended, and often overextended, on faith; but they can be periodically checked against the record and called into account too» [la historia y la memoria, como el crédito, son expansivas; se extienden, y frecuentemente, se sobreextienden, a base de fe; pero pueden ser periódicamente inspeccionadas y dar cuenta de su responsabilidad] (Davis/Starn 1989: 6).

OBRAS CITADAS

AGUILAR FERNÁNDEZ, Paloma (2002): «Justicia, política y memoria: los legados del franquismo en la transición española». En: BARAHONA DE BRITO, A. (ed.): *Las políticas hacia el pasado. Juicios, depuraciones, perdón y olvido en las nuevas democracias.* Madrid: Istmo, pp. 135-193.

CEBRIÁN, Juan Luis/Felipe GONZÁLEZ (2001): *El futuro no es lo que era. Una conversación.* Madrid: Taurus.

CONSTITUCIÓN ESPAÑOLA (1978). En: http://alcazaba.unex.es/constitucion/tituloI. html#preliminar, (21 de diciembre 2002).

DAVIS, Natalie/STARN, Randolph (1989): «Introduction». En: *Representations. Memory and Counter-Memory* (Número especial), 26, pp.1-6.

CARRERAS, Francesc de (2001): «Patriotismo sin tribu». En: *El País* («Opinión»), 11 de noviembre, p. 19.

EL PAÍS (2003a): «No dilapidemos el caudal de entendimiento acumulado (Discurso del Rey ante las Cortes Generales)», 7 de diciembre, p.18.

—: (2003b): «La Constitución del XXI». «Suplemento Extra», 6 de diciembre, pp. 1-23.

FRAGA IRIBARNE, Manuel (1982): «La Constitución de 1978: su elaboración, la actitud de los partidos políticos y la experiencia después de un año de vigencia». En: CRISPIN, J./PUPO-WALKER, E./CAGIGAO, J. L. (eds.): *España 1975-1980: conflictos y logros de la democracia.* Madrid: José Porrúa Turanzas, pp.141-155.

GABILONDO, Joseba (2003): «Posnacionalismo y biopolítica: para una crítica multiculturalista del estado y su soberanía en Europa y el País Vasco (notas sobre Habermas y Agamben)». Texto inédito de aparición próxima en: *Inguruak: Revista de la federación vasca de sociología,* 37, pp. 1-23.

GELLNER, Ernest (1983): *Nations and Nationalism.* Ithaca: Cornell University Press.

HABERMAS, Jürgen (2001): *The Postnational Constellation. Political Essays.* Ed. M. Pensky. Cambridge: The MIT Press.

HALBWACHS, Maurice (1992): *On Collective Memory.* Ed. L. A. Coser. Chicago: The University of Chicago Press.

HOBSBAWM, E. J. (1990): *Nations and Nationalism since 1780.* Cambridge: Cambridge University Press.

MÜLLER, John (2002): «El espejismo del patriotismo constitucional». En: *Chile Hoy* («Opinión»), 2 de febrero.

NORA, Pierre (1989): «Between Memory and History: *Les Lieux de Mémoire*». En: *Representations,* 26, pp. 7-24.

NÚÑEZ, Xosé-Manoel (2001): «What is Spanish Nationalism Today? From Legitimacy Crisis to Unfulfilled Renovation (1975-2000)». En: *Ethnic and Racial Studies,* 24, 5, pp. 719-752.

NúÑEZ, Xosé-Manoel (2003): *¿Existe el nacionalismo español después de Franco? Sobre el papel de la memoria histórica en el discurso patriótico español desde la Transición.* Presentación en Wroclaw/Breslau, 15 de junio.

—: (2004): «From National-Catholic Nostalgia to Constitutional Patriotism: Conservative Spanish Nationalism since the Early 1990s». En: BALFOUR, S. (ed.): *The Politics of Contemporary Spain.* London: Routledge, pp. 121-145.

PIQUÉ, Josep/SAN GIL, María (2002): *El patriotismo constitucional del siglo XXI.* Ponencia dentro del marco del XIV Congreso Nacional del Partido Popular celebrado en Madrid el 25, 26, 27 de enero. En: http://www.pp.es/partido_popular/congreso/pon_cons.pdf. O en: http://www.iblnews.com/varios/pon_cons.pdf, (11 de junio de 2004).

RESINA, Joan Ramon (2000): «Short of Memory: the Reclamation of the Past Since the Spanish Transition to Democracy». En: RESINA, J. R. (ed.): *Disremembering the Dictatorship. The Politics of Memory in the Spanish Transition to Democracy.* Amsterdam: Rodopi, pp. 83-125.

—: (2002): «Post-national Spain? Post-Spanish Spain?». En: *Nations and Nationalism,* 8, 3, pp. 377-396.

—: (2003): «Nationalism and Anti-Nationalism: Semantic Games for the Definition of the Democratic State». En: *Revista de Estudios Hispánicos,* 37, pp. 383-400.

SINGER, Brian C. J. (1996): «Cultural versus Contractual Nations: Rethinking Their Opposition». En: *History and Theory,* 35, 3, pp. 309-337.

VELASCO ARROYO, J. C. (2002): «Los contextos del patriotismo constitucional». En: *Cuadernos de Alzate,* 24, pp. 63-78.

LAS MEMORIAS

Manuel Vázquez Montalbán †

Tan importante para mí es la memoria que he titulado *Memoria y Deseo* las dos ediciones de mis poesías incompletas, consciente de que mis versos, y en buena parte toda mi literatura, son fruto de la tensión entre un ámbito personal y otro coral, mi memoria y la colectiva, muy especialmente la que me liga a mi *grupo emocional*, los vencidos en la Guerra Civil española pertenecientes a lo que antes se llamaba el proletariado, y las pulsiones que plantean los deseos, también en lo personal y en lo coral o colectivo.

Si el recuerdo es un útil indispensable para la *operación nostalgia que tantas veces requiere la literatura*, la memoria es un ámbito fundamental para la creación literaria desde la perspectiva de escritor y para que se produzca la complicidad cocreadora con el lector. A veces el éxito o el fracaso de esta complicidad depende de la *capacidad o incapacidad del escritor de transmitir el uso de su memoria y de convertirla en memoria del lector*, en referente incorporado a la conciencia receptora.

La diferencia entre memoria y recuerdo plantea el problema de qué papel cumplen en lo literario. Para los filósofos clásicos, el recuerdo era un acto más próximo a la remembranza psíquica y la memoria el almacén de la retención de las impresiones, convertido en una parte misma de nuestra conciencia. En cualquier caso, la posibilidad de recordar y de almacenar conciencia de lo ocurrido se ha señalado incluso como la diferencia expresa de la inteligencia humana con respecto a la animal, tal vez como extrapolación del uso que el hombre ha hecho de la experiencia para imponer su hegemonía. Recuerdo, memoria, experiencia son palabras de función diversificable, pero que para el escritor se resumen en el uso que hace de lo que sabe o de lo que ha vivido y, más todavía, de lo que cree saber o de lo que cree haber vivido. La falsificación en literatura siempre está permitida si consigue enmascararse de verdad literaria.

Los filósofos de la experiencia razonaron en el siglo XX concepciones de la memoria vinculadas a su función a la vez repetitiva y representativa, según la división clásica de Bergson. Prima la memoria representativa como un atributo connotador de lo humano, como la propia esencia de la conciencia, de ahí que pueda señalarse al hombre como aquel ser que tiene memoria, a diferencia de los demás. William James en cambio relativiza la importancia cognoscitiva y delimitadora de lo humano, de la memoria. Sería un objeto imaginado en el pasado «al cual se adhiere la emoción de la creencia».

Posteriormente, para Bertrand Russell la memoria debía considerarse como un punto de vista del presente en el que la memoria es la simple convocatoria psíquica de una experiencia pasada. Ryle en cambio la percibe como un punto de vista del pasado y considera la memoria como una acción u operación gracias a la cual mantenemos una creencia sobre la verdad de las experiencias pasadas o al menos de las más necesarias o determinantes. Aparece aquí un principio de posible manipulación que nos acercaría al sentido que la memoria alcanza en la operación de escribir y leer. Se trata de la manipulación de lo que creemos saber sobre nosotros mismos y los demás, a manera de gran novela que nos hemos contado con la ayuda de las personas o disciplinas que más han influido en nosotros.

Muchas veces el escritor ha recibido la confesión de lectores dispuestos a contarle *su vida* porque es una auténtica novela. Nada más cierto. La diferencia entre cualquier ser humano y el escritor es que éste puede convertir la memoria en material literario y cualquier hecho de memoria en un referente privilegiado para la construcción del artificio. Ante todo hay que clasificar todas las relaciones habidas y supervivientes entre memoria y literatura, desde la original relación entre memoria y literatura oral y anónima, hasta creaciones en las que la memoria se convierte en la materia prima de lo narrado.

El memorialismo o transmisión de lo vivido personal o coralmente para que se integre en el saber histórico es una práctica literaria a la vez casi prehistórica y vigente. Pero podríamos incluso considerar el memorialismo como un género, sin que ello nos eximiera de resolver el problema o los problemas que subsisten en la relación memoria-literatura.La memoria como añoranza de un paisaje físico o humano privilegiado (*La plaça del diamant*, de Mercè Rodoreda).

Los lugares de memoria dotados de imaginario, a veces enriquecido ese imaginario por la aportación del escritor (Dublín, antes o después de Joyce).

La memoria como un pretexto para localizar en el tiempo independientemente de la exactitud reproductora (el uso del Guinardó o del Carmelo en las novelas de Juan Marsé o del Sur, en las de Faulkner).

El uso de lugares memorizados coralmente como privilegiados y ya muy connotados por el saber literario o convencional, como es el caso de Venecia (desde Thomas Mann a la tendencia gimferreriana de parte de *los novísimos* poetas españoles).

Y al contrario, la posibilidad de convertir en un nuevo mito de la memoria un lugar o una cosa o una peripecia sin un lugar específico en el ámbito de la remembranza, por ejemplo el uso de Marienbad realizado por Robbe-Grillet en *El año pasado en Marienbad* o la inevitable relación de la magdalena de Proust con la posibilidad de evocar.

Todas estas posibilidades se dan en la literatura contemporánea, laboratorio sincrético de técnicas acumuladas y renovables, dotado de un patrimonio tan colmado que dificulta la supervivencia del impulso de vanguardia y casi lo inutiliza, habida cuenta de que estamos en un período de crisis de la creencia en el crecimiento continuo, sea material sea espiritual. Pero el escritor puede usar la memoria como un almacén de experiencias propias y ajenas, de códigos de conducta y de lenguaje propios y ajenos, como una biblioteca total y universal en la que habita como el personaje borgiano sin ninguna necesidad de comunicación con *la realidad*. Memoria y lenguaje, aliados literariamente, se bastan no para evitar la realidad sino incluso para sustituirla.

Plantear esta situación de la relación memoria-literatura en una sociedad literaria tan concreta y normalizada como la española y a la vez tan marcada por un muy cercano pasado de irregularidad política, obliga a algunas precisiones que pueden sonar exóticas a los alejados de las experiencias ibéricas. Hace unos treinta años todavía era un problema político en España el que yo pudiera utilizar mi memoria de los cruceros por el Mediterráneo organizados por la reina Federica de Grecia, porque era suegra de un posible rey de España. Tampoco la podía sustituir por la reina Juliana porque era suegra de otro posible rey de España. El censor sólo aceptó la sustitución por Grace de Mónaco porque, me dijo, «[...]

ésa no es reina ni es nada». Miles de años de experiencia sobre la relación literatura-memoria-política nos enseñan que los regímenes autoritarios o más exactamente, el poder, en abstracto y en concreto, llámese dictadura o mercado, trata de apoderarse de la memoria y sobre todo de la memoria coral. *Las dictaduras contemporáneas falsificaron el lenguaje, el patrimonio, la memoria y la conciencia de sus antagonistas y en el caso español con la facilidad que les daba la victoria en la guerra civil y una represión cultural más duradera* incluso que la vida del dictador. En esas condiciones la reivindicación del patrimonio oculto o usurpado pasa por una serie de actuaciones literarias:

Recuperar el lenguaje secuestrado. Cada dictadura totalitaria en condiciones de crear cánones culturales empieza por el secuestro del lenguaje, que fue en España desde la fijación de un modelo lingüístico imperial más o menos basado en el Siglo de Oro y en la depuración del significado de todas aquellas palabras que podían ayudar a identificar al *enemigo*, por ejemplo incluso la palabra «obrero», sustituida por «productor» o cuantas tuvieran relación con las reivindicaciones de los nacionalismos centrífugos periféricos en España enfrentados al nacionalismo centrípeto español.

Recuperar el patrimonio oculto. Los heterodoxos, de Erasmo a Raimon, pasando por los ilustrados, bakunisistas, y socialistas utópicos españoles o Azaña o Luis Araquistain o Joaquín Maurín. *El aparato de represión superestructural e instrumental* llegó a borrar de la lista de funcionarios públicos a los que habían tenido significación heterodoxa o republicana, por ejemplo Antonio Machado. Las leyes y la censura controlaron la represión de la cultura activa, la creadora de nueva consciencia y veintisiete años después del final de la Guerra Civil, la ley Fraga fue una ley de maquillaje liberalizante compensada por el Régimen mediante el cierre o secuestro de revistas y libros.

La recuperación de la memoria. La memoria se presta a un uso literario emancipador, porque *recuperar la memoria prohibida o secuestrada* es una materia literaria espléndida y propicia una relación casi siempre muy afortunada entre literatura y política. Las mejores muestras de realismo crítico se han dado entre escrituras en rebelión que han hecho de la *recuperación de la memoria prohibida* una causa consciente; y lo podemos comprobar en la literatura italiana transmussoliniana, en la española que acompaña el transfranquismo, iniciada sobre todo por los novelistas y poetas de los *cincuenta*, o en la soviética que arranca en el deshielo de la etapa de Kruschev. Animados por el «deshielo» krus-

cheviano, varios novelistas testimoniaron sobre lo ocurrido, recuperaron la memoria prohibida, a veces con la grandeza literaria de Rubiakov en *Los chicos de Arbat*, de Dudintsev en *Los vestidos blancos* o Vassili Grossman en *Vida y destino*. Estas novelas son consideradas hoy día en todo el mundo, incluida Rusia, como monumentos a la memoria crítica. Vassili Grossman pagaría su exceso de confianza en el deshielo con la prohibición de su obra, con el secuestro material del original de la novela en febrero de 1961 a cargo del KGB.

Puede considerarse hoy, con todas sus limitaciones, que en el forcejeo con la cultura oficial, la sociedad literaria española fue reclamando alternativas y que ya en los años cuarenta, pero preferentemente en los cincuenta, buscar otra memoria que no fuera la oficial era una aportación a la reconstrucción del imaginario democrático. Entre *Los cipreses creen en Dios,* de Gironella, primera revisión algo heterodoxa de la memoria histórica fijada por el Régimen, hasta *El lápiz del carpintero* de Manuel Rivas, una de las mejores resultantes literarias del memorialismo reivindicativo, median cincuenta años de pugna por recuperar la memoria del vencido. Por la edad del autor, manipula una memoria no propia sino adquirida, pero extraída de una memoria colectiva que ha acabado por tener identidad gracias en parte a la literatura y el cine.

En la España actual la memoria amamanta la literatura confesional de los problemas del yo y de la relación entre el yo y el nosotros, especialmente en la promoción en torno a la cincuentena, Millás, Soriano, Chirbes, Madrid, Muñoz Molina entre otros y otras, como promoción que todavía llega a tiempo de forcejear políticamente contra el franquismo, pero que ya recupera plenamente el discurso de los trastornos del yo en relación con la otredad. Sin embargo es característica incluso de escritores españoles que no vivieron la guerra, ni lo más brutal de la larga postguerra, la atracción por la materia de la memoria histórica. La cercanía de un pasado resistente permite que la memoria de *ese pasado siga teniendo un lugar en la escritura, convenientemente adaptado a la edad y por lo tanto al grado de experiencia represiva del escritor.* Si para los novelistas y poetas de los años cuarenta y cincuenta, recuperar la memoria de los vencidos en la Guerra Civil era su casi única posibilidad de disentir, los escritores ya hoy algo acuarentados que alguna experiencia tuvieron de la fase terminal de aquella resistencia, suelen recurrir a la sátira de su memoria de revolucionarios insuficientes, sin atender a veces que ya en la década de los setenta casi toda la humanidad disidente estaba condenada a la condición de revolucionarios insuficientes.

Teniendo muy en cuenta esta especial referencia a la memoria como huella de los perdedores, sean considerados individual o coralmente, todas las literaturas normalizadas, que cuentan en los mercados y en los simposios, mantienen relaciones similares con los almacenes de vivencias, fabulaciones y datos del escritor. Somos conscientes de que cada época establece una potencial hegemonía de lo que tiene como más memorizable y que ha sido, es y supongo será función de la literatura, distinguir entre lo memorizado para siempre o lo que se olvidará en tiempos inmediatos. Y el escritor es consciente de que como las malas mujeres en los mejores tangos, su memoria se irá con otro y el día o el siglo menos pensado, habrá desaparecido en la fosa común del tiempo.

El crítico literario y estratega cultural político, Salvador Clotas, sostenía en plena juventud que los ensayistas deberían enseñar siempre el carné de identidad. Un ensayista tiene la ventaja de subirse a un tren del conocimiento en una estación que no es la inicial y bajarse cuando quiere. El sabio que afronta un problema del saber en su totalidad se la juega al tiempo que da numerosos rastros sobre su identidad, pero el ensayista tal vez debería ayudar al lector a situar su finalidad para tan corto viaje. Más escritor de creación que ensayista, creo necesario explicar qué relación tiene lo que yo he escrito con lo que hasta ahora he reflexionado a propósito de la memoria o, mejor dicho, las memorias.

Mi poesía ha utilizado desde el realismo satírico al surrealismo o el simbolismo para reflejar los trastornos entre mi memoria individual y la coral, entre la memoria oficial y la reprimida. Finalmente en *Ciudad* construía el imaginario de la *ciudad de la memoria* como la más habitable y por lo tanto casi la más necesaria. En cuanto al ensayo, lo he orientado a que fuera reflexión teórica sobre mis actuaciones prácticas y así he escrito sobre medios de comunicación, sobre la subcultura popular, sobre literatura o política, pero siempre condicionado por un proceso de autoclarificación tan presente en *Crónica sentimental de España* como en *La literatura en la construcción de la ciudad democrática, Panfleto desde el planeta de los simios* o *Geometría y compasión*.

Si se releen mis novelas o mis piezas teatrales de la llamada *época subnormal*, entre 1968 y 1974, el propósito vanguardista no enmascara que la recuperación de la memoria prohibida sea un objetivo primordial, unido a la apropiación del patrimonio heterodoxo y a la libertad de creación de una consciencia emancipadora. Tanto en el ensayo madre de todas mis batallas subnormales, *Manifiesto subnormal*, como en *Cuestiones marxistas*, la falsa novela que más representa este periodo, el juego

con las memorias de los personajes, opuestas a las de sus opresores, traduce una fuerte pulsión de lucha de clases, de todo tipo de lucha de clases. El ciclo Carvalho, insuficientemente comprendido si se le considera
un conjunto de novelas *policíacas* respetuosas con la lógica del género,
es una memorización de la transición, pero no sólo de la española, sino
de esa transición global que lleva desde todas las esperanzas de los años
sesenta (la píldora anticonceptiva, las revoluciones blandas, los fusiles
con claveles, las comunas, los movimientos contraculturales, todos los
mayos fallidos) al grado cero del desarrollo, a la involución de las con-
quistas sociales, al sida, al ceño represivo del papa polaco, a la victoria
imperial del capitalismo multinacional, al reconocimiento de la imposibilidad del crecimiento continuo material y espiritual. A la crisis total de
la posibilidad de vanguardia y utopía.

Otro ciclo de novelas, *El pianista, Los alegres muchachos de Atzavara,
Galíndez, Autobiografía del general Franco, Erec y Enide,* ha tratado de
luchar contra la supuesta objetividad del conocimiento histórico, en pos
del derecho a tomar partido por una determinada lectura de lo históricamente ocurrido y de lo históricamente en movimiento. Creo que muy
especialmente *Autobiografía del general Franco* explica *mi teoría* de
escritor que se siente responsable de la posible doble muerte de su gente, de la mayoría no sólo silenciada, sino silenciosa, porque carece de esa
posibilidad, vamos a llamarle técnica, de convertir su memoria en discurso. Enterrada primero, como el personaje de Brassens, en la fosa
común del tiempo, esa mayoría vuelve a ser sepultada en los dicciona-
rios enciclopédicos, cada vez más obligados a contener mayor número
de voces y por lo tanto cada vez con menos espacio o posibilidad de distinguir entre víctimas y verdugos. Quedarán siempre dos líneas para
Asurbanipal y ninguna, tal vez, para sus víctimas.

Tengo entre manos un libro de poemas titulado *Rosebud,* que no deja
de ser una indagación sobre los instantes privilegiados de la memoria, a
la manera del uso que Orson Welles hace de la bola de cristal del niño en
Ciudadano Kane. Mi larga novela *Milenio* es una vuelta al mundo aco-
metida por Carvalho y Biscuter, en estrecha relación significativa con
Phileas Fogg y Picatoste, pero también con Bouvard y Pécuchet o con
Don Quijote y Sancho. Novela ubicada en el segundo semestre de 2002
y en la geografía del sur globalizado y tan sofisticadamente bombardea-
do, bajo los misiles inteligentes de Damocles que están anunciando una
de las guerras más cínicas de todas las guerras cínicas que se han dado
en la humanidad; la de Irak.

Memoria y deseo, es decir, *Futuro*, como única posible esperanza laica, como única necesaria religión, según Bloch, en estos tiempos en que vuelve a convocarse a Dios para matar o para quedar bien clasificado en los campeonatos mundiales de fútbol, justificación aportada por el jugador croata Suker, cuando su selección nacional quedó cuarta en los campeonatos mundiales de 1998, en demérito de la clasificación de la selección española, después de todo lo que ha hecho España por Dios y por la Iglesia a lo largo de su terrible historia.

Y recuperación de la idea de *finalidad,* es decir, de proyecto modificador positivo, que ha sido secuestrada por los señores de la economía, es decir de la cultura y de la Historia, bajo la coartada de que la finalidad no existe más allá o más acá de *lo divino* y por lo tanto queda en manos del poder condicionar el presente sin los riesgos explicativos que conlleva la memoria, ni el desafío de intentar un futuro mejor. En estos tiempos de neodeterminismo pararreligioso, la memoria es indispensable, porque en ella se encuentran los culpables del presente.

NOTAS BIOGRÁFICAS SOBRE LOS AUTORES

ÁNGEL CASTIÑEIRA es doctor en Filosofía y profesor titular del Departamento de Ciencias Sociales de ESADE (Barcelona, Universitat Ramon Llull). Es autor, entre otros, de los siguientes libros: *Àmbits de la postmodernitat* (1986); *Societat civil i Estat del Benestar* (1990); *Els límits de l'Estat* (1994); *Catalunya com a projecte* (2001) y *Ens fan o ens fem? La transmissió de valors, avui* (2004).

AGUSTÍ COLOMINES I COMPANYS es profesor titular de Historia Contemporánea en la Universitat de Barcelona. Especialista en historiografía e historia del nacionalismo, fue *visiting fellow* en la University of East Anglia (Reino Unido) y actualmente es miembro del Centre d'Estudis Històrics Internacionals-Pavelló de la República de la Universitat de Barcelona y de la Association for the Study of Ethnicity and Nationalism (ASEN) de la London School of Economics. Ha publicado, entre otros libros y artículos de historia, *Catarroja 1936-1939: insurgent i administrada* (1987); *El catalanisme i l'Estat. La lluita parlamentària per l'autonomia, 1898-1917* (1993); *Les Bases de Manresa de 1892 i els orígens del catalanisme* (1992, con J. Termes); *Les raons del passat. Tendències historiogràfiques actuals* (1998, con V. S. Olmos); *La resposta catalana a la crisi i la pèrdua de Cuba* (1998); *Testimoni públic* (2001); *Patriotes i resistents. Història del primer catalanisme* (2003, con J. Termes) y *Manual de sensacions* (2004). Es autor también de varios libros de poesía y colaborador habitual en los medios de comunicación catalanes. Coedita las revistas *El Contemporani* y *Afers. Fulls de recerca i pensament* y es miembro del consejo rector de la Editorial Angle. Desde febrero de 2004 es director del Centre UNESCO de Cataluña.

Colleen P. Culleton es profesora de Literatura y Culturas Peninsulares en la University of North Carolina at Charlotte. Su trabajo sobre la memoria colectiva y la identidad nacional ha sido publicado en *Catalan Review* y *Nexus*. Trabaja actualmente en un manuscrito titulado *In the Labyrinth: Writing Memory in Barcelona under Franco*.

Jo Labanyi es catedrática de Español y Estudios Culturales en la University of Southampton, Reino Unido, donde también es decana asociada para la investigación en la Facultad de Derecho, Letras y Ciencias Sociales. Sus publicaciones más recientes incluyen *Gender and Modernization in the Spanish Realist Novel* (2000) y *Constructing Identity in Contemporary Spain: Theoretical Debates and Cultural Practice* (2002, coord.). Actualmente está preparando un libro sobre el cine del primer franquismo, además de dirigir el proyecto de investigación colectivo *Una historia oral del público cinematográfico en la España de los años 40 y 50,* subvencionado por el Arts and Humanities Research Board del Reino Unido. También participa como investigadora en el proyecto *Europa: Emociones, Identidades, Políticas,* dirigido por Luisa Passerini en el Kulturwissenschaftliches Institut, Essen. En 2000 fue responsable de la creación de la revista *Journal of Spanish Cultural Studies,* en cuyo equipo editorial sigue participando. Se ha especializado en el estudio de la cultura española de los siglos XIX y XX, y, más recientemente, en el tema de la memoria cultural.

Joan Ramon Resina es doctor en Literatura Comparada por la University of Berkeley y en Filología Inglesa por la Universitat de Barcelona. Actualmente es catedrático de Estudios Románicos y Literatura Comparada en la Cornell University. Es autor de *La búsqueda del Grial* (1988), *Un sueño de piedra: Ensayos sobre la literatura del modernismo europeo* (1990), *Los usos del clásico* (1991), *El cadáver en la cocina: La novela policiaca en la cultura del desencanto* (1997), *El postnacionalisme en el mapa global* (2005). Ha editado: *Mythopoesis: Literatura, Totalidad, Ideología* (1992), *El aeroplano y la estrella: El movimiento vanguardista en los Países Catalanes (1904-1936)* (1997), *Disremembering the Dictatorship: The Politics of Memory since the Spanish Transition to Democracy* (2000), *Iberian Cities* (2001) y coeditado *After-Images of the City* (2003). En preparación: un número monográfico de la revista *Diacritics* titulado «New Coordinates: Spatial Mappings, National Trajectories», y una colección de ensayos sobre el cine español, *Burning Darkness: Half a Century of Spanish Cinema*. En este momento trabaja en un libro sobre la evolución de la imagen de Barcelona en la narrativa moderna. Además de un centenar de ensayos en revistas especializadas y en volúmenes de diversos autores, ha dirigido la revista de teoría cultural, *Diacritics*, entre 1998 y 2004, y es miembro del consejo editorial de diversas revistas europeas y norteamericanas. Entre sus distinciones se encuentran las becas Fulbright y Alexander von Humboldt para investigación postdoctoral.

PAUL JULIAN SMITH es catedrático de Español en la University of Cambridge desde 1991 y ha sido profesor invitado en las universidades de Berkeley (California), New York, Johns Hopkins, País Vasco, y Stanford (2004). Es autor de doce libros y cincuenta artículos sobre literatura y cine español y latinoamericano, entre ellos *The Moderns: Time, Space, and Subjectivity in Contemporary Spanish Culture* (2000), *Desire Unlimited: The Cinema of Pedro Almodóvar* (Segunda edición 2000); *Contemporary Spanish Culture: TV, Fashion, Art and Film* (2003), y *Amores Perros: Modern Classic* (2003). Es asiduo colaborador de *Sight and Sound* (la revista del British Film Institute) y uno de los cuatro editores y fundadores de *Journal of Spanish Cultural Studies*.

H. ROSI SONG es «assistant professor» de Español en Bryn Mawr College en Pennsylvania (EE.UU.). Ha co-editado recientemente un número especial para la revista *Journal of Spanish Cultural Studies* (2004) sobre el tema del *camp* en España. Sus ensayos han aparecido en las revistas *Hispanic Journal*, *RLA* e *Hispamérica*, entre otras. Actualmente, está preparando una monografía sobre el compromiso político de escritores izquierdistas bajo el franquismo.

MANUEL VÁZQUEZ MONTALBÁN fue periodista en diversos periódicos y revistas *(Triunfo, ¡Por favor!, El País, Avui)*, poeta, ensayista, novelista, autor de una ingente obra que incluye, entre las novelas, *Recordando a Dardé y otros relatos* (1969), *El pianista* (1985), *Los alegres muchachos de Atzavara* (1987), *Galíndez* (1990), *Autobiografía del general Franco* (1992), *El estrangulador* (1994), *O César o nada* (1998), *El señor de los bonsáis* (1999), *Erec y Enide* (2002), y los 23 títulos de la serie policiaca Carvalho. Entre sus libros de ensayo y de reportaje, destacan *Crónica sentimental de España* (1971), *La penetración americana en España* (1974), *Los demonios familiares de Franco* (1978), *La palabra libre en la ciudad libre* (1979), *Crónica sentimental de la transición* (1985), *Barcelonés* (1987), *La literatura en la construcción de la ciudad democrática*

(1998), *Pasionaria y los siete enanitos* (1995), *Un polaco en la corte del rey Juan Carlos* (1996), *Y Dios entró en La Habana* (1998), *Marcos: el señor de los espejos* (1999). Su obra poética entre 1963 y 1990 ha sido recogida en el volumen *Memoria y deseo*. Posteriormente publicó el poemario *Ciudad* (1997).

José Luis Villacañas Berlanga es doctor en Filosofía por la Universitat de València. Ha sido profesor en la Universitat de València, comisionado en el Instituto de Filosofía del Consejo Superior de Investigaciones Científicas de Madrid y es, desde 1986, catedrático primero de Historia de la Filosofía y después de Filosofía Moral en la Universidad de Murcia. Sus líneas de trabajo son la filosofía alemana, desde la Ilustración de Lessing y Kant a H. Blumenberg pasando por Max Weber, y la historia de las ideas, sobre todo en el ámbito hispánico. Es director de la revista *RES PUBLICA*, de filosofía política, y del proyecto de investigación «Biblioteca digital de pensamiento político hispánico». Entre sus últimas publicaciones se pueden mencionar: *La filosofía del Idealismo alemán* (2002); *La filosofía del siglo XIX* (2002); *La Nación y la Guerra* (1999); *Res Publica, los fundamentos normativos de la política* (1999); *Los Latidos de la Ciudad* (2004); *Ramiro de Maeztu y el ideal de la burguesía española* (2000); *Jaume I el Conquistador* (2003). Su último libro es una edición de *Meditaciones del Quijote* de Ortega y Gasset, en la editorial Biblioteca Nueva (Madrid).

Ulrich Winter es catedrático de Literaturas y Culturas románicas de la Philipps-Universität Marburg (Alemania). Ha publicado, entre otros, libros y artículos sobre la novela española del siglo de oro y del siglo XX (*Der Roman im Zeichen seiner selbst*, Tübingen 1998) y sobre cultura española después de 1975 (entre otros en: *Spanien heute*, ed. por K. Dirscherl y W. L. Bernecker 1998; 2004). Ha editado el dossier «Posdictadura/Posmodernismo. La renegociación de identidades colectivas en la España democrática» en la revista *Iberoamericana* (2004) y co-editado un libro sobre colonialismo y modernidad (*Blicke auf Afrika nach 1900*; 2002). Actualmente está preparando la edición de un tomo colectivo sobre lugares de memoria en la literatura española después de 1975. Es miembro del consejo editorial de «Estudios de Cultura de España» (editorial Iberoamericana/Vervuert, Frankfurt am Main/Madrid), y co-editor de «Studien und Dokumente zur Geschichte der Romanischen Literaturen» (editorial Peter Lang, Frankfurt am Main *et al.*).

JOSEBA ZULAIKA es el director del Centro de Estudios Vascos de la Universidad de Nevada, Reno. Es autor, entre otros libros, de *Violencia vasca: Metáfora y sacramento* (1990), *Del cromañón al carnaval: los vascos como museo antropológico* (1996), y *Crónica de una seducción: el museo Guggenheim-Bilbao* (1997).

LA CASA DE LA RIQUEZA
ESTUDIOS DE CULTURA DE ESPAÑA

1. José-Carlos Mainer: *La doma de la Quimera. Ensayos sobre nacionalismo y cultura en España.* Madrid / Frankfurt am Main: Iberoamericana / Vervuert 2004; segunda edición aumentada.

2. Sabine Schmitz; José Luis Bernal Salgado (eds.): *Poesía lírica y Progreso tecnológico (1868-1939).* Madrid / Frankfurt am Main: Iberoamericana / Vervuert 2003.

3. Kathleen E. Davis: *The latest style. The fashion writing of Blanca Valmont and economies of domesticity.* Madrid / Frankfurt am Main: Iberoamericana / Vervuert 2004.

4. del Valle, José del; Gabriel-Stheeman, Luis (eds.): *La batalla del idoma: La intelectualidad hispánica ante la lengua.* Madrid / Frankfurt am Main: Iberoamericana / Vervuert 2004.

5. Santos-Rivero, Virginia: *Unamuno y el sueño colonial.* Madrid / Frankfurt am Main: Iberoamericana / Vervuert 2005.

6. Joan Ramon Resina y Ulrich Winter (eds.): *Casa encantada. Lugares de memoria en la España constitucional (1978-2004).* Madrid / Frankfurt am Main: Iberoamericana / Vervuert 2005.

Iberoamericana Editorial
C / Amor de Dios, 1
E-28014 Madrid

Vervuert Verlag
Wielandstr. 40
D-60318 Frankfurt

visite nuestra página y haga su pedido en...
www.ibero-americana.net / info@iberoamericanalibros.com

... y cuando venga a Madrid, no deje de visitar nuestra LIBRERÍA IBEROAMERICANA
en la calle Huertas, 40.